作家の手紙は秘話の森

—古書市場発掘の肉筆37通

青木正美

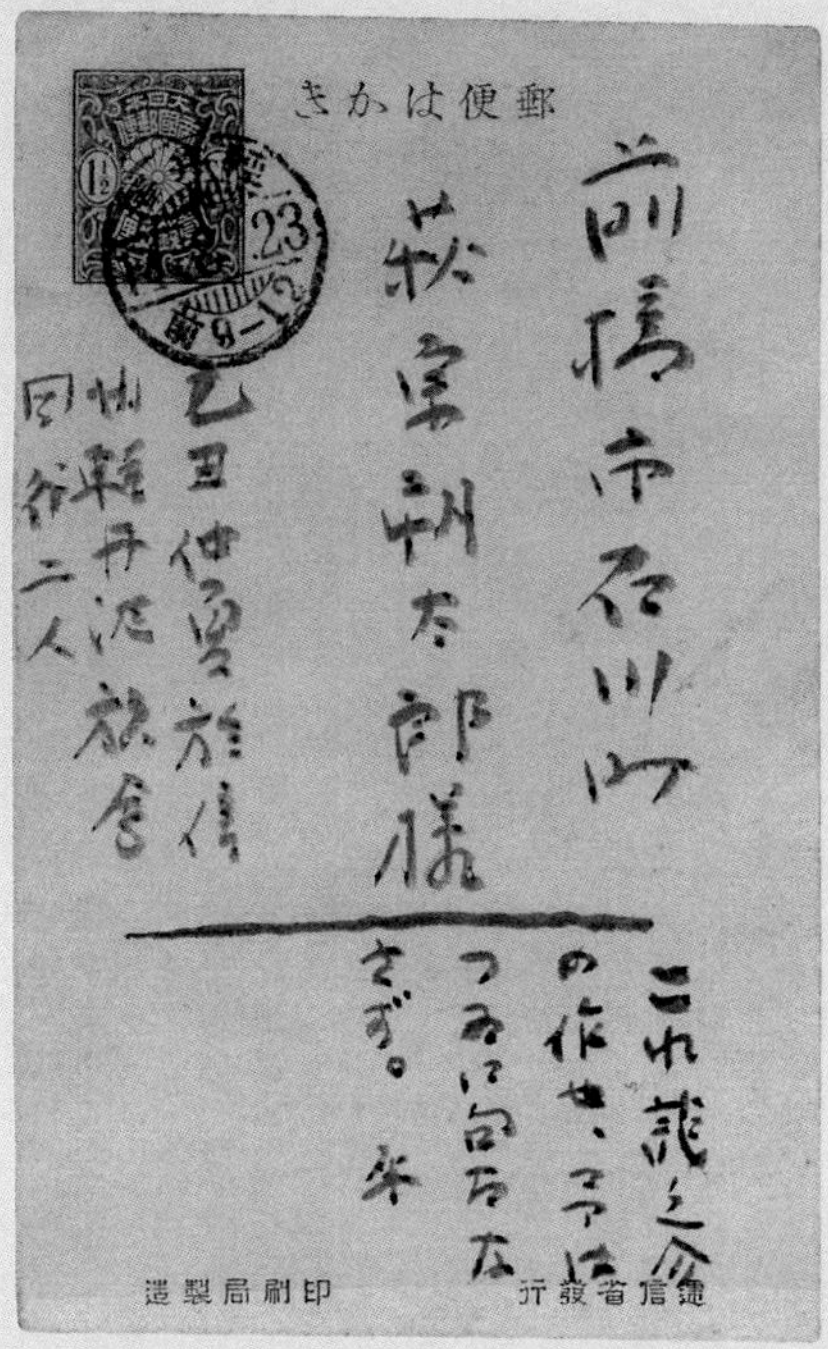

室生犀星
芥川龍之介＝萩原朔太郎宛　大正14年8月23日発信　犀星　三十七歳
龍之介三十四歳

日本古書通信社

著者ことわりごと

一、本書は元々こういう形での本としては無かったものです。七十年近い古本屋生活の五十年ほど、古書市場で作家・詩人などの手紙(と葉書)を好きで——具体的に言うならそこに魂の呼びかけを聴き、あるいは物語りを見、感心する。もしただそれだけで右から左へ商売物にしてしまったら、こういう本など編むことなどなかったが、いつか私はそれを記録するようになったのです。もしそういう思いがなかったら始めから買うこともなかったでしょう。

だが、矛盾するようですが、書いたあとの品々については生活して行くために、今度の書き下ろしの第2部以外はもう手元にはほとんど残されていないという現実を言っておかなければなりません。

二、この度も結局改めて昔の文章も読んだわけですが、私の場合は作家たちの手紙にかこつけて〝自分史〟を書いていたのではと、改めて考えてしまいました。また、現在の八十七歳の自分からは未熟な作家評価などで別の感慨も湧きましたが、書いた年齢それぞれの臨場感こそが面白いのだと思い、敢えて一切手を入れませんでした。

三、なお第四部の解説文末尾には、書いた時点での年月日が明記してありますので、ご参照下さい。

目次

第四部「作家の手紙」26人……117

第一部

古書店主手紙蒐集譚

上林暁から山本周五郎　井伏鱒二　太宰治まで

——季刊「手紙」（昭61／8月・文化出版局）掲載

❶

神田の古書市場・明治古典会では、昨年の暮れにも、恒例の〝クリスマス特選市〟なるものが行なわれた。入札台に所狭しと並べられた出品物の肉筆物の部の中に、鉛筆書き二枚の葉書を見出し、私は、「おやっ？」と小さく驚きの声をあげた。

そこにつけられた入札用封筒には、すでに同業者の入札ふだが入り、はち切れんばかりにふくらんでいた。古書業界も全集物など基本図書よりも、こうしたより原資料に人気が集まるようになって久しいが、私はその人気に驚いたのではない。その実物が瞬時にこちらへうったえたものに感じたのであった。

それは二重の意味を持っていた。葉書の差出し人は私小説作家上林暁で、まずその筆蹟の乱れが異常だった。入学前の、字を習いはじめたばかりの子供が書いたものでも見るようにたどたどしい筆の運びで、一枚などは、まるで斜線を描くように字が左へ流れてしまっている。署名も、上林……暁……と書いているのだろうが、上林暁という作家名を知らないで読んでは〝暁〟とはとても読めない。〝瞼〟とでも読めてしまう。〝杉並44・3・18〟日付の消印がはっきりと見え、この七年前、再度の脳出血に見舞われ、作品は口述筆記によって発表されていた頃だったのである。

驚きはもう一つあった。宛名が〝関口良雄さま〟とあったからだ。関口さんは、昭和五十二年に五十九歳で亡くなった古本屋なのである。もう一枚のほうが早い消印で、〝43・11・10〟日付、そ

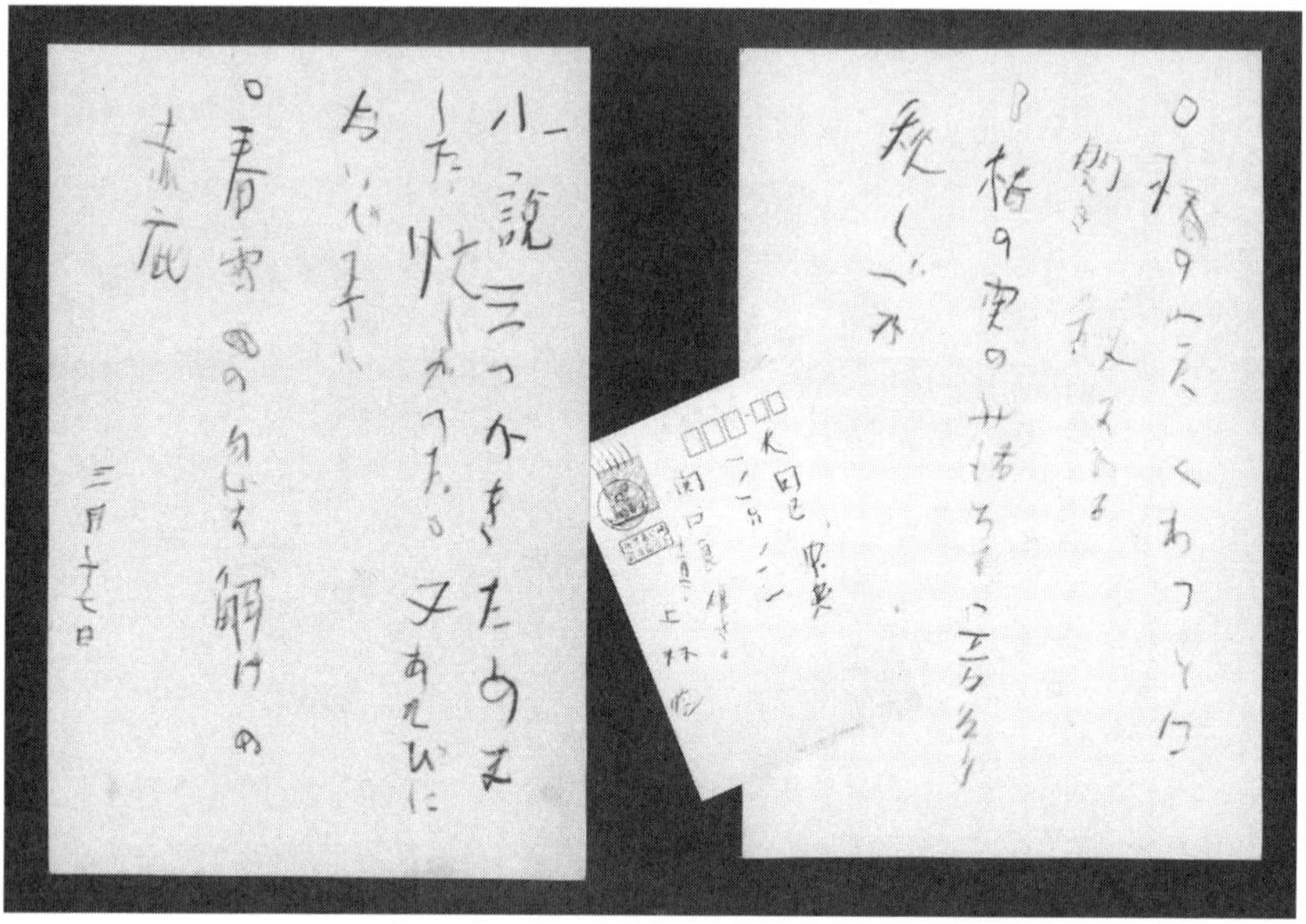

上林暁葉書

の文面はやはりたどたどしい筆蹟の俳句が二句のみ。

椿の実くわっと口開き秋まひる
椿の実の落ちる音なり秋しづか

と、かろうじて判読出来た。先にふれた、斜めに流れた筆蹟のほうは、次の如くである。

小説三つかきためました、忙しかつた。
又あそびにおいで下さい。
春雪の忽ち解けぬ赤庇
三月十七日

こちらは、何度も何度も読みかえしてやっと右のように諒解した。この作家が昭和三十八年に書き、読売文学賞を得た『白い屋形船』の結びは「私は退院したと云つても、右手、右足、口が不自由なのである」の一行で終わっているが、これは病床にあって妹の献身的な協力で口述されたものという。作家は六十一歳、すでに四十四歳の年に愛妻を失い、以後独り身を通していた。その後多少の小康を得たともいわれるが、文面の「小説三つかきためました、忙しかつた」の一行にこめられた不屈の作家魂には、これが不自由な自筆のものだけに鬼気迫るものを感じないわけにはいかない。同時にまた、短い言葉だけれど、これだけの心のこもった葉書を貰った関口さんのことを、あらためて私は思い起こしたのであった。ふと私は、この二枚の葉書が商品として出品されてしまった経緯について興味を待ったが、その結果の空しさを思って荷主を調べてみることはとうとう出来なかった。

さて、商品としてのこの二枚の葉書であるが、この日関口さんへの思いを上のせした入札金額を投じたおかげで、幸い私の落札するところとなった。

❷

関口良雄さんと私は、同業ではあったがほとんど没交渉ですごした。ましてや、個人的な話はとうとうしないでしまった。私が古本屋としてもっとも金儲けにはげんでいた頃で、関口さんが時々組合機関誌や小さな雑誌などに得意そうに文章を発表することに、何やら反発さえも感じていたのである。

関口さんは筆まめな人で、そんな私にも年賀状を入れたら七、八通の手紙をくれた。思えば昭和四十年までの私は、下町で定価以下の白っぽい本ばかり扱う、〝街の古本屋〟で、いわゆる〝古書〟には無縁であった。この年の暮れから、中央の明治古典会の経営員として、ある下町の先輩の紹介

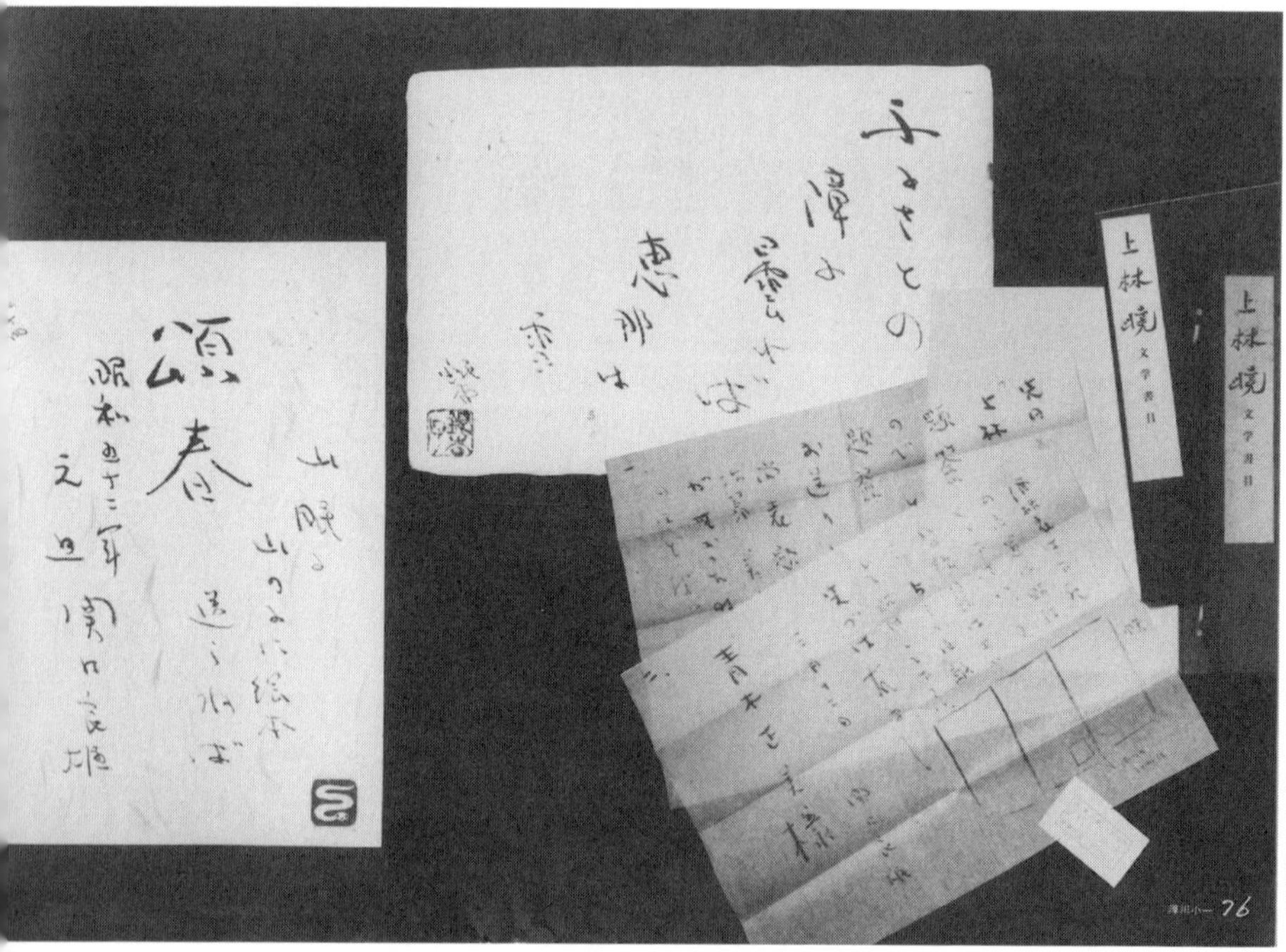

関口良雄書簡葉書

で働くことになったのである。

その初めて出席した頃の市場で、私は『上林暁文学書目』という、この作家のすべての書影に解説のついた書誌を落札した。昭和六十一年現在、文学書専門店で四万円くらいで売られているこの本も、その時の落札価は定価の千三百円より二百円ほど高いくらいのものであった。すると市場の終了後、未知の人が私に話しかけて、

「二年前に、先ほどあなたが買われた本を出した関口です。あとで何とか何とかを送りましょう」――というようなことを言って去られた。

二、三日すると、関口さんからの達筆な毛筆で書かれた封書が届いたのである。

先日お約束しました「上林暁書目」の題簽が見当らないので、とりあへず背題簽と価格表をお送りします。

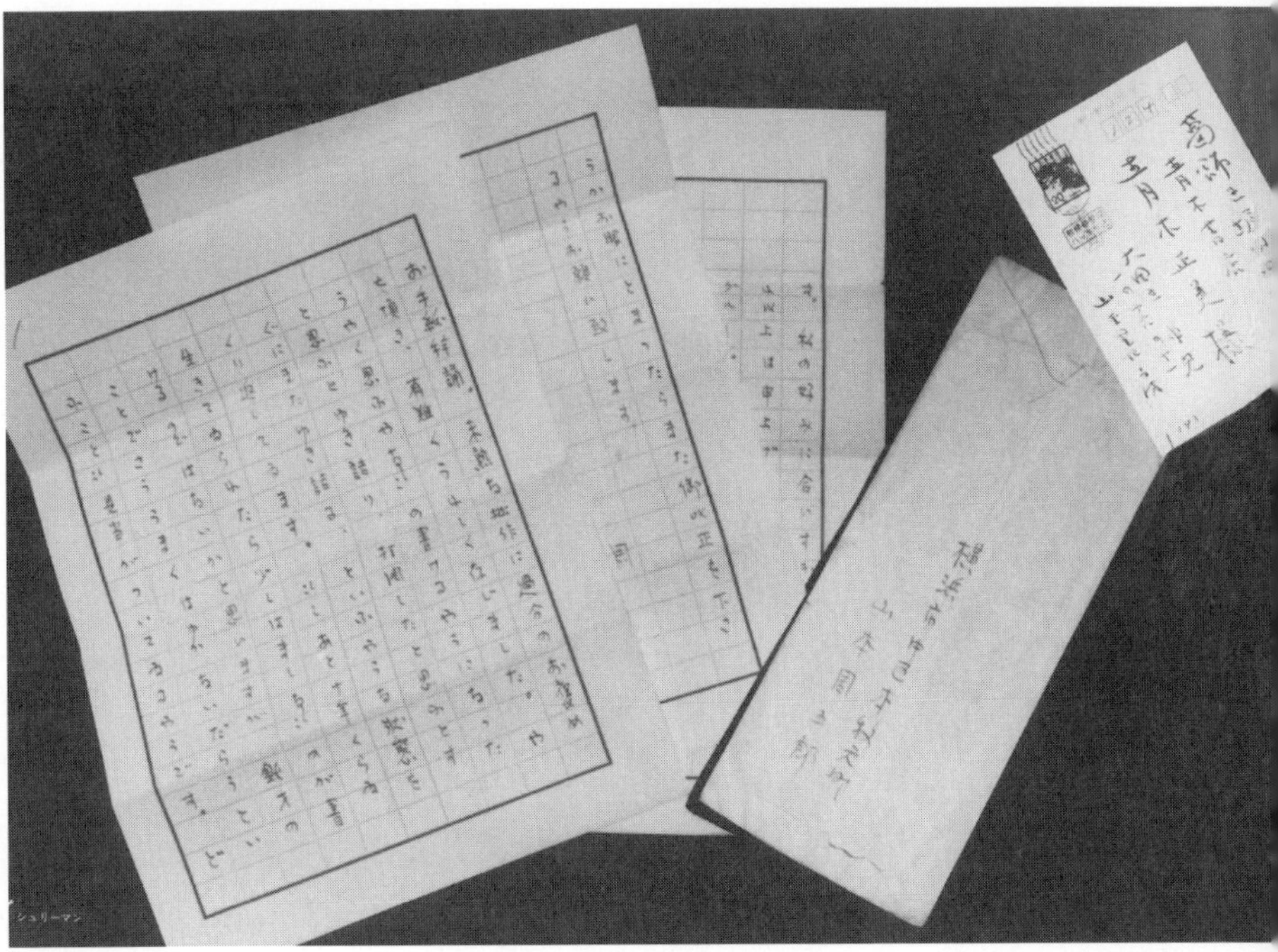

山本周五郎書簡

尚表題簽見つかり次第差し上げますが、無かつた時はお許しのほどを。

別紙には本の帙などを図解し、題簽の貼り場所の指示などをしている。この和紙二枚にわたる文章に添えて、添付用の紙片二枚が丁寧にパラフィンに包まれて封入されていた。自ら編集し自費出版した書物に対する深い愛情に、私はうたれた。次にお会いした時お札は言ったけれど、その上新年には賀状まで戴きながら、つい返礼も出さずじまいだった。

昭和四十年代の終り頃から、ただただ働くばかりの生活だった私の心の中にも、ある変化が生じてきていた。私は貧しさと戦争の中ですごした、昭和ヒトケタの少年期のことを書きはじめた。相変わらず関口さんとは、市場などで会っても会釈を交わすくらいでしかなかったが、いつかは親しく話してみたい人のお一人に変わっていった。そして私の『東京郊外昭和少年懐古』が出来たら、是非読んでいただこうとひそかに思うようになっていった。

昭和五十二年、私の心の内が通じたのか、この数年は年賀状さえとぎれていたのに、元旦には関口さんの不思議な葉書が届いた。それも、切手の下に〝師走二十五日〟と書かれたものと、〝年賀〟と書かれたものと、二通もの葉書が同時に配達されたのである。まず〝師走二十五日〟の文面。

ふるさとの障子曇れば恵那は雪　　銀杏子

銀杏子は関口さんの俳号である。〝年賀〟の方の文面は左記のものであった。

山眠る山の子に絵本送らねば

頌春　　昭和五十二年　元旦

私はますます、関口さんならきっと私の本をよろこんでくれるに違いないと思い、その完成にはげんだ。

関口さんはしかし、私の本が出来る二ケ月前に病のため亡くなってしまわれたのである。結局その二枚の葉書は、私にとって関口さんの遺書のようでもあった。関口さんにはほかに『尾崎一雄文学書目』（昭和三十九年自刊）、及び明治古典会の私たちの大先輩三茶書房・岩森亀一氏の深い友情によってその没後に出された随筆集『昔日の客』（昭和五十三年・三茶書房刊）、句集『銀杏子句集』（昭和五十六年・三茶書房刊）の著書が残された。そして関口さんの〝山王書房〟は一代で消えた。関口さんにはすでに若き日、

古本屋一代ときめ初市へ

の句があったことを私はのちに知った。

ちなみに、関口さんには昭和五十三年十一月に『関口良雄さんを憶う』なる追悼集が出ている。

「関口君が死んだ。あれほど度々来てくれたのに、入院中は病院まで来てくれたのに、もう一生来てくれることはないのだ。(中略)私は中学二、三年ころ、仲間と俳句を作りはじめた。けれども、その後熱中することはなかつた。それが四、五年前から熱中しはじめた。関口君の影響だつた。(中略)この病室に、二合入りくらゐの可愛らしい徳利がある。私は朝夕眺めて居る。これは関口君にもらつたものである」――と上林暁は書いた。

尾崎一雄も長い追悼文を書き、関口さんの一面にふれて、

「客や同業者から仕入れた本のうち、自分の気に入つたものがあると蔵書としてしまひ込み、どんなに客がせがんでも売らなかつた。さういふ中の、上林暁、尾崎一雄両名の本は第一小説集から全部揃へてゐたのだが、それを昭和四十年か四十一年頃、すべて日本近代文学館へ寄贈した」――と書いた。

そしてこの小冊子の編集人は、尾崎一雄である。

❸

関口良雄さんが亡くなった昭和五十二年頃のことである。

私が古本屋を営む町の街道に面した〝家具のデパートA〟という、町で一番大きな家具店から電話があった。

「事務を見ている者だが、君のところでは文学者の手紙なんかは買うかな？　本も多少あるし」と言う。

夜、電話で教えられたその人のアパートへ伺う。もう五十代も末の人で、Kさんといい、昔は詩を書いていたんだ、と言う。四十前後の奥さんと、まだ小学生くらいの子供が二人いて、狭い四畳半住いはいかにもみすぼらしく、その二人の年齢の違いといい尋常な過去を持った夫婦でないことはすぐ分かった。

隣室の、二坪足らずのお勝手のテーブルが、古本屋との交渉の場で、Kさんはそこへ古手紙の束を置いた。みなKさん宛のもので、中河与一はともかく、前田鉄之助、安藤一郎、岩佐東一郎、城左門というのでは、どうにも商品的にパッとせず、余り食指は動かなかった。Kさんはその私の顔色を見て、

「山本周五郎の手紙があるが、いくらか買えるだろう」と言った。

「ええ、山本周五郎なら……」

「僕の詩をほめてくれているので、これはとっておこうと思ったんだが」

読みやすい筆蹟で、無難な内容に思えた。私はその手紙を含めた金額を言い、それへ二割ほど上のせさせられてそれを買った。

ある時、私は本の値段つけをしていて、『山本周五郎の世界』のところで、その年譜の箇所を読

みはじめていた。本の整理などの最中、いつかその本の序文やら解説やら、果ては年譜などを読みはじめて時を忘れてしまうのが私のクセなのである。

昭和四十二年（一九六七）　六十三歳

一月八日から二月二十六日の「朝日新聞日曜版」に「おごそかな渇き」を八回まで連載中の二月十四日、肝炎と心臓衰弱のため、間門園別棟の仕事場で、午前七時十分死去。戒名恵光院周嶽文窓居士。

ここまで読んで、私はふと背すじをある戦慄が走るのを感じ、仕事をのけて立ち上がり、先だってKさんから買って放ってあった書簡の束をさがした。

私がうろ覚えで記憶していたとおり、山本周五郎書簡の投函年は昭和三十二年であった。

お手紙拝誦。未熟な拙作に過分のお褒めを頂き、有難くうれしく存じました。やうやく思ふや(う)なもの書けるやうになつたと思ふとゆき詰り、打開したと思ふとすぐにまたゆき詰る、といふやうな状態をくり返してゐます。もしあと十年くらゐ生きてゐられたら少しはましなものが書けるのではないかと思ひますが、鈍才のことでさううまくはゆかないだらうといふことも見当がついてゐるやうです。どうかお眼にとまつたらまた御叱正を下さるやうお願ひ致します。

周

そして追伸として、受信者Kさんの詩の批評がしてあるものだが、私に戦慄を与えたものは、本文中の次の一節であった。

もしあと十年くらゐ生きてゐられたら少しはましなものが書けるのではないかと思ひますが

……………

この手紙を書いた時の山本周五郎は五十四歳、前年の昭和三十一年まで『樅ノ木は残った』を日本経済新聞に連載、やっと一作ごとに深みを加えるような作風が開花したと言ってよい頃であった。『赤ひげ診療譚』も『五瓣の椿』も『青べか物語』も『季節のない街』も『さぶ』も、そして当然『ながい坂』も、みなその後の十年に書かれた作品群なのである。

そうして、先ほど紹介のぴったり十年後、山本周五郎は死んだ……。

Kさんもまた、このことを知っていたのだろうか？　ともあれ、Kさんはいつか私の町の家具店から消えた。その後私は、この人が有名文士の偽筆を売り歩いているという悲しい消息を、同業間の噂として聞かなくてはならなかった。

❹

古本屋はこれら文士や名士の書簡などを商品として扱う一方、受信者がそれを売ってしまう悲しさは充分感じてはいる。この分野を多く扱う同業者間で申し合わせて、発信人が現存者のものなどはなるべく扱わないことにしているが、現文壇の長老井伏鱒二のものだけは唯一例外とすることがある。ある、お出入りの同業の伝えた言葉として、この作家はもう、そんなことに頓着していないというのである。もっとも井伏鱒二の葉書一枚の売り値が十万に近いというのは、漱石、鷗外、啄木、賢治、朔太郎、人気の太宰治には及ばぬにしても、藤村、荷風、龍之介、潤一郎などの文豪に

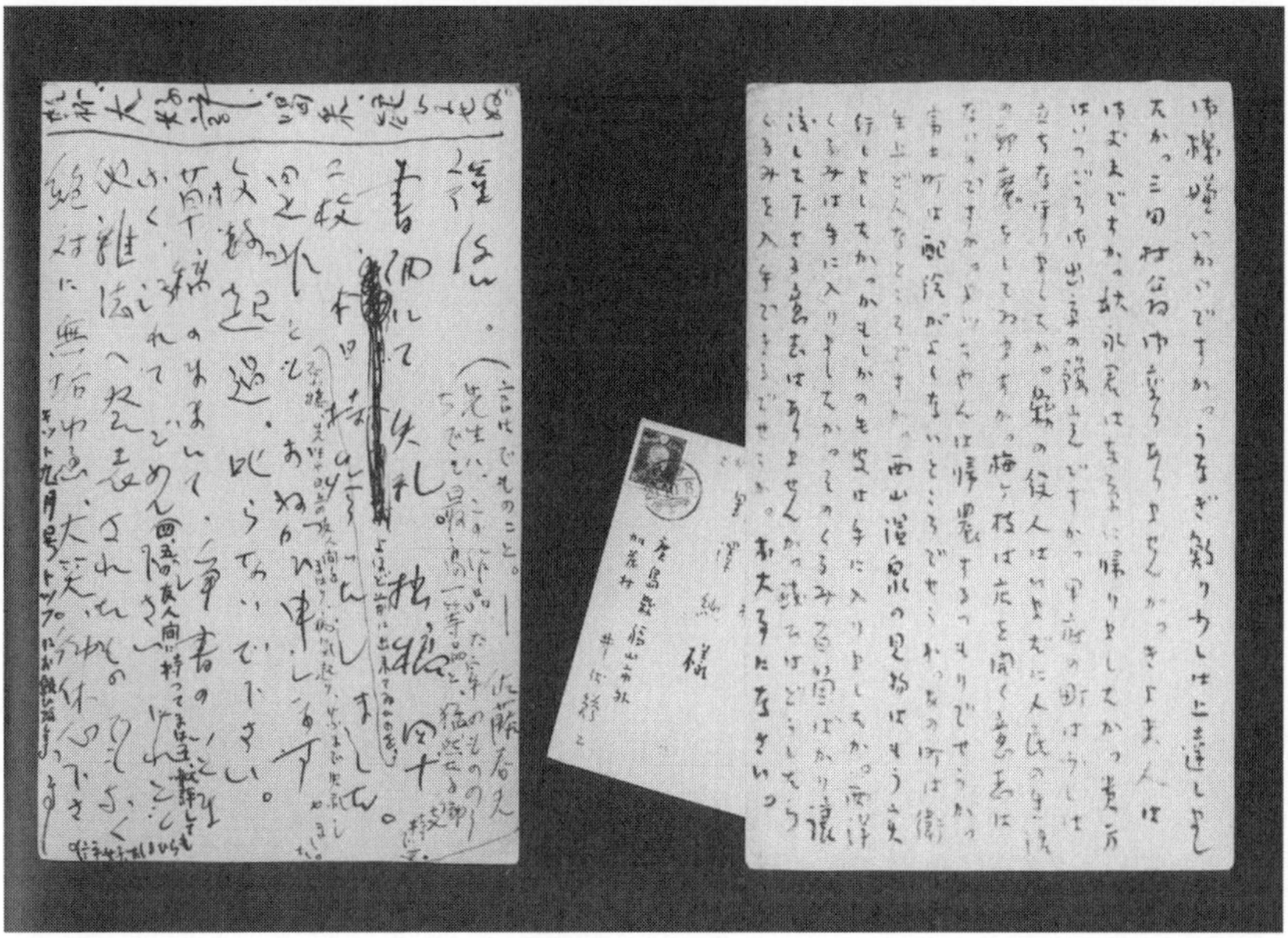

井伏鱒二（右）　太宰 治（左）葉書

も伍した値なのである。現存作家では他の追随を許さぬ評価であり、ある意味では文学者としてこれほどの名誉はないのではないだろうか。

ここで、昔その文面に引かれて買っておいたこの作家の葉書を一通紹介しよう。

御機嫌いかゞですか。うなぎ魡《ママ》り少しは上達しましたか。三田村翁御変りありませんか。きよ夫人は御丈夫ですか。秋永君は東京に帰りましたか。貴方はいつごろ御出京の予定ですか。甲府の町は少しは立ちなほりましたか。県の役人はいまだに人民の生活の邪魔をしてゐますか。梅ヶ枝は店を開く意志はないのですか。よツちやんは帰農するつもりでせうか。富士町は配給がよくないところでせうか。あの町は衛生上どんなところですか。西山温泉の見物はもう実行しましたか。かもしかの毛皮は手に入りましたか。西洋くるみは手に入りましたか。そのくるみ百箇ばかり譲渡して

下さる意志はありませんか。或ひはどうしたらくるみを入手できるでせうか。お大事になさい。

これは昭和二十年十月、四十八歳の井伏鱒二が作家野沢純に出した、毛筆書きの葉書である。二年前の疎開地山梨県へ、再疎開地の広島県福山市からのもので、この文面そのものが文学であり、当時を知る者にとっては時代の証言にもなっていると思う。こんな手紙を書いている人が、過去の手紙が売りに出されようが出されまいが頓着ないのは当然であろう。

比較は全く当を得ていないけれど、私はこの井伏鱒二の葉書を連想する文章に一度だけお目にかかったことがある。昭和四十三年一月に書かれたマラソン選手円谷幸吉のもので、

「父上様母上様三日とろろ美味しうございました、干し柿もちも美味しうございました、敏雄兄姉上様おすし美味しうございました」

で始まる絶唱とも言ってよい遺書の文面であった。

❺

その井伏鱒二を師と仰いだ作家に太宰治がいる。

昔、太宰治の肉筆葉書を一枚、同業の古書目録で買ったことがあった。戦前、それも昭和十年前後のものとは、官製葉書の意匠で分かったが、なぜか葉書に消印がなかった。宛名は、「新潮社編輯部楢崎勤」。

謹啓。書面にて失礼。拙稿四十二枚、本日持参いたしました。是非ともおねがひ申します。枚

数超過、叱らないで下さい。草稿のままにて、浄書のいとまなく、汚れてごめん下さい。けれども他雑誌へ発表されたものでもなく、絶対に無垢ゆゑ、大笑、御休心下さいまし。（中略）キット九月号トップにお願ひ致します。乾杯、大好評、喝采、疑ひませぬ。（後略）

投函日付も不詳、作品名も不明、なんとも要領を得ぬ葉書であった。それが三年ほど前の古書市場に、同じ頃の同じ宛名の太宰の葉書二枚が出品され、これが今紹介の葉書と同じ時の、同じ用件のものと、市場での立読みの中で私は知った。これは多分、三枚が揃って初めて用件の分かる文章なのではないか。私は相場よりも二、三割も奮発した金額で入札し、この二枚の葉書を手に入れることが出来た。

よく調べると、二枚は同じ日に出されており、昔買った一枚はその前日あたりのものであることが判明した。多分、昭和十一年七月三十日、太宰は「狂言の神」という原稿を新潮社に持参したのだ。ところが編輯部の楢崎に会えず、途中郵便局に飛び込み葉書を書くが、思い直して封筒に入れ速達で送ったのであろう。その証拠に、消印のないことに加え、この葉書には封筒に入れた時のものであろう折り目が残っている。三年前に買った二枚のほうは、この次の日のもので、消印も〝11・7・31〟と明らかである。まずその一枚目。

（略）小説は、三十枚までとお約束申し、四十二枚ゆゑ、きつと都合おわるくなつたと拝察申します。六十円で、けつかうでございます。このハガキ、その受取証として、みんなに見せても、また、後日、発表なされても、かまひませぬ。（中略）六〇ゴムリデシタラ、四〇デモ。ゴ一任申シマス。

太宰はこれを神田小川町郵便局で出し、更に思い立って駿河台郵便局で二枚目を出した。

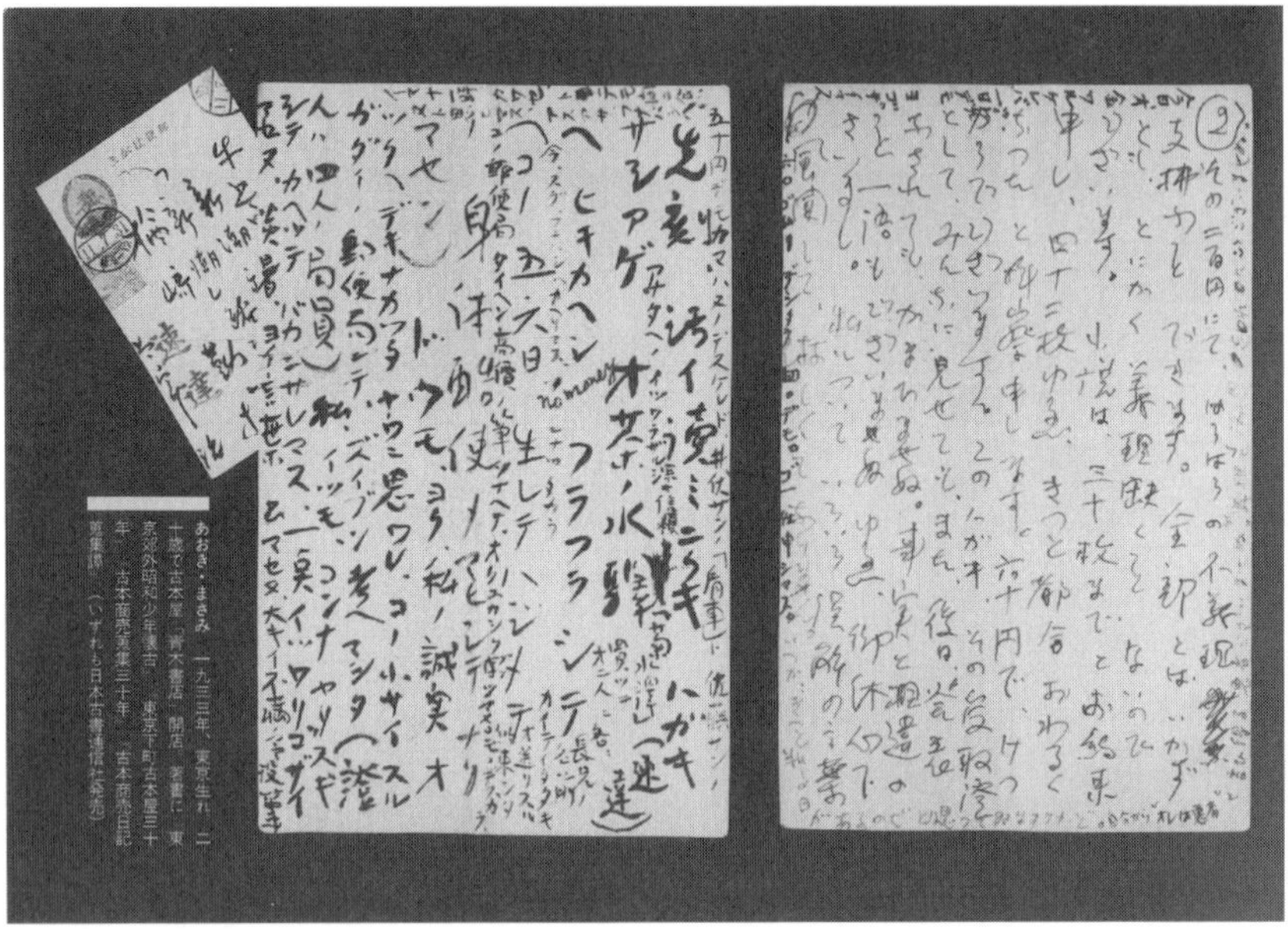

太宰　治葉書

先刻、汚イ読ミニクキハガキ（速達）サシアゲ、オ茶ノ水駅ヘヒキカヘシ、フラフラシテ（コノ五六日、生レテハジメテノ身体酷使メマヒシテナリマセン）ドウモ、ヨク、私ノ誠実オツタヘデキナカツタヤウニ思ワレ、コノ小サイスルガダイノ郵便局ニテ、ズイブン考ヘマシタ（証人ハ四人ノ局員）私、イツモ、コンナヤリスギシテ、カヘツテ、バカニサレマス、一点イツワリゴサイマセヌ、災暑、ヨイ言葉出マセヌ、大キイ不満ノママ投筆。

——さて、この顚末であるが、話は意外な結果に終わる。金ほしさに、太宰は本来別の雑誌と約束してあったこの作品を新潮社に持ち込んだのだった。このことがもう一人の師、佐藤春夫の知るところとなり、太宰はきびしく訓戒され、平身低頭してやっと原稿を新潮社から取り戻し、約束の「東陽」という雑誌に渡すことが出来たのである。

第二部　新発見書簡葉書集

高村光太郎（と関連書簡・尾崎喜八　草野心平）から
菊池寛　生田春月　日夏耿之介　岡本一平
正岡容　寺内大吉まで
——解説文は本書での書き下ろし

高村光太郎

（1883～1956）

詩精神の如きは独力で会得すべきものです

尾崎　喜八 (1892～1974)

草野　心平（1903～1993）

若き日の自画像

ここに、ある青年に宛てた柿色の渋紙がたたまれて残っている。広げるとタタミ半畳ほどにも大きくなる。片面は宛名書きで、

岩手縣　更科郡
稲荷山町　旭町
久保田次男様

と墨書されている。左肩には切手三枚・計五十円が貼られ倍以上に長い消印〝昭和25・11・25付〟「書留小包」の印が。裏面は、

岩手縣　花巻局区内
太田村　山口
高村光太郎

とある。そしてやはり光太郎のペン字で針金つきの「鉄道荷札」が二枚貼られている、というもの。

――入札額はこれを土台にした、光太郎書簡1、葉書1、尾崎喜八書簡2、葉書2、草野心平書簡1、葉書1の手紙の束一括を古書市場で買ったのはもう三十年前のこと。値は思いの他安かったのを覚えている。例えば今紹介の光太郎が色紙などに、あの「僕の前に道はない／僕のあとに道は残る」など書いてあったら恐らく三十万くらいはするに違いないが、全品でその三分一くらいの落札価だった。私は何故かその頃すでに商品性のあるものより、こうした資料性のあるものに眼が行くたちになってしまっていた。今度新発見群の初めにこの光太郎の手紙を取り上げることにしたが、話はあの渋紙の荷に入っていた光太郎書簡から始める。

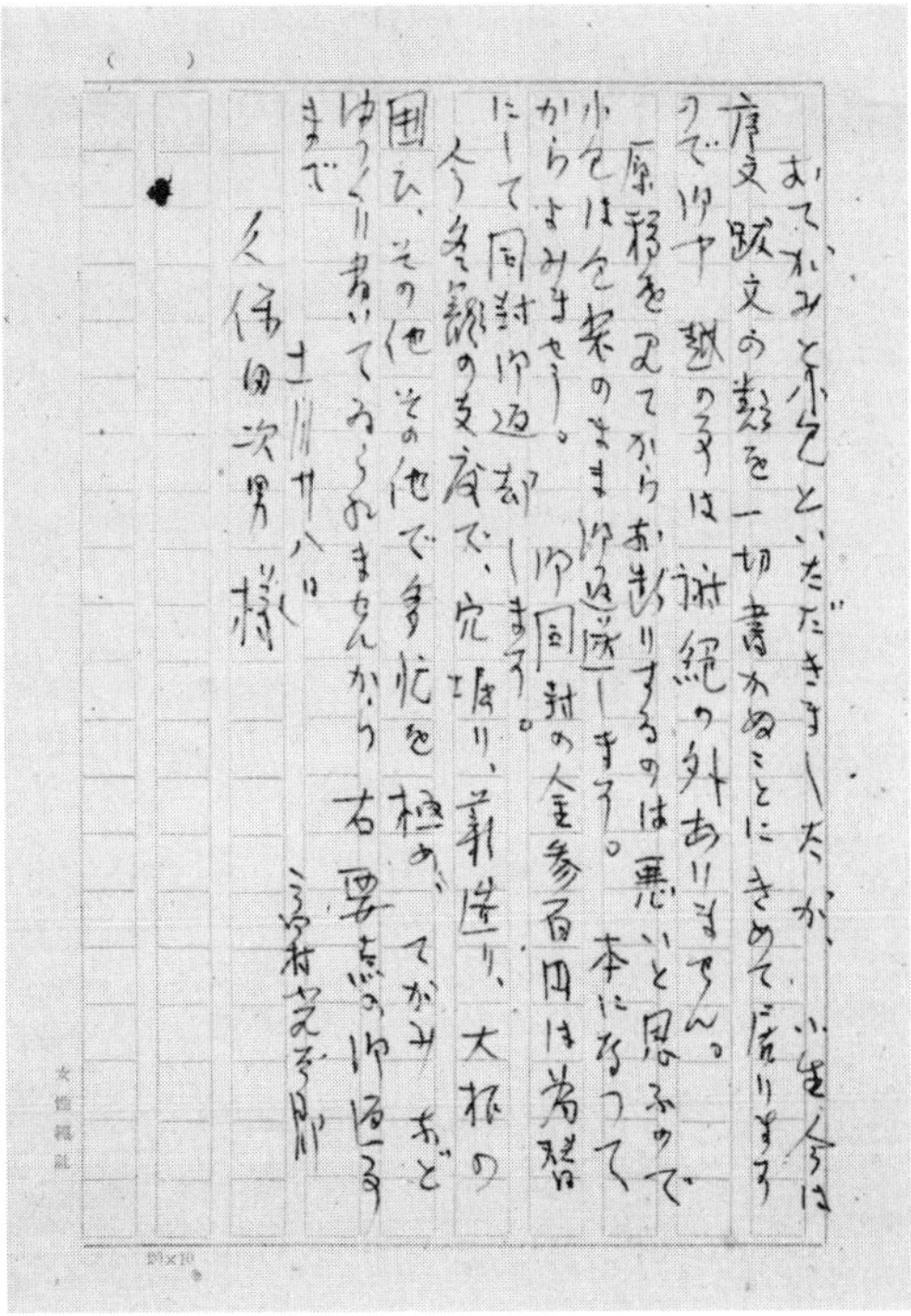

おてがみと小包といただきましたが、小生今は、序文跋文の類を一切書かぬことにきめて居りますので御申越(の)事は謝絶の外ありません。
原稿を見てからお断りするのは悪いと思ふので小包は包装のまま御返送します。本になってからよみませう。御同封の金参百円は為替にして同封御返却します。
今冬籠の支度で、穴掘り、薪造り、大根の囲ひ、その他その他で多忙を極め、てがみなどゆっくり書いてゐられませんから右要点の御返事まで

十一月廿八日　高村光太郎

久保田次男　様

要するにこれ、詩人志望の青年久保田次男が自らの詩の原稿の束と共に三百円を入れ、序文を書いてくれとのメモと共に小包を送って来たのに、光太郎が久保田に詩稿と送金を為替にして送り返したというわけだ。

普通はそれで一件落着なのだが、久保田はあきらめない。ある意味熱心だったのだが、人の事情など考えず、今度は詩というものの神髄を知りたい、助手として働かしてくれ、という手紙を送った(久保田の書簡は残っていないが)らしい。

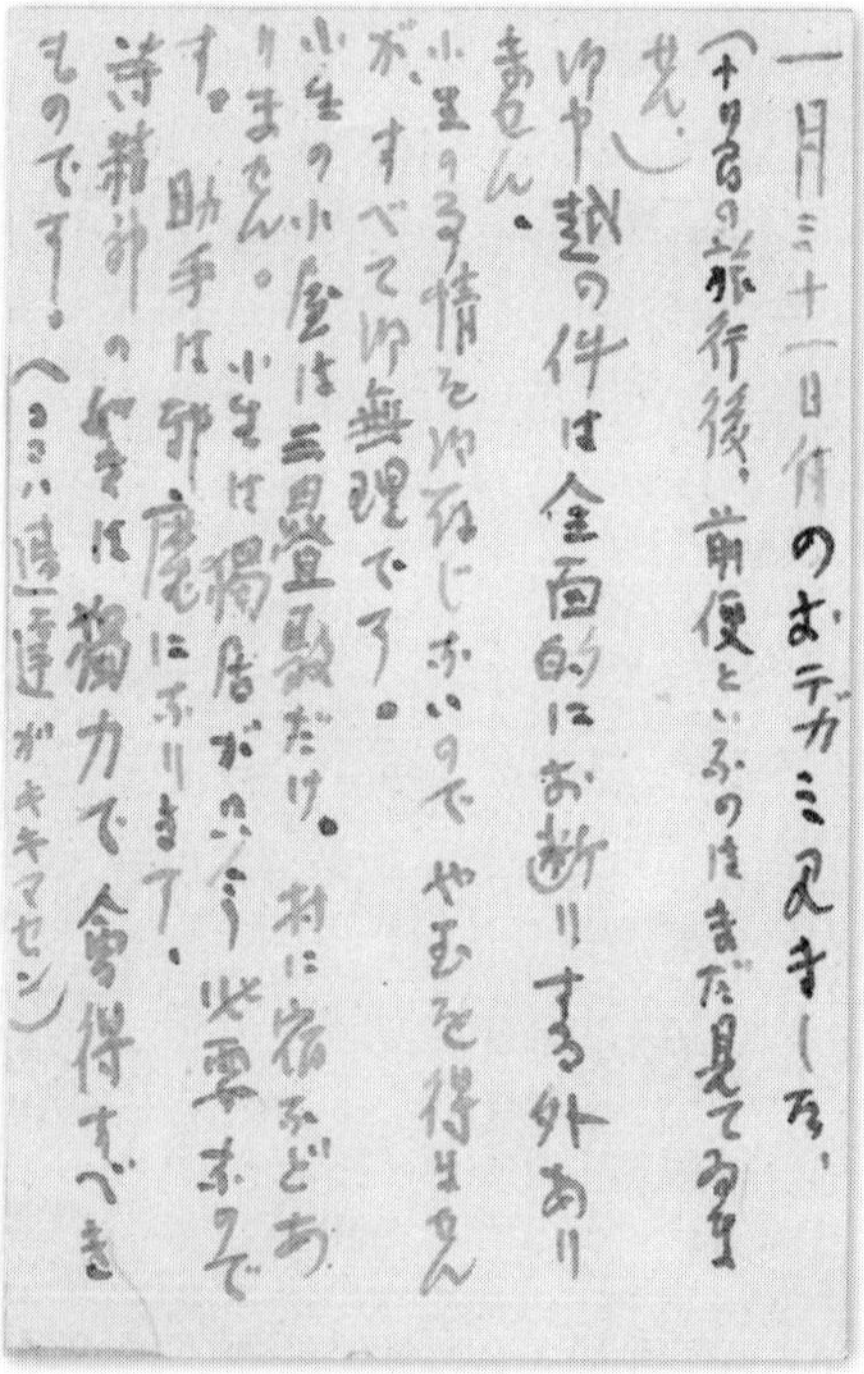

（読み）

一月三十一日付のおテガミ見ました。（十月君の旅行後、前便といふのはまだ見てゐません）

御申越の件は全面的にお断りする外ありません。

小生の事情を御存じないのでやむを得ませんが、すべて御無理です。

小生の小屋は三畳敷だけ。村に宿などありません。小生は獨居が今必要なのです。

助手は邪魔になります。

詩精神の如きは獨力で會得すべきものです。（ココハ速達がキキマセン）

ここで光太郎は、とどめの一撃と言ってもいい葉書を青年に返す。曰く、「詩精神の如きは独力で会得すべきものです」。が久保田はそれでもあきらめない。光太郎を敬愛することで知られる尾崎喜八、草野心平にまでその仲介をたのむ。

その丁重な二氏の書簡葉書が残っている。書かれた日付順に喜八のものから写す。これらの文章から当時の国情や、敗戦直後の自らに厳しく生きた光太郎像が浮かぶ。


御手紙を拝見しました。

あなたの熱意は掌中の物を見るやうに私にはよく分りますが、私の知ってゐる限りの高村さんは、一人で生きる孤独を愛し、他人によって煩はされない時間を愛し、常に身辺に他人と厳然たる一線を劃しつゝ生きてゐる人であります。特定の人と特に親しむといふ事を好まず、馴れ馴れしくされる事を忌み、自己内心の粛條たる、或は絢爛たる世界を自由に高翔する事を愛してゐる点で、実にあの人自身の作である「猛獣篇」をさながらに生きてゐる藝術家です。

私も今よりずっと若い頃は其間の微妙な消息を知らなかった為に、あの人との交渉の上でいくたびか悔いざるを得ない自分の愚かさを經験したものです。そして此事は高村さんといふ人に親シャした多くの人々のよく屢々經驗した所だらうと思ひます。

もう一つ、高村さんは今年はもう六十七歳の筈です。その高村さんの今後の一年といふのはあなた方若い人達の一年とは到底比較にならぬ程の貴重さと意味とを持ってゐるだらうと思はれます。今でさえ毎日人々の訪問に苦しめられてゐるやうに傳聞してゐるとすれば、私として、(前述のやうに高村さんを知り抜いてゐる私として特に)あなたの御志望を傳達して斡旋するといふ事は、どうしても出来ない気がするのです。

高村さんには無為の時間といへども缺くべからざるものでせう。そこへ一年を約してあなたが「師事」を申し込まれるとしたら、あの人の當惑される事、私には目に見えるやうです

高村さんを通して「詩精神」の昂揚を學ぶことは、私には、彼の著書著作の綿密な鑑賞によって其の精髄味到し得るやうに思はれます。何も一年の長時間を共にしなくても著作鑑賞を通しての高村體驗を掲げて、たとへば二日なり三日なり本人に会ってみれば、それで立派な裏づけを得られるのではないかと思います。

燃えるやうな思い立ちの鼻を折ることになって大変不本意ですが、いつはりのない私の気持を申上げて今日は御返事といたします。ひどく書きにくい返事ではありますが。

二月六日　富士見にて

尾崎喜八

久保田様

ちなみに一八八三年(明治16)年生れが光太郎、九歳下が尾崎喜八で、このあと紹介の草野心平は丁度光太郎の二十歳下だった。次いで心平の手紙。

草野心平

久保田次男様

御手紙拝見しました。

御手紙の御趣はよく分りましたが、私としては賛成出来ません。
一、あなたには好都合でも高村さんの方は迷惑ですから――御存知かも知れませんが、高村さんの小屋はタタミ三畳です。それに非常に気をつかわれる方です。もう老先も短く、あなたが行かれることで仕事の邪魔になることはあきらかです。先方の依頼する場合の自分の立場と同様、先輩に対してはそれ以上の気くばりから割り出さなければならないと思ひます。
二、詩精神などといふものは外部から得られるものではなく、自分自らの世界の問題です。場所などは二の次ですし、人に教はることも第二です。先ず自らの中で詩の精神は始めて燃えるもので、あなたが高村さんを非常に尊敬してゐるのなら、高村さんの立場を考えることこそ詩の精神です。
他の、私にでも出来ることでお役に立つのならいたしますが、この事に関しては小生として何んとも御希望に添かねます。

多忙乱筆　二月七日

なお、喜八には同じく久保田宛のもう一通の書簡1、葉書2、心平の葉書1が残っており、尾崎のものは久保田青年が光太郎宅同居希望を思いとどまったことへの手紙「いよいよお元気で、逐次その成果が見られること私事ながら楽しみにしてをります／ご機嫌よう」とあり、心平のものには光太郎の著書『造型美論』『智恵子抄』など五冊を挙げて紹介している。

以上、今なら、いや当時でも、おそらく他の詩人なら返事すら出さなかったであろう。それに昭和二十五年の三百円まで入った久保田青年の小包だった。その返金は、まあ当然としても丁重な手紙とともに、そして執拗な行為に喜八、心平まで巻き込まれる。

何とも久保田次男の立場は悪くなるばかりだが、救いはこれら手紙を保存してくれたこと。何しろ、光太郎から送り返されたときの包装用の渋紙から、荷札二枚に至る一切を、丁寧に保存してくれたこと。また彼が意識していたかは別として、喜八や心平の手紙までも一緒に残してくれたこと。そして誰かに話すか、あるいは本人が没するかして、蔵書と共に古本屋を通じて……こんな物語が浮かぶ三詩人の手紙だった。

菊池　寛

（1888～1948）

人生恋すれば憂患多しと恋せざるも亦憂患多しと

私がこの書簡①と葉書①を市場で買ったのは二十年ほど前。自筆物に興味を持ち始めてから三十年経っていたが、市場で菊池の手紙を見るのは初めてだった。

それが重要な内容だったら、もっと業者の注目を引いただろうが入札者はパラパラだった。が、とにかく欲しくなって、十三万から二十万まで入札、それも落札価は上札の二十万にもなった。内容は何のこともないつまらぬもので、買ったのがバカらしくなった。いや、それでも私を引きつける何かはあった。

とやかく言う前に、ここは実物でお目にかけることにしよう。

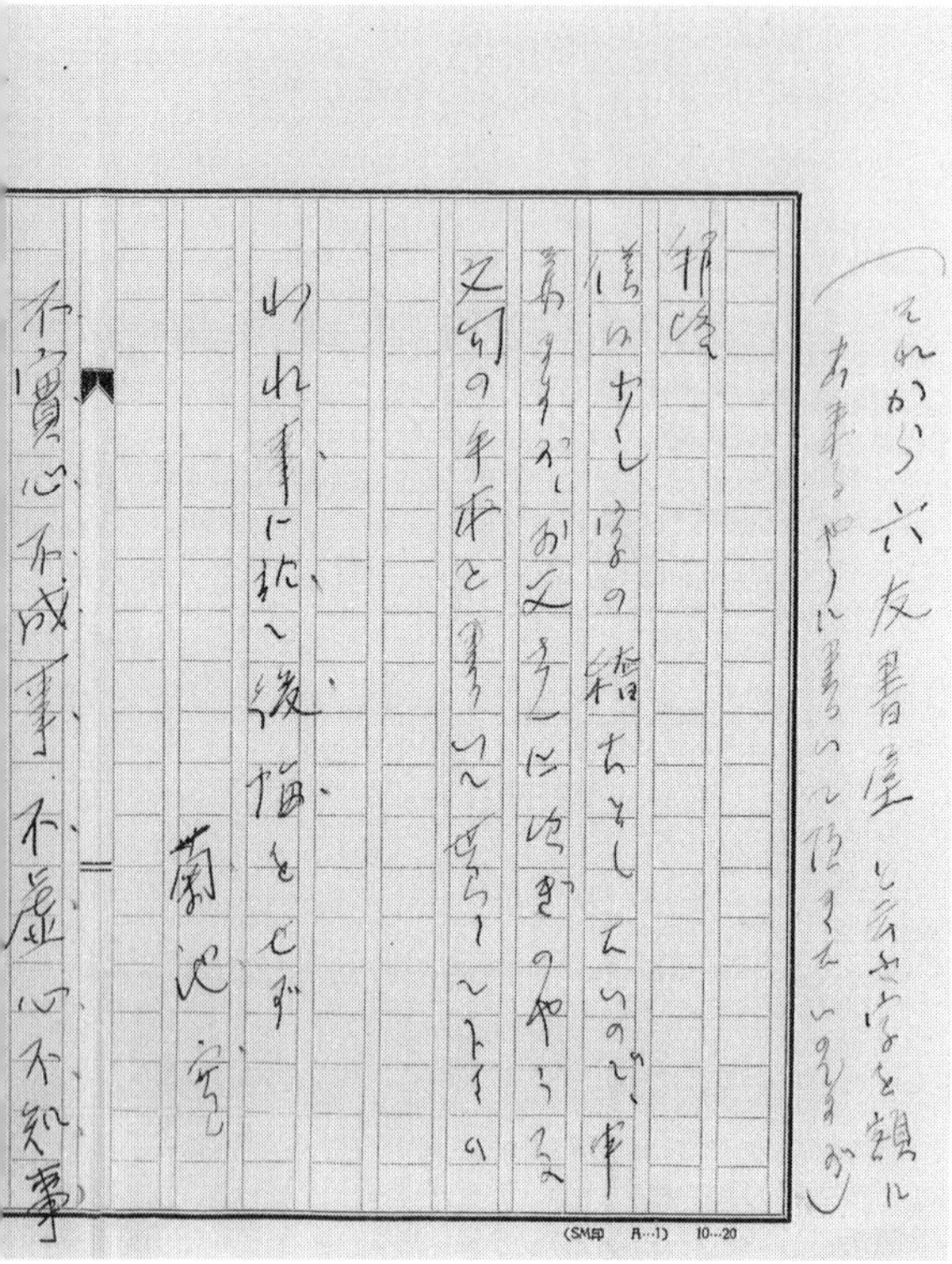

拝啓
僕は少し字の稽古をしたいので、申兼ますが、お父さんに次ぎのやうな文句の手本を書いて貰って下さい
われ事に於て後悔をせず
菊池　寛
不實心　不成事　不虚心不知事

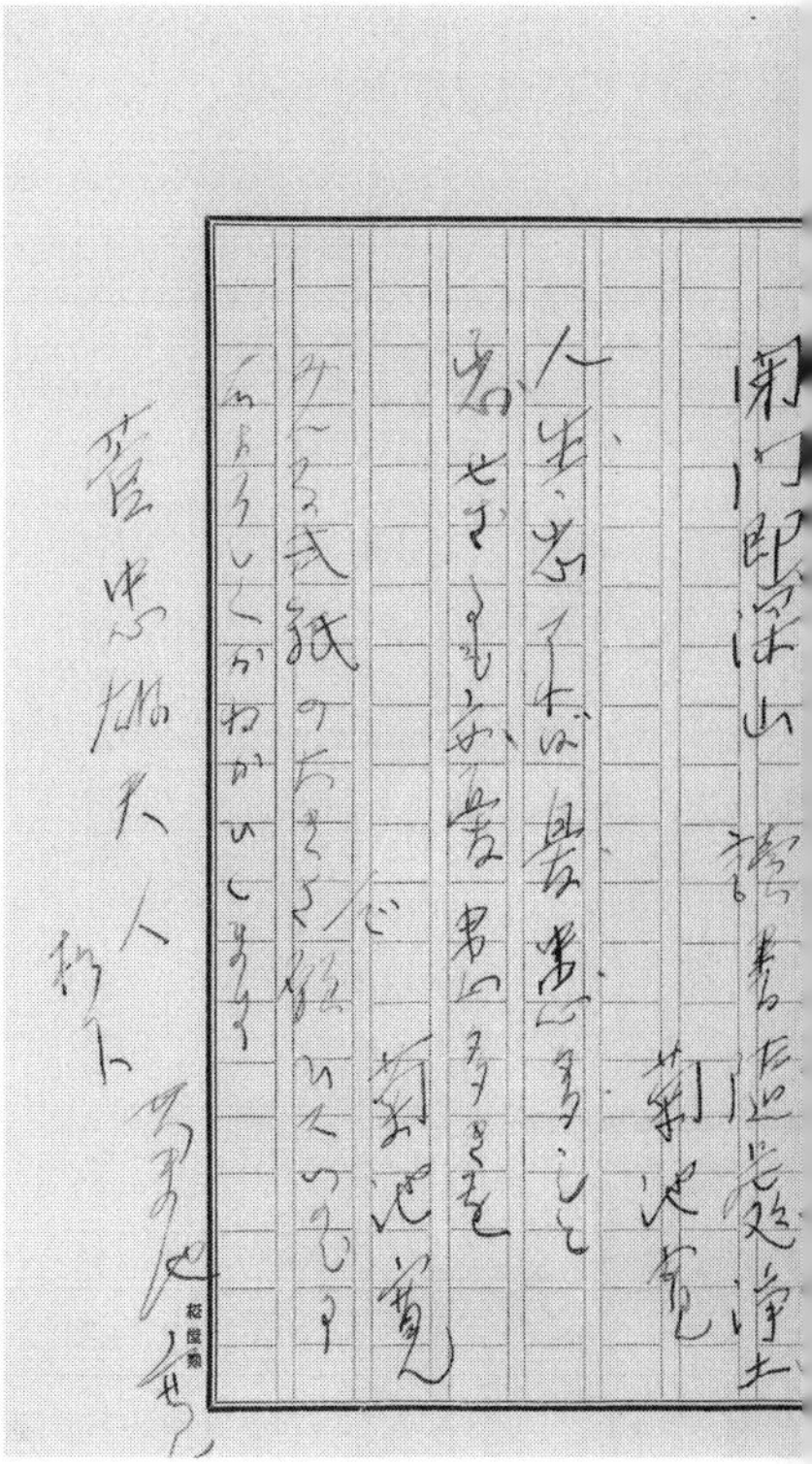

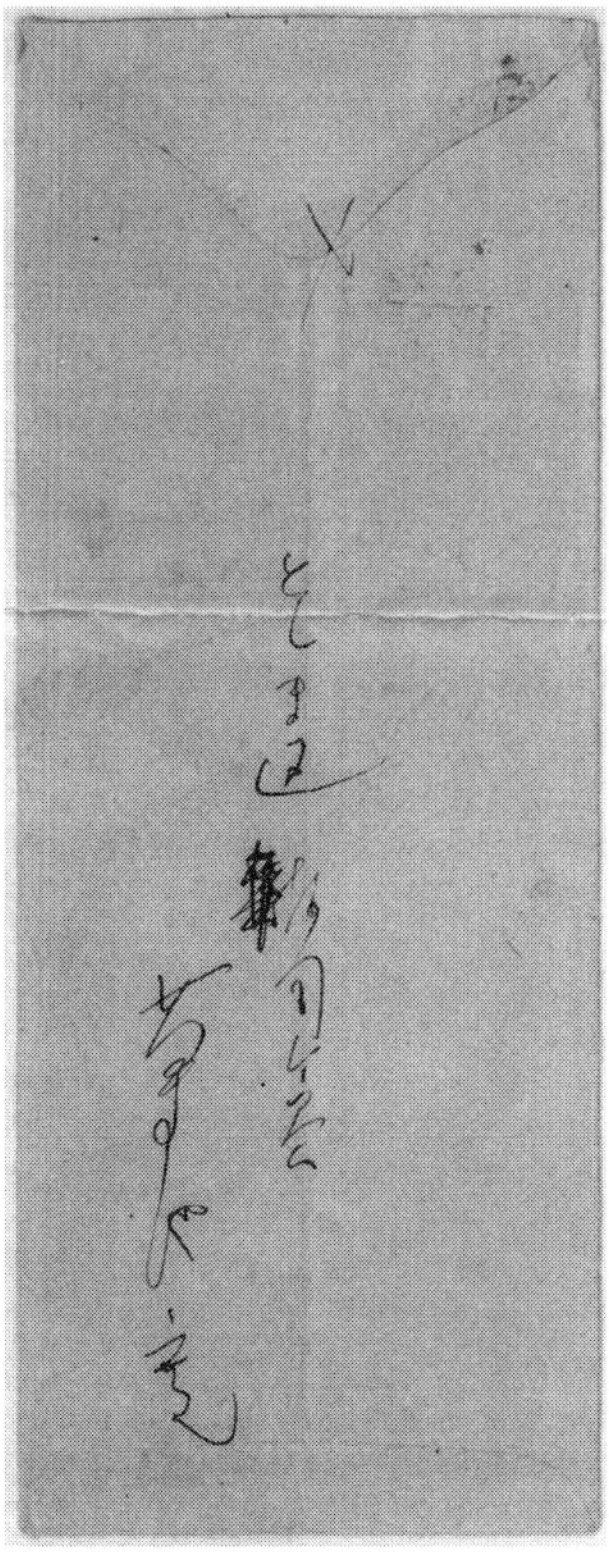

菊池　寛

閉門即是深山　読書随處浄土

菊池　寛

人生恋すれば憂患多しと

恋せざるも亦憂患多きを

菊池　寛

みんな色紙の大きさで願ひたいのです

よろしくおねがひします

菅忠雄夫人

机下

菊池　寛

書簡文面はたったこれだけ。まるで、いやいや書いたような筆跡。——これ以上速く文字運びが出来ないという書き方の上、句読点さえない代もの。が、これこそこの手紙に意味があるかも知れないと私は思った。菊池は必要あって、色紙などを書かされる機会が多くなったのだ。言わばサインだけでは済ない立場になった時の〝書〟の用意を始めようと思ったのだろう。

私はその色紙らしきものや、寄せ書き帖の中にこれらの言葉をよく見ている。もっとも多かったのは「人生恋すれば憂患多しと、恋せざるも亦憂患多きを」で、さすが〝書家〟にたのんだだけあって残った毛筆文字はみな美しく個性的だ。「そうか、この時こんな風に書家に頼み手習いしていたのか」。ちなみに時代はすでに漱石や藤村がそうであったように、特に原稿は毛筆からペン字の時代に移行していたのだ。

次に、この書簡・葉書の宛名と時期のことだ。

「菅忠雄(夫人)様宛」で、菅は菊池と親しく、〝書をよくした人で著名〟とどこかで読んだことがある。そして年号。これが消印は大正6にも8にも見えてはっきりしない。菊池の差出し地は「としま《ママ》区雑司ヶ谷」とあるだけ。一方葉書①の方は「小石川中富坂にて」でこちらは大正8年だ。菊池のもっとも古い伝記、鈴木氏亭の『菊池寛伝(昭12・実業の日本社)』によると菊池の住いは転々としているが、年譜大正6年（三十歳）の項に、「(前年結婚)三月に長女が生れ、牛込榎町から小石川中富坂町七番地に移る」とあるから消印は6だったかも。

ともあれこの年は最初の本『心の王国』が出て、「恩讐の彼方に」「藤十郎の恋」等続々と名作を発表、特に「藤十郎の恋」が大阪浪花座で上演され〝文名にわかに上る〟の年だった。——そういう超多忙期を迎えていた頃の手紙だったのだ。表の生活、原稿書きには熱心だったが、手紙はやがて電話となる。あるいは書生を置き、事務処理をさせたりで、ほとんど手紙など残さなかった後半生になってしまうのかもしれない。

昨年九月、近くにある「お花茶屋図書館」で、『菊池寛全集』を借りた。文豪の全集には必ず付く書簡篇が菊池にはなかった。私は、ここで教えられた四国高松市の「菊池寛記念館」に電話してみた。職員は、

「そちらのお話ですと、菅忠雄の父のことでしょう」と言って『夏目漱石辞典』（勉誠社出版）と『芥川龍之介辞典』（翰林書房）の菅虎雄の項をコピーしてファックスで送信してくれた。それによると菅忠雄の父虎雄はやはり「ドイツ語教師兼六朝風の書の達人」だったという。菊池も芥川とともに帝大で学び、芥川の第一短篇集『羅生門』の題簽も虎雄のものと分かる。

そこにはこうも書かれていた。「一般の方には、参考書名のみお送りしているのですが、青木さまのおっしゃる菊池寛先生の手紙が大変興味深く、いずれは当館でも紹介したいので、当該箇所のコピーを送ったのです」——と。

私の方からも、ただちに手紙、封筒、葉書をカラーコピーし、送付した。その後記念館からも丁重な礼状が来た。現在それが館のウインドウに飾られているに違いないと私は思っている。

生田春月

（1892～1930）

生活萬歳！人間萬歳！

春月肖影（38歳当時）

↑ 筆者

工場での慰安旅行（昭和28年4月）

……昭和二十八年正月、私は初めて働きに出ることを思い立ち自転車で街の貼り紙を見て職探しをした。二月四日、墨田区寺島町に輸出の玩具工場を見つけて勤め始める。日給は百五十円、大きな二、三十人も座れる板の台に向って座り、ヤットコで鉛の動力のついたジープを組立てる仕事で、三分の一くらいが女子工員だった。休日は第一、第三日曜日だけである。

一ト月くらいすると、夜学に通う十六歳の少女と隣り合い、手さえ動かしていれば私語くらいは許されており、いつか文学の話をするようになった。少女は私に、あなたの好きな詩を書いて来て欲しいと言う。初めは上田敏の訳詩、藤村詩や白秋の「落葉松」、宮沢賢治の「雨ニモ負ケズ」などを書いて来て渡した。受け取った彼女の喜びようったらなく、次々とせがむ。ある日、『生田春月全集』の端本を貸した。すると、彼女はこの本を昼休みにまで持って来て、屋根裏部屋のボール箱置き場で読んでいたりする。ある日そこへ上って行った私に、彼女は、

「春月って、どうして女の子の気持まで分かるんでしょう」と言って見せたのが『感傷の春』の詩、

あなたを一度見てからは
昔の私でありません

で始まる「少女の夢」の頁だった。やがて二人は交換日記を交すようになったが、二ヶ月後には彼女が母親にノートを見つけられてしまう。彼女は春月の全集を返そうとしたが、「上げるよ」と言うと、うれしそうに抱えて涙ぐむ。春月は、私に得難い恋の思い出を残したのだった。

昭和四十年、私は神田の明治古典会の市場で、会員兼経営員として働いていた。そこで出合ったのが春月の深見機郎宛書簡一束で、落札した。その中の明治40年2月6日付の一通を紹介しよう。毛筆での走り書きで、中々に読みにくいが、とにかく句読点を打ちながらこれを写してみることにしよう。

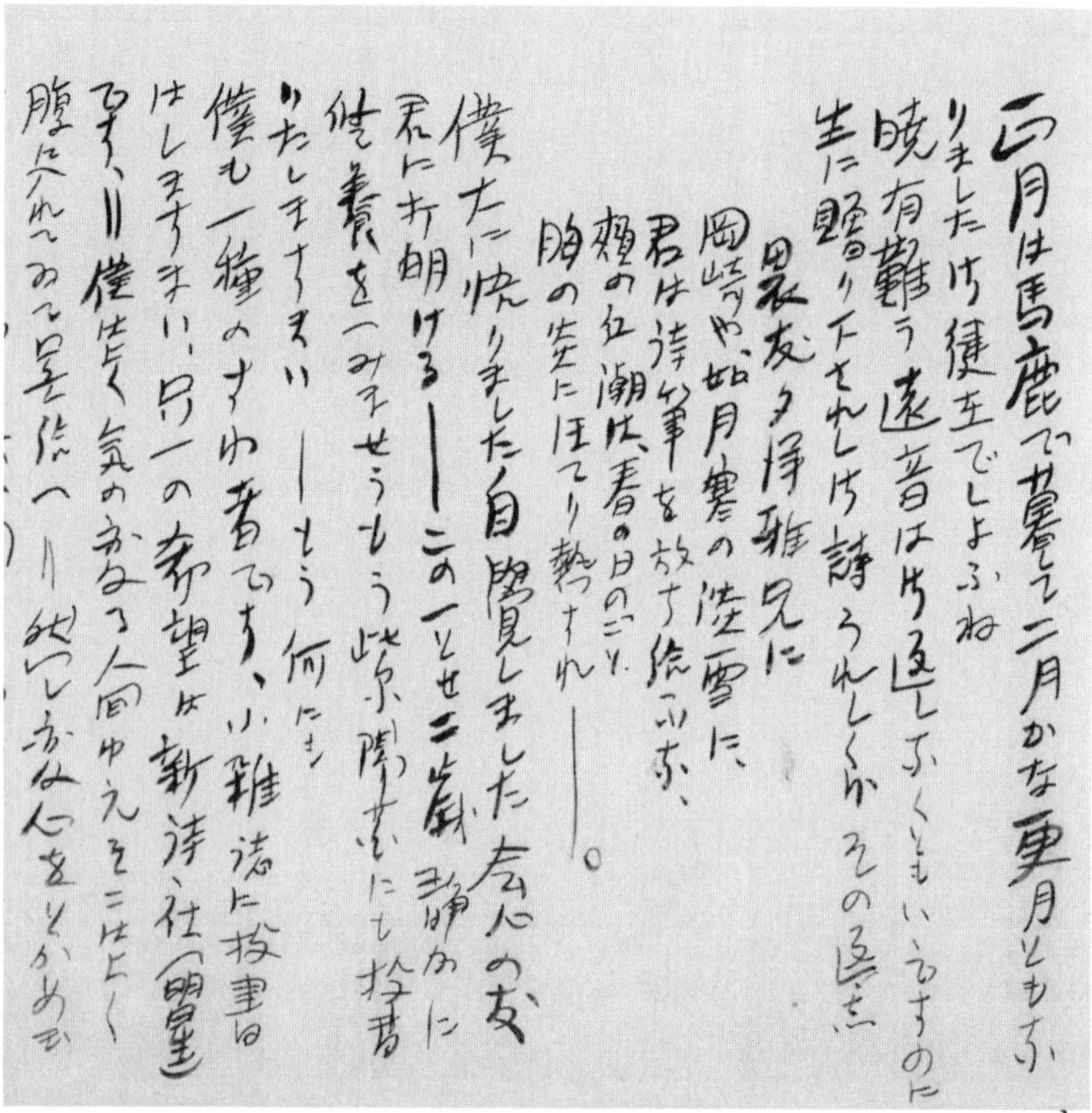

正月は馬鹿で暮して二月かな。更月ともなりました　御健生でしょうね。

「暁」有難う、「遠音」は御返しなくともいいですのに。生に贈り下されし御詩うれしく候。

その返事。

畏友夕洋雅兄に、

岡崎や、如月寒の淡雪に、

君は詩筆を放ち給ふな、

頬の紅潮は、春の日のごと

胸の炎にほてり熱すれ――。

僕、大に悟りました。自覚しまし

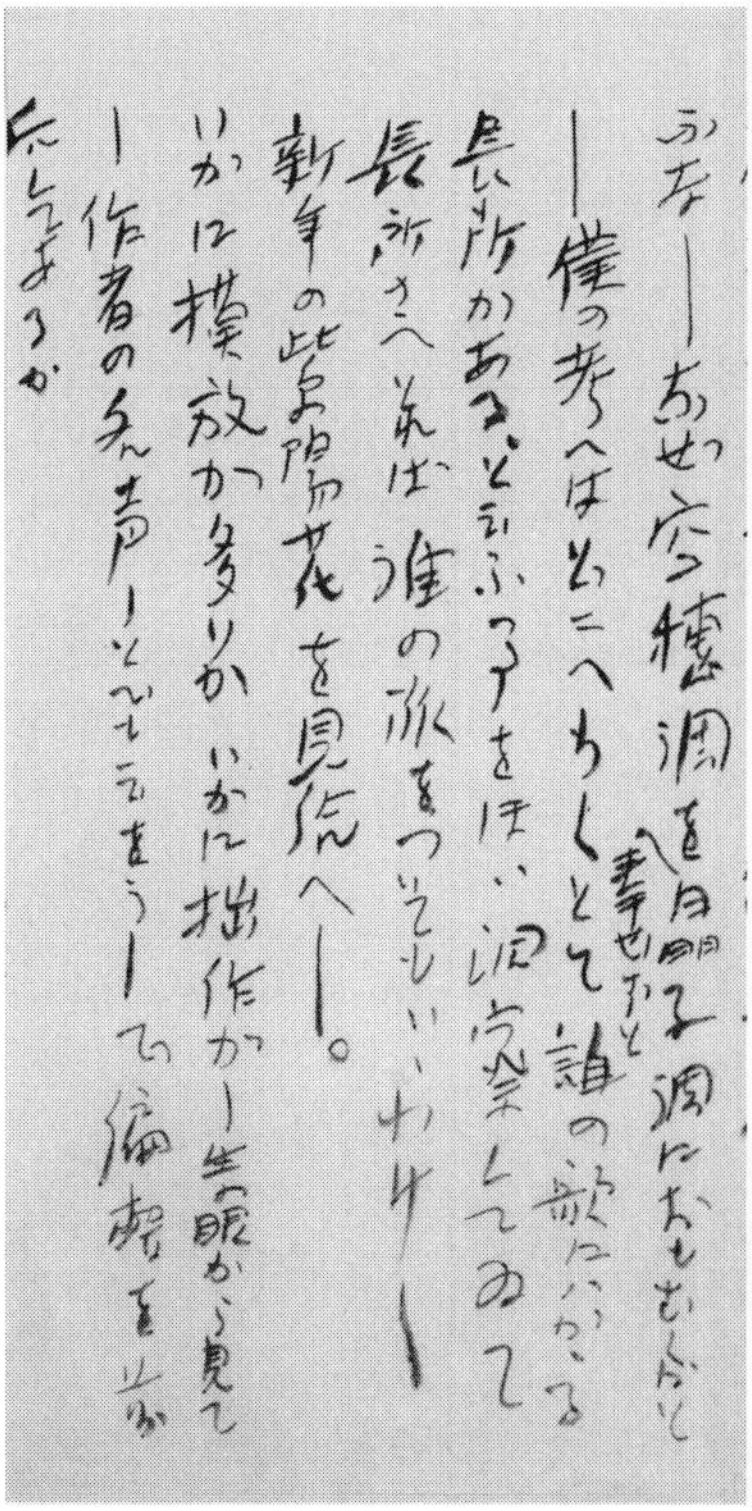
ふな——なぜ空穂調を晶子調におもむくかと
——僕の考へはどこへ行くとて誰の歌にかゝる
長所があると云ふ事をほゞ調察して居て
長所さへとれば誰の派をついてもいゝわけ——
新年の紫陽花を見給へ——。
いかに模倣が多いか いかに拙作が——生の眼から見て
——作者の名声——とでも云おう——で編輯を前
後してあるか

た。会心の友、君に打明けます——この一とせ二歳静かに修養をつみませう。もう「紫陽花」にも投書いたしますまい——もう何にも。

僕は一種のすね者です。小雑誌に投書はしますまい。只一の希望は新詩社の「明星」です。僕はよく気の変る人間ゆえそこはよく腹に入れてゐてくれ給へ。然し変心をとがめ玉ふな——。なぜ空穂調を晶子調におもむくかと——僕の考へはどこへ行くとて誰の歌にかゝる長所がある。と云う事を調察してゐて長所さへとれば誰の派をついてもいいわけ——。新年の「紫陽花」を見給へ——。

いかに模倣が多いか　いかに拙作が——生の眼から見て——作者の名声——とでも云おう——で編輯を前後してあるか。

僕どうにかして上京しようと思って居ます。早く雑誌を発行しませうね。それについて今よりいろいろ考へてゐます。

更月それの日　乾風荒暴れふ　寒閉寛

夕拝高兄

二伸
君よ大に投書に勉め玉へ。投書こそは名を弘める（狭意義なれど——売名は好まざれ共唯一の方便にて候。

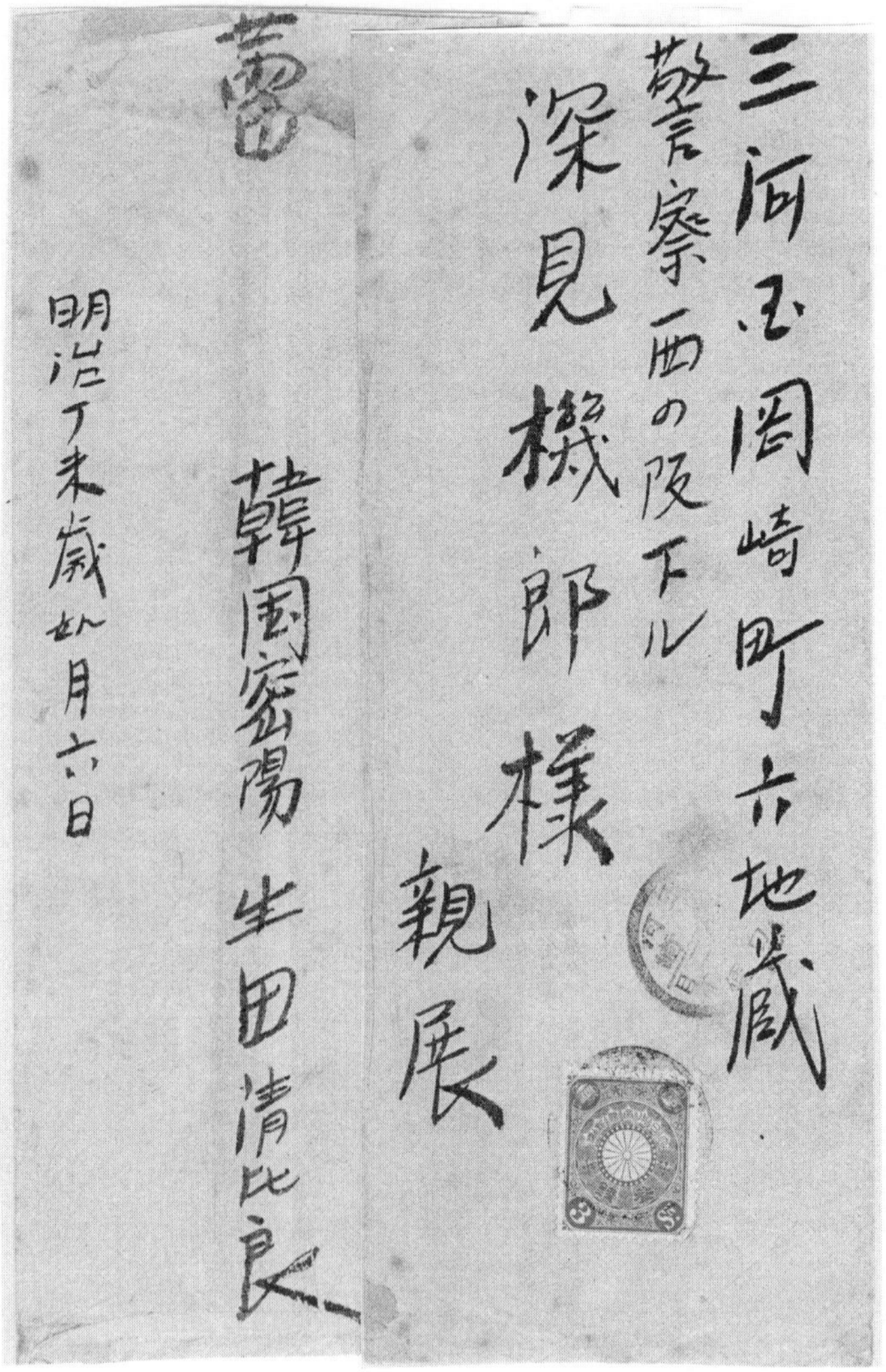

生は文藝と終世離れざる覺悟を持ち候。堅く堅く持ち候
生の悲むはわが「伯耆」から知名の文士を未だ出さない事に候。勿論文士の中に入れ得べき人
の四、五人は生の知る限り有れ共。
最早、他の希望は皆捨て候。只『文學の方面に一意専心所謂馬車馬的に進行しよう』と云う覚
悟を堅く〳〵もち申候
君よ生は不遇に歳を重ねし者、苦学何ぞいとはむ。只上京するのみにて候。
文庫の如き雑誌へ散文詩歌を投稿しようかとも思ひ居り候。左に笑詩一篇。
兎に角当地にて不便に候。故、いづれ高飛致す考に候。

薔薇《そうび》ひともと　　　　　　　　　　　　春月

花園の薔薇《そうび》ひともと、いまさかり、
白髪の翁《おら》が丹精、日日の
皺手はふれて美しき
花とさきぬれ。

ほほえみて並みいる君を見かへりぬ。
かすかなる笑含艶なり、双の頬は
薔薇と染めしうす紅の、

うつくしき恋。
その時よ、杖にすがりてこの園の
あるじの翁《おきな》、静かに来ぬれ。
花とわれらを見くらべつ、
呵呵とし、いとも高笑ふ。

かぎりなき胸の痛みに、やつれにし
姿はぢつつ——花園の
翁を訪へば——萎れぬれ。
薔薇ひともと。われ泣きふしぬ、
春もはや終りなりけり。

(この他二詩の紙片も入っていたが略す。——実はこれ、春月十五歳(満では十四歳?)の書簡の中味。何とも古くさい感じがするが、文壇はやっと前年藤村の『破戒』が出版され、詩はまだ文語詩がほとんどで、やっとこの明治四十年、口語詩運動が起こったばかりの頃なのである。

……春月、本名生田清平《ひら》。家は大きな酒造業だったが父の代で家業は傾き、破産。授業料が収められず学校を中退し小説、詩歌の耽読と投書にすごす。明治三十七年(十二歳)、一家をあげて朝鮮釜山に移住、苦しい日々の中、同好の少年を求めて文通、廻覧雑誌を策す。この書簡は、この朝鮮時代のもの。この年末に帰国出来、大阪に渡り苦学。四十一年（十六歳）、上京して評論家・生田長江宅に寄寓、文章学院の一員となり生活の資を得る。

なお、この朝鮮時代のことを本人が詩にしているので左に引用しておく。（『慰め国』大14新潮社）にあるもので、タイトルもずばり「朝鮮にて」だ。

朝鮮にて

雪がしんしんとひどく降り出す朝だつた、／いやに黙つてごろりと肱枕、／この失敗商人はこの色町で／おはぎの餅をこしらへて、／その餅の箱を肩にして／女衆の部屋から部屋へ御用聞き、／今日はぞつこん厭さうに／餅が出来ても起き上らず、／いやに黙つてごろりと肱枕。／「しやうがないね、それぢやおまへが売つて来い、／そんな本など読んだとて何になる、／一つでも餅を売つて来い」／かう母親にきめつけられて、／行かねばわるいし、行きたくはなし／ぐづりぐづりとしてゐると、／「そいつをやつたとて餅が売れるか、／餅を売るより、少しでも何か仕事を見付けて来い」／この父親のいきなり怒鳴つた声を聞き、／すつかり少年は憤慨して、／赤い古毛布をすつぽり頭からひッかぶり、／雪がしんしんひどく降り積む街から街を／あてもなくほッつき歩いて、／手足も凍え、ぞつと身体の胴中まで冷えた、／たつた一匹むかう行く白い小犬が／赤い犬でも来たかと云つた風に、／尾を振つて見るやさしさに、／ピイピイと口笛なんか吹きながら／寂しい山手通りに来た時に、／そこの小さな新聞社の前で／見付けた、見付けた、「解版工募集」／

これに定めたと赤毛布／雪をはらふと、白犬は／びつくり三宝、遁げて行つた、／あの白犬は遁げて行つた、／雪のしんしん積る路。

春月の小傳を続けよう。

明治四十三年(十八歳)、やはり長江の書生だった佐藤春夫等と新詩社の歌会に列し、与謝野寛、晶子に会う。ドイツ語専修学校の夜学に二年間通い、以後独学で語学を学ぶ。大正三年(二十二歳)、河井酔茗の仲立ちで、平塚雷鳥主宰の「青鞜」同人、長曾我部菊子(西崎花世、後年生田花世)と生活を共にする。大正六年(二十四歳)、第一詩集『霊魂の秋』を新潮社から出版、大正七年『感傷の春』が同社から出るに及んで春月の詩人としての評価は定まる。両書共に売れに売れ、新潮社が詩集出版に乗り出したり、「日本詩人」刊行を引受けたのは春月のかくれた力が大きかったと言われる。

周知の如くこのあと春月は《キリスト教的、人道主義社会思想に始まり……時には禅を求め……底流を流れる思想的バックボーンは厳しいニヒリズムで》(日本近代文学大事典・広野晴彦) 昭和五年五月十九日、《菫丸船により播磨灘に身を投じ、三十八年の生涯にみずから終止符をうつ》のだ。

ともあれ紹介の書簡は、多分新発見の春月のもっとも古い資料である。しかし、この手元の書簡、朔太郎や犀星のものなら「大発見」だが、発表機会を得るのは無理であろう。

春月が行きついた思想を具体的に示す一詩原稿を未だ残しているので、肉筆で公開する。ともあれこれを読んでみて頂きたい。

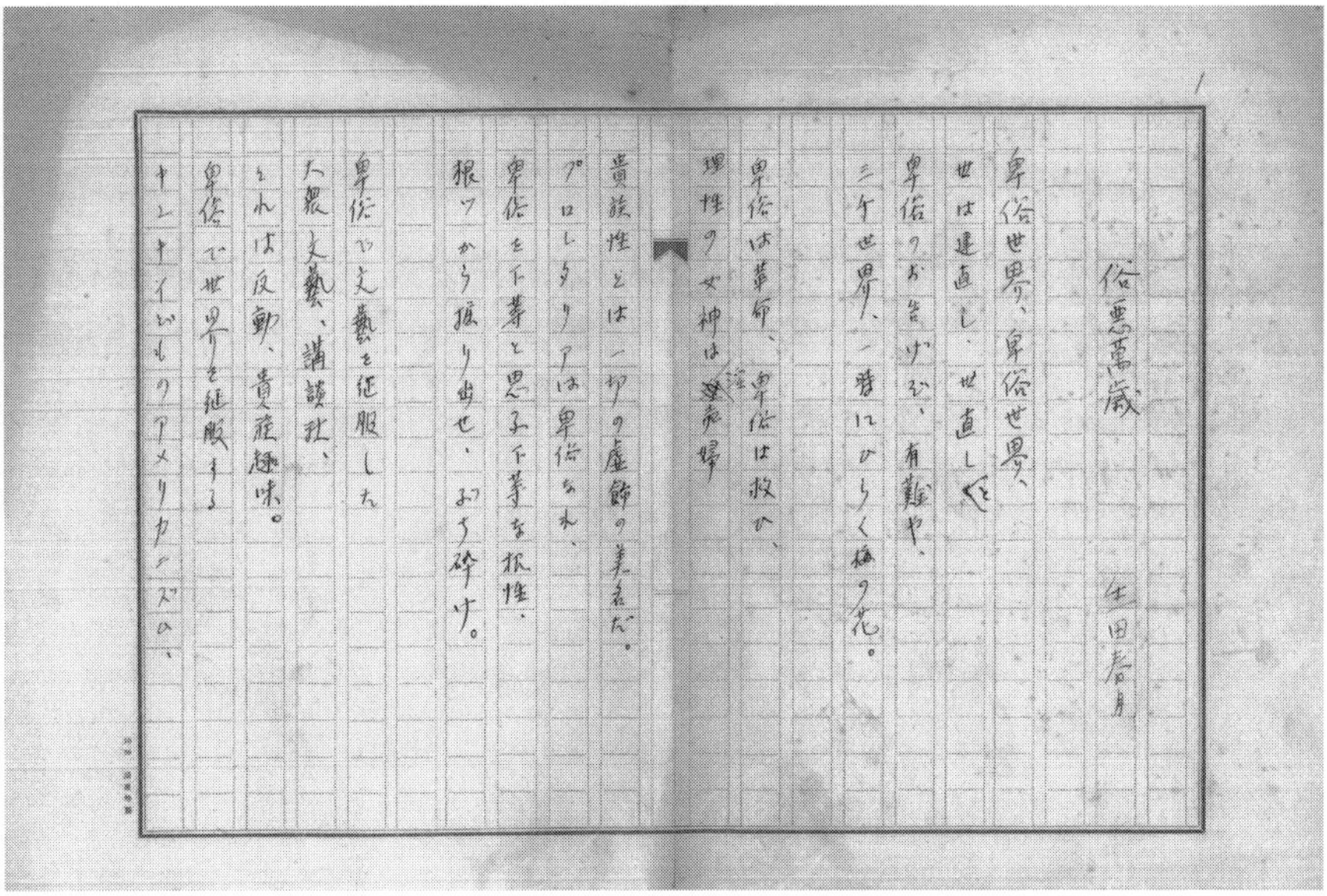

俗悪萬歳

生田春月

卑俗世界、卑俗世界、
世は建直し、世直しと
卑俗のお告げぞ、有難や、
三千世界、一時にひらく梅の花。

卑俗は革命、卑俗は救ひ、
理性の女神は淫売婦
貴族性とは一切の虚飾の美名だ。
プロレタリアは卑俗なれ、
卑俗を下等と思ふ下等な根性、
根ッから掘り出せ、ぶち砕け。

卑俗で文藝を征服した
大衆文藝、講談社、
それは反動、貴族趣味。
卑俗で世界を征服する
ヤンキイどものアメリカニズム、

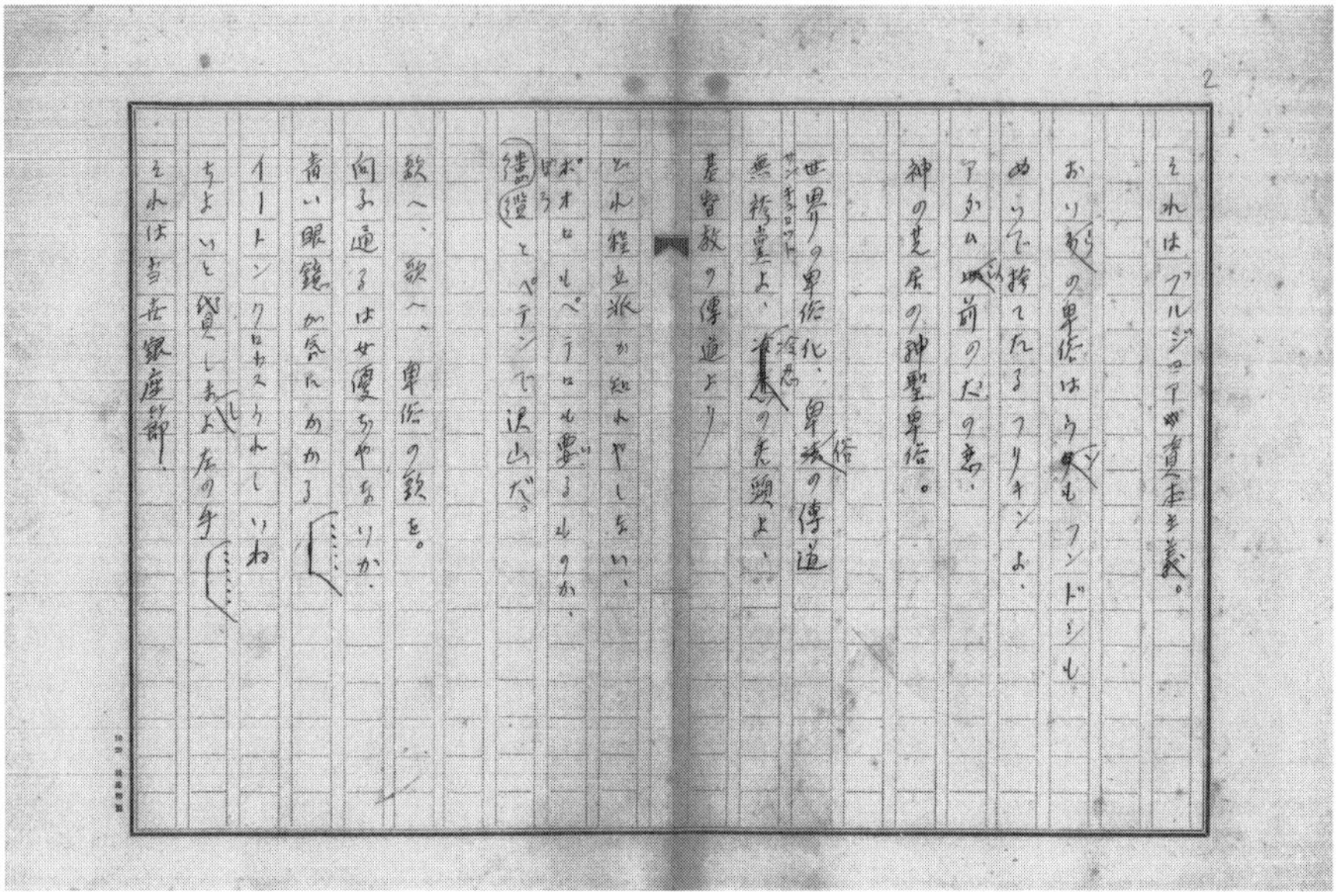

それはブルジョア資本主義。
おいらの卑俗はウソもフンドシも
ぬいで捨てたるフリキンよ、
アダム以前の犬の恋
神の芝居の神聖卑俗。

世界の卑俗化、卑俗の傳道
無袴党《サンキュロット》よ、冷忍の禿頭よ、
基智教の傳道より
どれ程立派か知れやしない、
ポオロもペテロも要《い》るものか、
襤褸《ぼろ》とペテンで沢山だ。

歌へ、歌へ、卑俗の歌を。
向ふ通るは女優ぢやないか
青い眼鏡が気にかかる……
イートンクロカスうれしいね
ちよいと貸しましよ左の手……
それは当世銀座節、

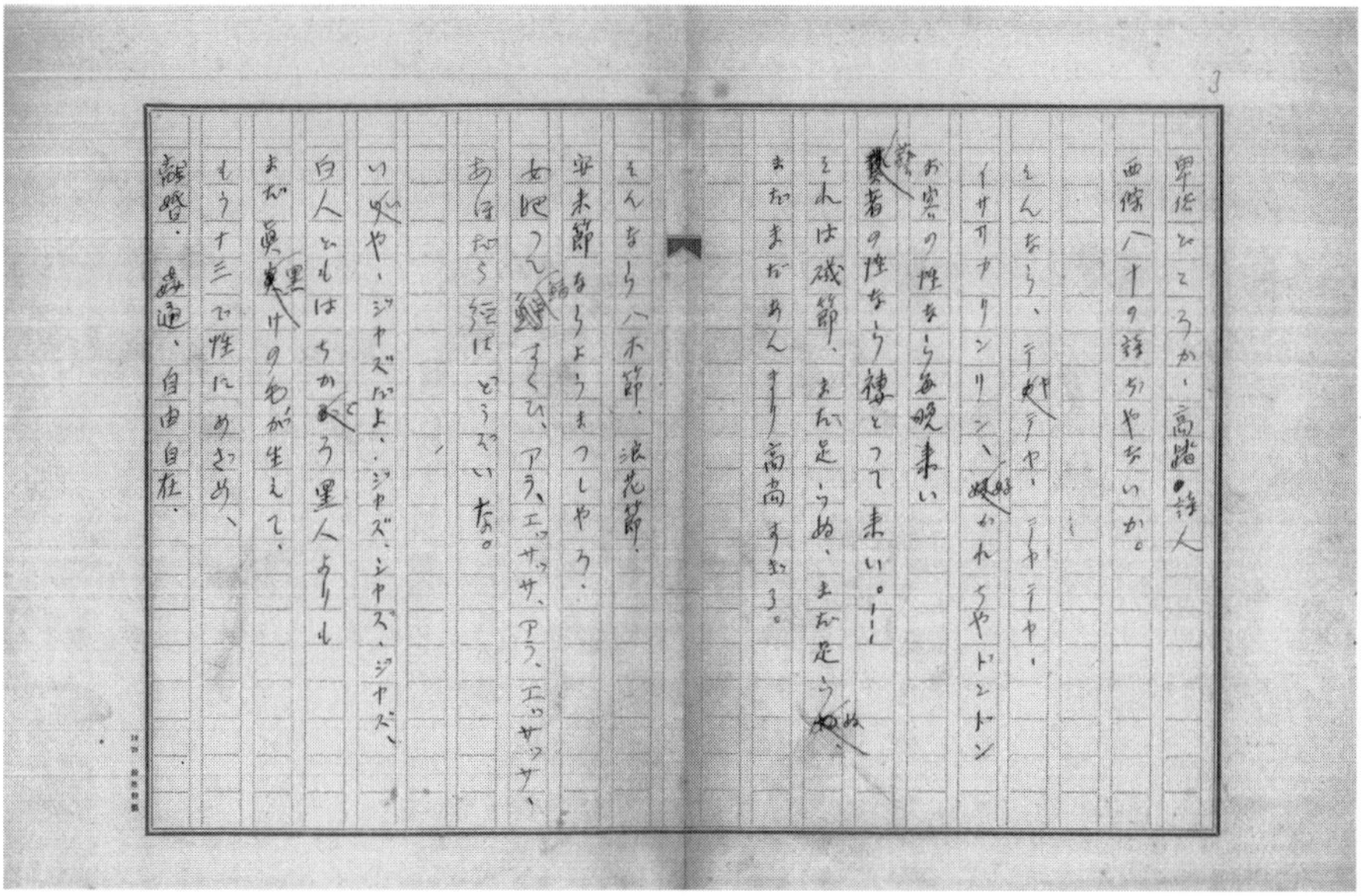

卑俗どころか、高踏詩人
西條八十の詩ぢやないか。
そんなら、テヤテヤ、テヤテヤ、
イササカリンリン、好かれちやドンドン
お客の性なら毎晩来い
藝者の性なら褄とつて来い。…
それは磯節、まだ足らぬ、まだ足らぬ、
まだまだあんまり高尚すぎる。
そんなら八木節、浪花節、
安来節ならようまつしやろ、
女肥って鰌すくひ、アラ、エッサッサ、
アラ、エッサッサ、
あほだら経はどうだいな。
いいや、ジャズだよ、ジャズ、ジャズ、ジャズ、
白人どもはちかごろ黒人よりも
まだ眞黒けの毛が生えて、
もう十三で性にめざめ、
離婚、姦通、自由自在、

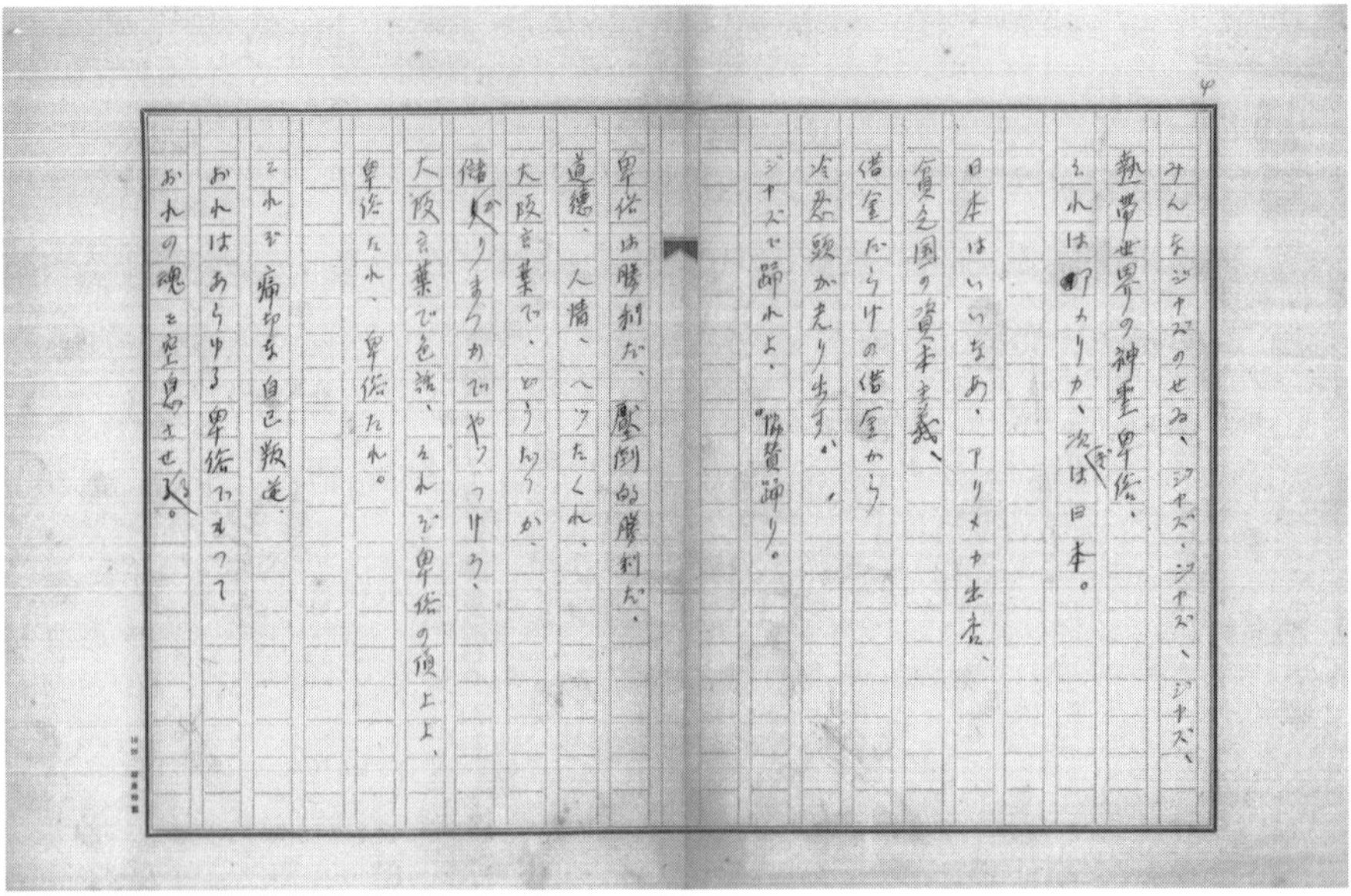

みんなジャズのせゐ、ジャズ、ジャズ、ジャズ、
熱帯世界の神聖卑俗、
それはアメリカ、次ぎは日本。

日本はいいなあ、アメリカ出店、
貧乏国の資本主義、
借金だらけの借金から
冷忍頭が光り出す、
ジャズで踊れよ、協賛踊り。

卑俗は勝利だ、圧倒的勝利だ、
道徳、人情、ヘッたくれ、
大阪言葉で、どうだつか、
儲かりまつかでやツつけろ、
大阪言葉で色話、それぞ卑俗の頂上よ、
卑俗たれ、卑俗たれ。

これぞ痛切な自己叛逆、
おれはあらゆる卑俗でもつて
おれの魂を窒息させる。

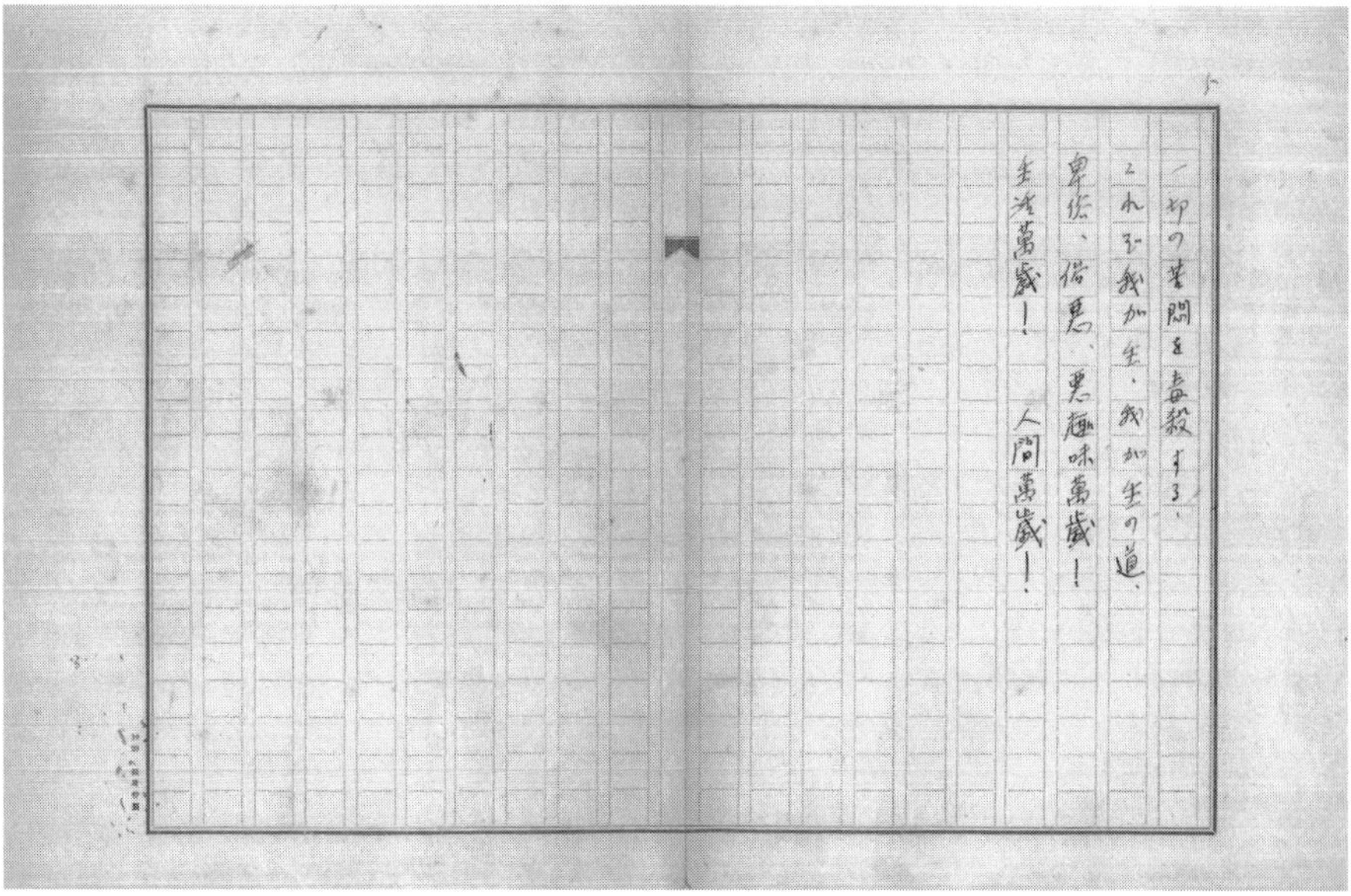

一切の苦悶を毒殺する、
これぞ我が生、我が生の道、
卑俗、俗悪、悪趣味萬歳！
生活萬歳！　人間萬歳！

この詩の文章を書くため数十冊の〝春月〟詩集を読みまくったが、似た詩はあるがこれはなかった。さんざ探して最後に辿りついたのが『虚無思想研究』上下二冊（昭50／蝸牛社）だった。詩は下巻に収録されており編者・大沢正道の解説もついており、大正十三年「虚無思想」第二号に載せられた詩と分かった。この詩で思い出したのは、まるで予見したように私が十代で遭遇した終戦直後の世相・風俗と二重写しに見えたことだ。

日夏耿之介

（1890～1971）

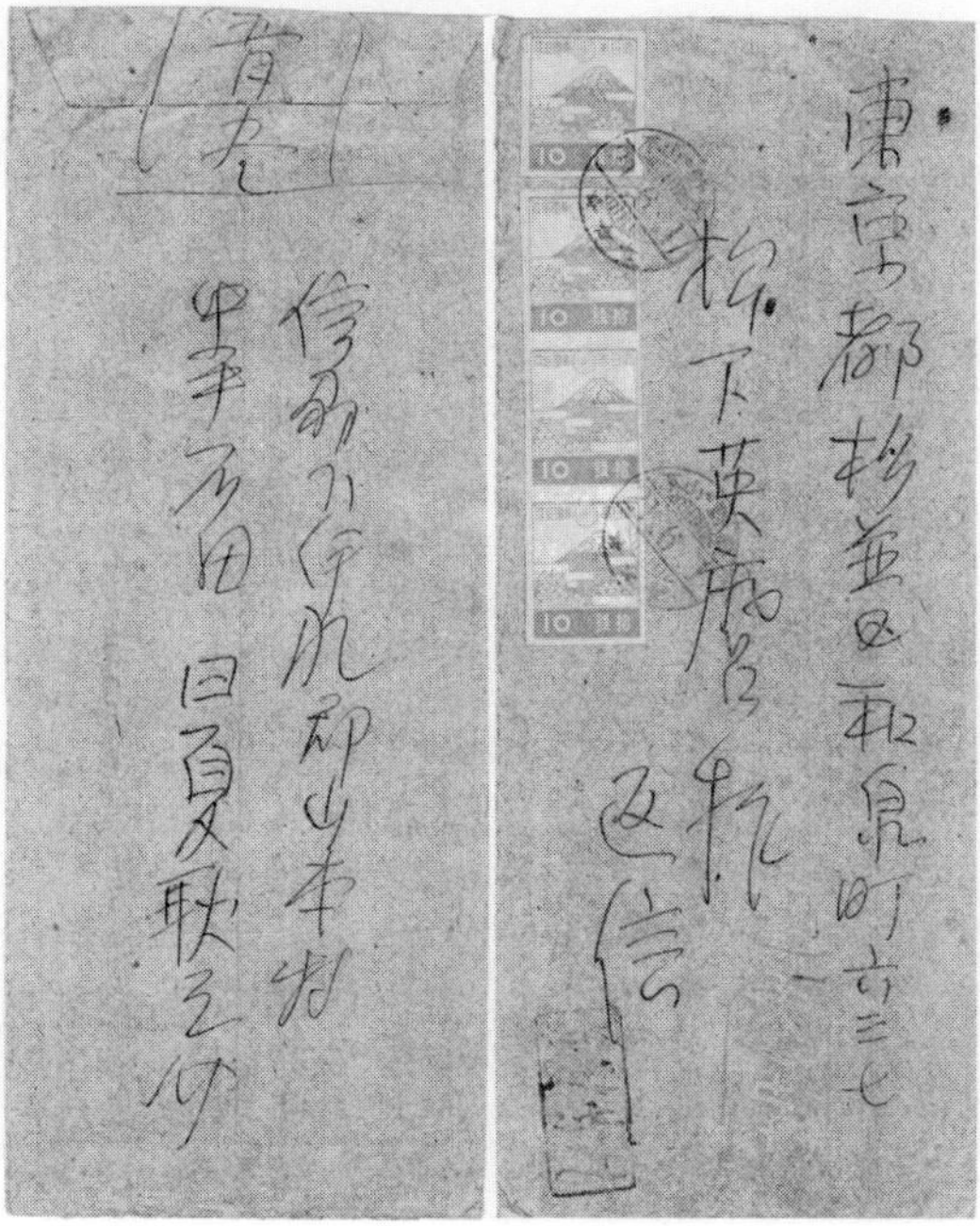

この詩人の書簡一通をいつか紹介したいものと思っていた。まず『近代日本文学大事典』から日夏の略伝を抜粋紹介しよう。

日夏耿之介（ひなつこうのすけ）明治二三・二・二二〜昭和四六・六・一三（1890〜1971）詩人、英文学者。長野県下伊那郡飯田町生れ。本名樋口国登（圀登は愛用した字体で戸籍は国登）。父藤治郎、母いし（このいは戸籍では変体がな）の長男。雅号に夏黄眠、雛津之介、黄眠道人、黄眠散人、黄眠閑人、黄眠酔人、黄眠堂主人、溝五位、聴雪廬主人、恭仁鳥、石上好古など三十数種を数える。先祖は清和源氏に通じる名門で、（略）

大正三年、早大英文科を卒業。同年の三月、吉江喬松、芥川龍之介、山宮允、西条八十、松田良四郎の六名で愛蘭土《アイルランド》文学会を起こす。大正十三年七月、吉江喬松の媒酌により中島添と結婚。大正十五年九月からは三巻からなる『日夏耿之介定本詩集』（第一書房）が刊行される。第一回配本は第二巻『黒衣聖母』、第二回配本は第一巻『転身の頌』（昭二・二）、第三回配本は第三巻『黄眠帖』（昭二・一一）。

昭和二五年九月より矢野峰人、三好達治、中野重治、山宮允と監修発行した『日本現代詩大系』一〇巻（河出書房）により毎日新聞社出版文化賞を受け、翌二七年には『明治浪曼文学史』ならびに『日夏耿之介全詩集』（昭二七・一　創元社）により日本芸術院賞を授けられる。二八年、第一回飯田市名誉市民に選ばれ、三一年九月より飯田市に居をかまえ、『日本芸術学の話』（昭三二・九　新樹社）、漢詩訳集『唐山感情集』（昭三四・六　弥生書房）『零葉集』（昭三五・一二大雅堂）を刊行。三六年三月、昭和二七年四月より就任していた青山学院大学教授を辞任する。四五年秋から老人性変形関節炎のために床につき、四六年六月十三日老衰のため死亡。

『日夏耿之介全集』全八巻（昭和四八～河出書房新社）がある。（窪田般弥）

次に、この経歴の片鱗からはとても考えられない書簡を、次に写そう。昭和二十一年六月一日消印の速達便での宛先は「中央公論社・松下英麿」。

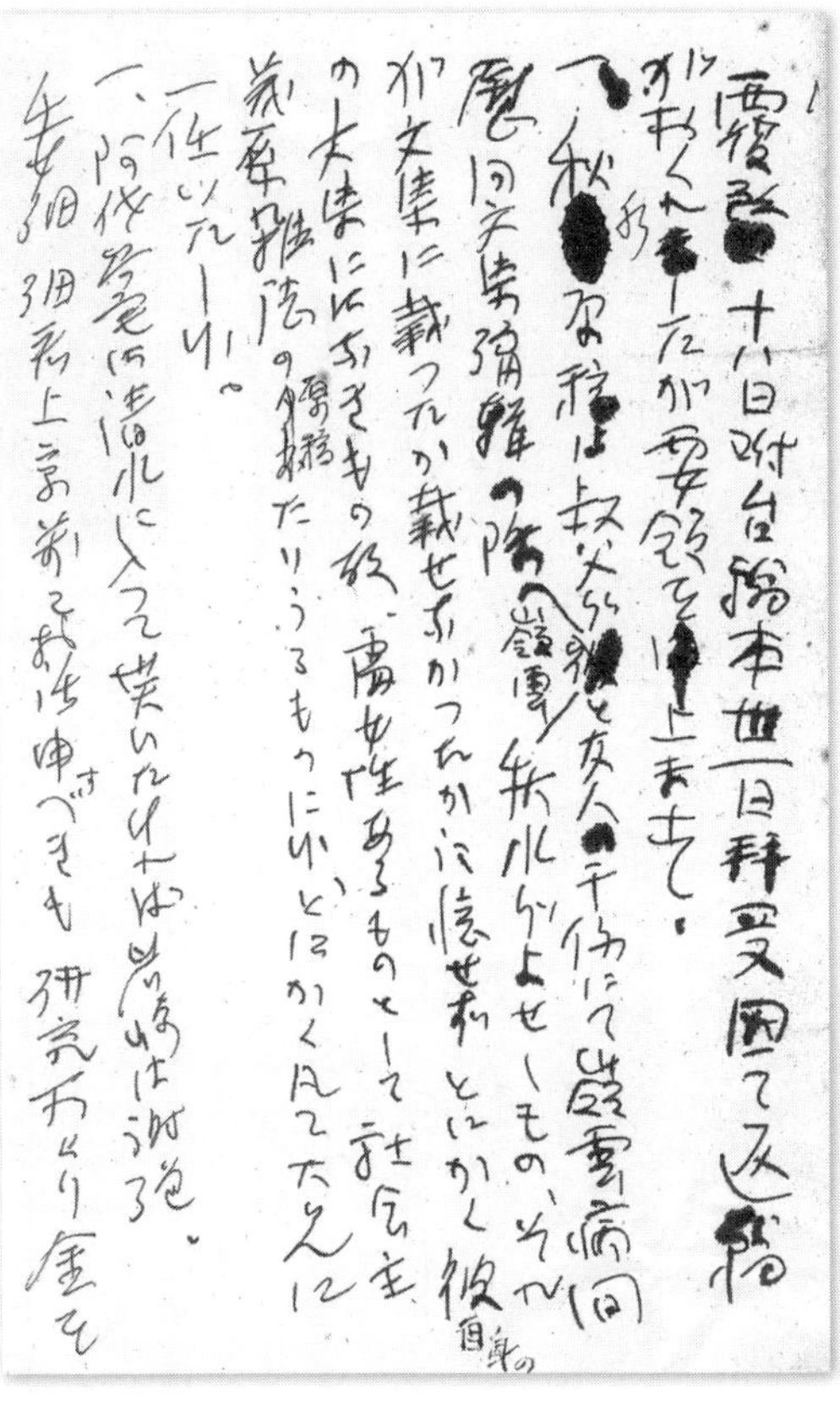

書簡の書き出し部分

覆啓　十八日付咐台稿本一日拝受、因て返稿がおくれましたが要領を申し上ます。

一、秋　私の原稿は叔父が竹嶺雲と友人千仞にて嶺雲病間展同文集編輯の際、秋水がよせしもの、それが文集に載つたか載せなかつたか記憶せずとにかく彼自身の文集にはなきもの故、処女性あるものとして社会主義系雑誌の原稿たりうるものに候、とにかく凡て大兄に一任いたし候。

一、阿佐谷宅は清水に入つて貰いたければ岩崎は謝絶。委細細考　上京前お話申すべきも研究所より金をくれない故まとまつた金なく従つていつ上京せしめうるや不明に候。
一、静話会は元ヨクサン会の部長岸田プランにてやり、老生はヨクサン会など嫌い総退陣、大兄も上松君も上原君も当然至為退会を可といたし候
一、曽田が研究所を任せるつもりなら手当位キチン〱と送らぢや安心出来ずダラシのない研究所ならずや、老生がやれば純学問研究所にて政治などには全く干渉せず、泰平と文化との新国家の建設に役立つ最高義のデモクラチツクな新学問本位の研究所たらしむべし。
老生は政治干渉は一切大キライに候。カーネギィ・インスチチュートの機構が参考たるべし。
一、洗心書林発途の由◯◯《読めず》を祈候、詩史五冊承知、初め貴方から出して終りの方の、昔の資本主義的帝国主義時代の擬デモクラシイ（トマス・マンがアメリカで講演せし如きメンタル・アツテイテュードとしてのデモクラシイといふもの）とちがふ所以を明らかにするが時勢の為新国歌為なるべく大正末期の方は大分加筆いたし候。
一、紙を早大出版部が沢山持つてゐる由、少しも出版する模様なし、勿体なきことと考ふ
一、此間文永寺を訪ぬ、鐘よく千手観音像よく二王像よろし、一句

　鳥啼き人惟たに×りつ二王門

　餘は後便××草々

　　五月××　　　　　日夏

松下雅丈

ここまでを耿之介は大きな字で便箋四枚半をついやす。するとと突然、文字は小さくなり、「二伸」となる。が、筆者思うに、今となってはこちらこそ現代に残したい文章と思えてしまう。ついでに記すと、この手紙の筆跡、よほどいやいや書いたのか書きなぐりというか、書き写すのに二日もかかる始末。なお二伸も含め、かなり誤写があるのをお断りしておく。

二伸　飯田もいよ〳〵食料苦しくつひに熊笹を喰べさせる由、それを深山の山中迄採りにゆけない人はたべられぬわけ、実にわけの分らぬ市当局共也、九月の市会議員改選には社会党が力を入れ新人にとつて代らせると云つてる由、これには僕も大賛成、社会党系の三十代の若い市会になつて欲しい。社会党が君を代議士候補に立てたいと云つてる由ホント――ですか、出るなら社会党がいゝと思ふ、

今日では飯田でも誰も食べものの外の事など考へない。考へる餘裕などない。僕も近頃は二食だ。少量の野菜と土手の蕨とで生きてゐる。栄養がわるく、思考が特に栄養よろしくないが致方なし。

長期餓死はやむをえぬ覚悟にて、死ぬまでに一ツ二ツの大研究(ジヨン・ドンあたり)を残して死にたし、その研究をポオにするかイギリス十七世紀メタフィギカルスクール研究にするか、支那の(唐詩か紅樓夢)ものの研究にするかとつおいつ考慮中也　古い日本ものも一ツはやりたし。

ポオ詩集は心血をそそぎし作品故早く出して下さい、次いでポオの詩と小説の詳しい研究をしたいが、毎月掲載の方法をとらねばはかどらずさういふ雑誌（英米文学研究専門誌）が欲しい、西村孝次とも御相談下さい（僕の詩をアメリカの女スパロウ夫人が訳したいと申来り許可してやつたまゝ戦争になりて不明、戦事中に僕の詩の英訳がアメリカから出たかどうかといふ事を在留アメリカ人中その道に明るき人に訊きたし。誰かそんな人を御存じなきや、之も西村に御相談下さい）

とにかく急に栄養が不足になつて夫婦とも飯田までゆく勇気も餘りない、野草をたべて研究をつづけ、だん〴〵栄養失調に向かうといふのが運命らしい。下らぬ政治屋共は大に太つていきてゐるに、僕らは戦争中小さくなつてくらし、今又小さくなつて栄養不良で生きつゝ研究に潜念するのも運命か。君うまいものを少しは喰べたいね。喰べてから死にたいね。

栄養不良で伏せつて一句

○のべつすや苫家の朝の麦の雨

は如何か

文永寺でうまい茶をのんだ　次の句はドーデス？

茶をのめば　こゝろのくまの花ぞさく

とあった。

この昭和二十一年一月一日「天皇人間宣言」があり、五月一日、日本国新憲法が発布された。五月三日には皇居前広場で食料メーデーが起き、十二月二十一日には南海道大地震（M8.1）で現地は死者行方不明一四六四人の犠牲者が出た。ちなみに筆者はこの年学童疎開から帰ったばかりの十三歳。我が家はくる日もくる日も文字通りの食うや食わずの生活だった。

ともあれ、このあと四、五年 で情況は好転、日夏はその後二十五年間文学に生き七十二歳の天寿を全うするのである。

昭和二十一年（一九四六）五十六歳
十月　同村の同じく親戚筋にあたる金澤岩根宅に移り「凝花村舎」「雪後庵」と名づけ滞在。
十一月　鏡花・藤村・龍之介そのほか（光文社）出版。
十二月　疎開先飯田山本村より帰京。
日夏耿之介年譜（井村君江編）より

岡本一平

（1886 ～1948）

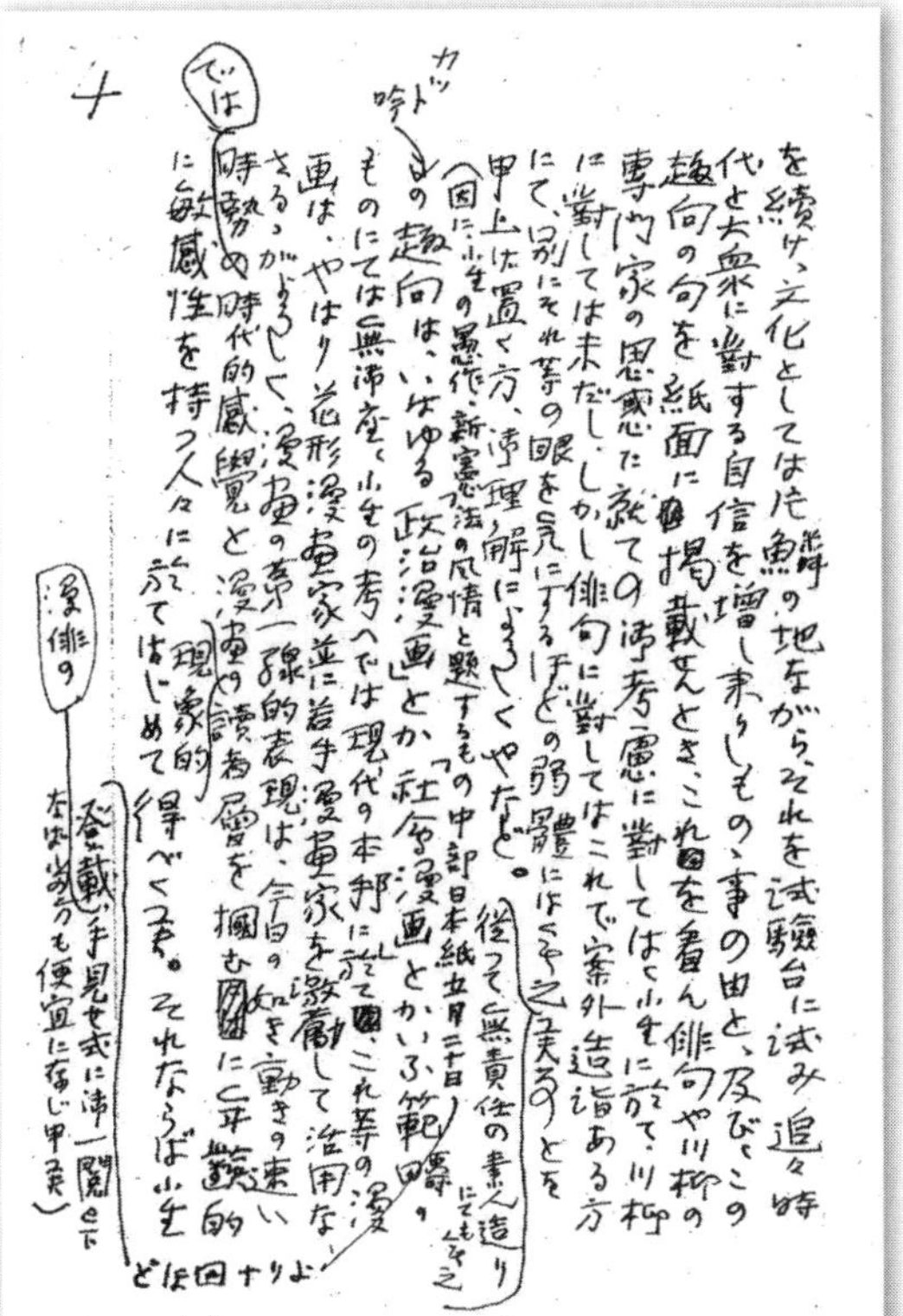
4
を続け、文化としては危鱗の地ながら、それを試験台に試み追々時
代と大衆に對する自信を増し来りしもの、事の由と、及びこの
趣向の句を紙面に掲載せんとき、これを看ん俳句や川柳の
専門家の思惑に就ての考慮に對しては小生に於て川柳
に對しては未だし、しかし俳句に對してはこれで案外造詣ある方
にて、別にそれ等の眼を気にするほどの弱體にはなきこと之を
申上げ置き方、御理解によろしくやなど。従つて無責任の素人造りにてもなく之
（因に小生の愚作「新憲法の風情」と題するもの中部日本紙五月二十日）
吟トカット の趣向は、いはゆる「政治漫画」とか「社会漫画」とかいふ範疇
ものにては無論なく小生の考へでは現代の本邦に於て、これ等の漫
画は、やはり花形漫画家並に若手漫画家など激励して活用な
さるがよろしく、漫画の第一線的表現は、今日の如き動きの速い
では時勢の時代的感覚と漫画の読者層を掴むに鮮的 現象的
に敏感性を持つ人々に於てはじめて得べく候。それならば小生どは四十りよ
漫俳の登載、手見せ式に御一覧の上
なほ小生の方も便宜になし申候）

書簡の4枚目

最近我が家で、終戦直後のものらしい岡本一平の書簡一通を発見した。切手に押された着信年月は昭和23年5月28日。私は今度初めて中を読んだ。高く買った覚えもないから、何か買った束の中の一通だったかもしれない。市へ出品、売ってしまおうと中を読んで驚く。

何とも、今となっては重要な意味を感じたからだ。周知のことだが一平の妻は岡本かの子である。今ではその子、太郎が大阪万博の「太陽の塔」以来もっとも有名だ。が、右の残された手紙に関しては、一平の生没が1886(明29)～1948(昭23)年というのが重要である。

人物としては、『現代日本・朝日人物事典』によると「漫画家。函館生まれ」とある。現・東京芸大卒。明治四十五年、朝日新聞社、漫画記者としてカットや漫文を書く。まもなく「漫文『熊を訪ねて』が夏目漱石の注目するところとなり、翌年、単行本『探訪画趣』を出版。漫画家の第一人者に。

その後朝日新聞に漫画小説『人の一生』＝唯野人生を主人公に描き、これはのちのストーリーマンガの原形と見られると言う。実作以外にも、後進育成にも力を入れ、宮尾しげを、近藤日出造、杉浦幸雄などを育てた、――ともある。

この昭和二十三年、一平は六十二歳。人生五十年時代当時としてはまあ長生きの方だったかも。ともあれこの手紙、古い文体だが頭脳明晰、意気軒昂な、堅実な筆跡だった。彼は思わぬ執筆以来に、とまどいながらも構想、各種提案までしている。

しかし、岡本には何とも悲劇的運命が待っているのだ。この書簡から五ヶ月と三日後の十月十一日には、一平はもうこの世の人ではなかったのである。

ここではその全文を紹介する。お読み頂いての感想はさまざまでしょうが、この希有な明治人の書かれた手紙をご堪能下さい。

千葉雄次郎様
新延　修三様　　五月十九日　　岡本一平

拝呈
先日は久々にてお目もじ且御馳走にお出候
　名古屋の夜　銀座さながらの友と酒
　　生延びたつら珍しやお酒盛
以上をもち御祝ひやら御禮やらに代へ申候。

扨、新聞へ御徴稿に就ては昨年新延兄より御手簡有之、その節は、或は先夜もちよつと申述べしかとも存じ候が、小生この地方住みを機會に、農村人の眼に○○《よめず》お出申し仕事いたすべきや、または従来の都會人のまゝ精進いたすべきや迷ひ居り候ときの事とて、御返事もこのこときまり候上でのつもりにて、且は生来悪癖の筆ぶしやうに捉れ遷延、つひに失禮仕候。平に御海容願上候。中京新聞は御配慮により確に到着いたし居り候。有難く御禮申上候。愚眼によるも、さすがに駿敏なるところと、ヴァラヱテイの妙有之、気色よく御両所の御骨折の新聞らしく感じられ申候
扨、又、この程は新延兄より再度御徴稿の御懇状賜り恐入候。

小生も先頃より前記の迷ひに就ては、小生等如き根からの都會人はなか〳〵五年や十年年期を入れ候とて、農村人の心身には味到致し難き義を悟り候て、やはり近代人都會人のまゝ地方住みの還境運命を生すことに相定めぽつ〳〵仕事にも着手いたしかけ居り候折柄なれば、折角の御誘ひにも有之、御厚情を謝しつゝ、旧誼に對し御助勢の一端にも×××《読めず》お出候はんかと、考《ママ》一考ののち、差当り次の如き趣向思ひ付き申候

つまり、今日の新聞紙面の面積の貴重さ。及びとかく息苦しく硬くなり難ちな記事質に對し、輕音楽的の小興行舘的の紙面必要。以上の二條件に鑑み、画はカット程度のもの、説明は俳句型十七文字、この分量の画文にて働き候ては如何。名付けて「漫俳カット吟」紙面の分量は愚考ではこゝに貼付の新聞片れに書込みの朱字ワク内ぐらゐ。これならば相当紙面忙しきときもあちらに追まくられこちらに押やられしつゝも、組込まれ、たいした邪魔にもならず、数寄者の讀者は探し尋ねても見ん。「漫俳カット吟」別名「逃げるは勝吟」「うき草の花吟」「宝さがし吟」「紙上疎開吟」——など、これは冗談。

画は小さく候間たいした働きも出来兼ね候に就き自然、句がタテにお出申べき様式にて、この句振りに就ては、従来の時事俳句とか時事川柳に似て、しかし新味を出し度く、この点に就ては小生がこゝで呶呶してもせん方なく、實物と反響が、評傳に候事、お互ひに新聞でご飯を頂戴したものゝよく存じたる事故これ以上は申上げず。たゞこの漫俳なるもの、小生昨春旧疎開地の山村にて狂俳なるものゝ選者を頼まれし節にふと思付き、それから句作を續け、文化としては片鱗の地ながら、それを試驗台に試み、追々時代と大衆に對する自信を増し来りしもの、事の由と、

及び、この趣向の句を紙面に掲載せんとき、これを看て俳句や川柳の専門家の思惑に就ての御考慮に對しては、小生に於て川柳に對しては未だし、しかし俳句に對してはこれで案外造詣ある方にて、別にそれ等の眼を気にするほどの弱體には無之従って無責任の素人造りにても無之候事とを申上げ置く方、御理解によろしくやなど。

(因に、小生の愚作、新憲法の風情と題するもの中部日本紙五月二十日より十回ほど登載漫俳の手見せ式に御一閲下されば当方も便宜に存じ申候)

吟の趣向は、いはゆる「政治漫画」とか「社會漫画」とかいふ範疇のものにては無御座、小生の考へでは現代の本邦に於て、これ等の漫画は、やはり花形漫画家並に若手漫画家を激勵して活用なさるゝがよろしく、漫画の第一線的表現は、今日の如き動きの速い時勢では時代的感覺と漫画現象的讀者層を掴むに年齢的に敏感性を持つ人々に於てはじめて得べく候。それならば小生のこの趣向の如きはどういふ役割を受持つかといふと、多少苦労をした人の、苦労負けをせず追ぬけ〳〵としたところへ出た明るさと輕るみを欣求するといふ時勢に浮沈しながら超時勢の安定感恒久性を欲するといふ種の人々を引受くるかの予感に御座候。この意味で決して第一線的のものにては御座なく候へ共共、閑文字的のものにても無之模様也。

以上、釋迦に説法なる厚釜しさを冒し、気付きしまゝの事を申陳じ候。御笑殺、御叱正、御採否等然るべくなむ。

原稿は月、水、金曜日と一週に三日執筆いたし翌日新延兄宛速達に附すつもりに御座候。少しの間続けて様子をみ申度く、何卒御遠慮なく御批評御指導願上候。いけなければ、いくらでも作の仕方を直し、なほいけなければちよつと合図なしと下され候はゞ、いつにても止め申すべく候。この点甚だアッサリ——

最初の事とて二回分同封仕候。

二伸、先頃承れば、千葉兄は獨騎名古屋御乗込の由、小生の如き寂しがりやは思ひもよらず、何とかならざるものか、もつとも許されたる慰藉の道もあるなれば、われは何をかいはん。新延兄の酒不足の難、これに就ては小生の現在の經驗は茶の酔といふものを見出し居れり、年の関係か知らねど、相当結構なものなり。従つて酒は旅で寂寞退屈のとき、仕事の種類により頭の硬いのをほごすためのとき、人との会飲、以外は無理なく欲しがらず曰く「よべの酔けさは嘲る新茶かな」以上、時節柄、口頭のみの察し同情など、何の足しにもならず、且は自分を引合ひに出して意見がましきこと生意地なれどそう〳〵まめに手紙書くこつちでもなし、故にこの機会に記し候。くれ〴〵れも御健康を祈り候。名古やへ出でし節はまたお目もじの興も充たし候はんか。不一

これは私の個人的記憶だが、一平の物語画帖『春江歴参帳』というのを持っていた。近年売って

岡本一平画帖　物語「春江歴参帳」15図

しまったが、その年の『明治古典会平成28年出品目録』を保存、最初の場面のみだが図もある。画帖十五枚の見開き十五面のもので、たしか二十五万円ほどで売れたと思う。もうあらすじも忘れたが、年代は大正時代、女人と佛教者を対話させる内容だった。今となっては、今度発見の書簡と合せ研究すべきだったが、仕方がない。

最後に一言。あの『朝日人物事典』の終りに一平が後進の宮尾しげを、近藤日出造、杉浦幸雄などの漫画家を育てたということが出てくる。これを記している令和二年四月の新聞広告には、集英社新書の新刊案内『北澤楽天と岡本一平』(竹内一郎著)で、「手塚治虫に影響を与えた二人、キャラクター作りの名人・楽天と、ストーリー漫画の原型を生んだ才人・一平の足跡から日本漫画史を描く」の紹介文が載っていた。楽天と共に、一平はまぎれもなく現代漫画の祖の一人だったのである。

正　岡　　容《いるる》

（1904〜1956）

高座の君はいぢらしきかな

正岡容は小説「江戸再来記」を発表して芥川龍之介に認められて以来、江戸趣味とモダニズムの交錯したユニークな作品群は世間の注目をあつめ、さらにまた、あくことを知らぬ江戸・東京風俗の讃美者として、真摯な寄席演芸の研究家として、多彩な文業が今日に残されている。

正岡　容集覧　全一巻

監修　金子光晴　富士正晴　和田芳恵

編集　小沢昭一　大西信行　桂　米朝　永井啓夫

限定1500部
頒価14,000円

仮面社
東京都新宿区高田馬場
1-17-22　☎03-209-2663

これはあの、正岡容の若き日の新発見書簡とその歌稿である。大正11年2／11付、差出地は神田東松下町六（岡田病院にて）。

受信者は中野（準三郎）三允である。中野は子規門下の俳人だった。

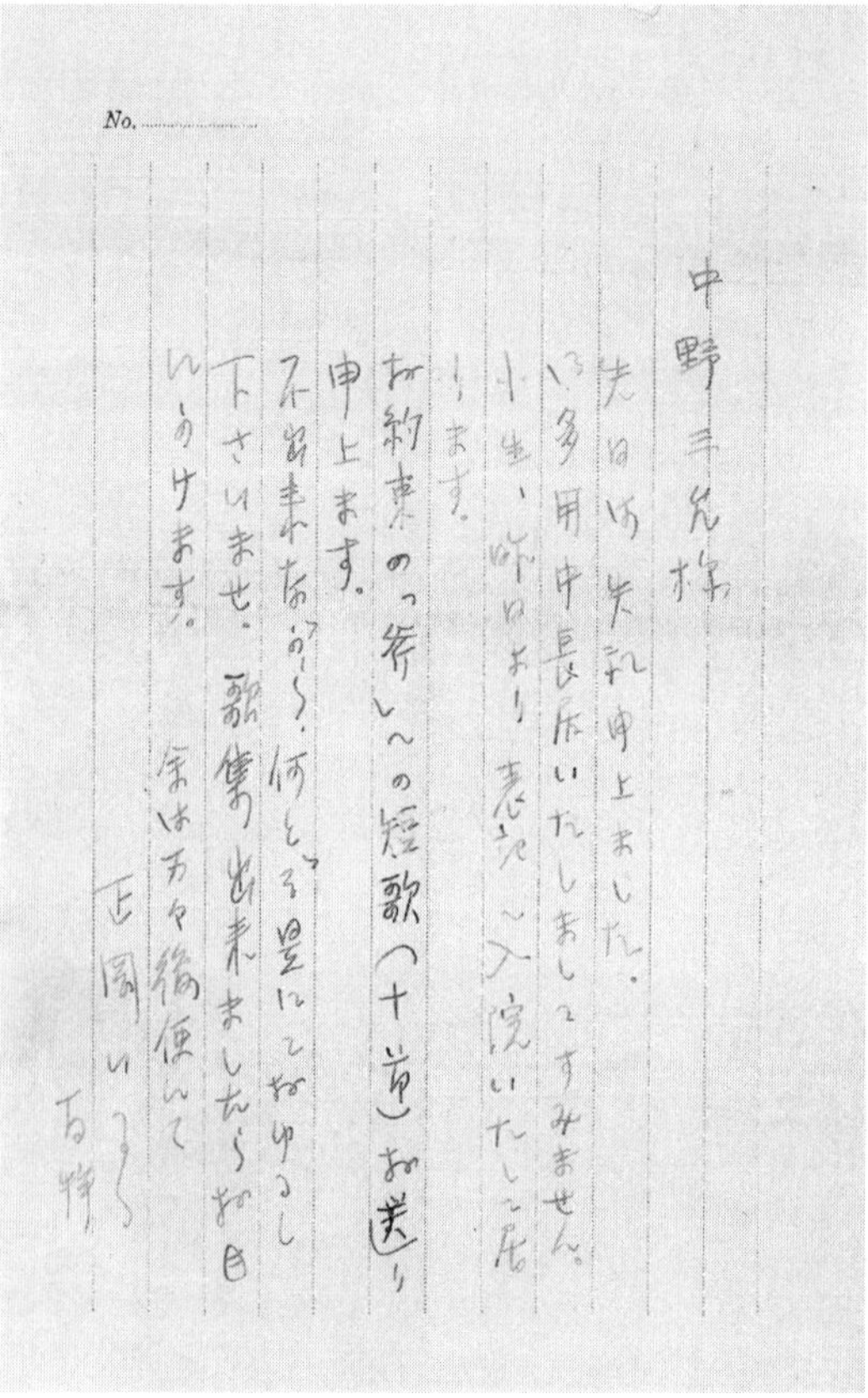

中野三允様

先日は失礼申上ました。

御多用中長居いたしましてすみません。

小生、昨日より表記へ入院いたして居ります。

お約束の「斧」への短歌（十首）お送り申上ます。

不出来ながら、何とぞ是にておゆるし下さいませ。歌集出来ましたらお目にかけます。

金は万々後使にて

正岡いるる

百拝

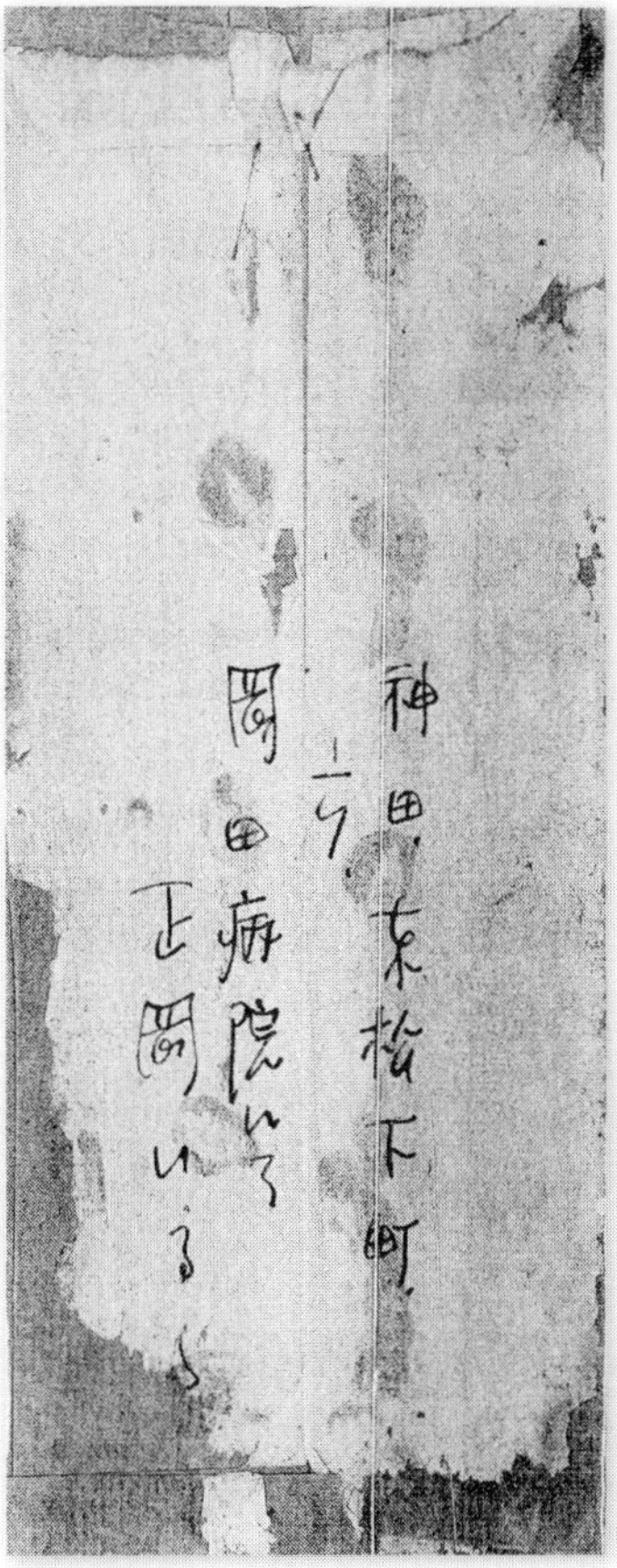

書簡はこれだけ。がここに同封されていた歌稿は何とも明解で、いかにも現代風な短歌で、まるで俵万智を思わせる口語短歌だ。

「新堀端」以後

正岡いるる

ふと合ひし目と目に三味のふるふほど高座の君はいぢらしきかな
「寄席」へ出る女だとても人の子だ誰に恥ぢ入ることがあらうか

浅草の活動小屋のまうしろのとほり――ほそみち――寄りそひてゆく

どうしても買ひたいわ、あの、あの金魚、ね、好いでせうとせがむ君はも

人ごみを四五丁ほどはばら〴〵に離れた二人歩みけるかも

席はねる思ふ子は今かへるらし夜更けの街の自動車のおと

夕戸出のあとにかかりしその電話惜しく悲しきその電話のな

池の端あの子のやうな人にあふ公園はけふ小ゆきふるらし

待てど来ぬ君なりしかなくれなゐの襟地《えりぢ》も笑ふ宵《よい》の銀座に

金ぐちのたばこのけむり君が頬を三たびめぐりていづこにか去る

ところで正岡容の書簡付歌稿を受け取った〝中野三允〟には、私はいささか因縁がある。もう三十年も前の話だが、中央沿線のご同業T書店から、こんな人の生資料があるんだけど、よければ

来て値ぶみしてくれないかと言う。Tさんとはもうこういう取引は四、五回あって、お互い気心も分かっていた。

それは大きなダンボールに入っていて二箱、書簡と原稿ばかり。宛名は「中野準三郎・三允」。俳句関係と分かったが、私には苦手の部門。が、チラホラ知った名も見えた。原稿は俳誌「アラレ」に掲載のもの。何とも雑多な品である。もう買った値も忘れたが、たしか三十万ほどを提示、荷は改めて店まで送ってくれることに。

「まあお茶でも飲みに行こうよ」とTさん。Tさんとは神田の古書展でも一緒で、その後「あの口どうした?」

「あのままです」と私。「そうか」と、さっぱりしたもの。

私は俳句界のことを勉強する材料にしていた。三允は「早大卒業後東京帝大薬局科」に学び、家業の薬局を経営するかたわら俳句を子規に学び、大正5年俳誌「アラレを創刊した」と文学事典にあった。句集『三允句集』が出ている、とある。書簡・原稿はそれなり売れた。が、結果として詩の世界はまだしも、やはり俳句・短歌はいくら勉強しても商売としては成り立たないものと知った。

だが、今度これを書くためにネットで知った結果には驚いた。〝検索点数〟結果八十万を越えていて、雑誌主宰者ということもあるが、大変な人物だったのである。

ここは手紙の話なので、未だに残る三允宛の書簡の中から高浜虚子投稿の一通を無論封筒も残っているので写真版(次頁)にしておくことにしよう。

名を聞きも

美喜の花の

此縁をりへ

老虚

三代新師

坐下

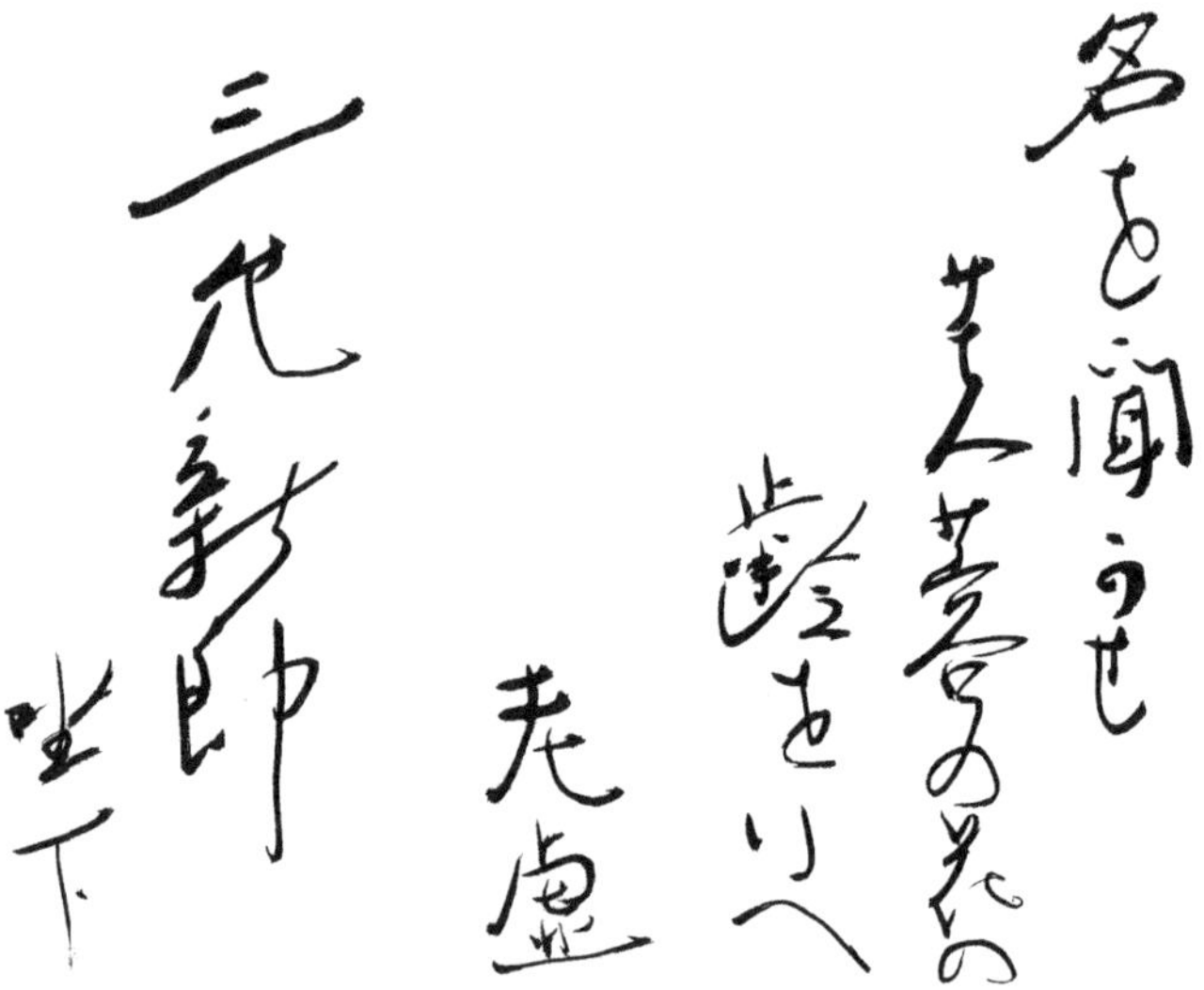

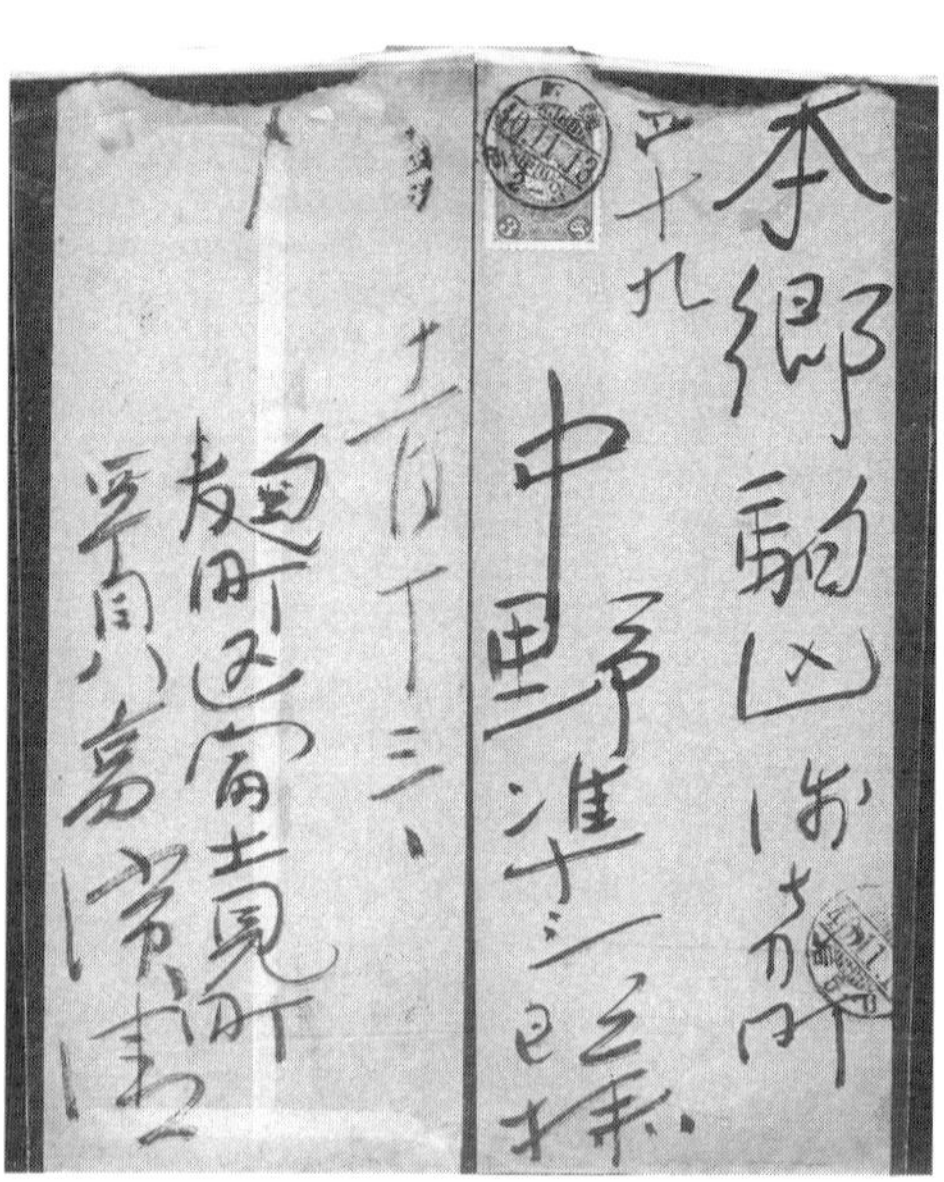

寺内大吉

（1921〜2008）

「ほんとうにそう思いますか」

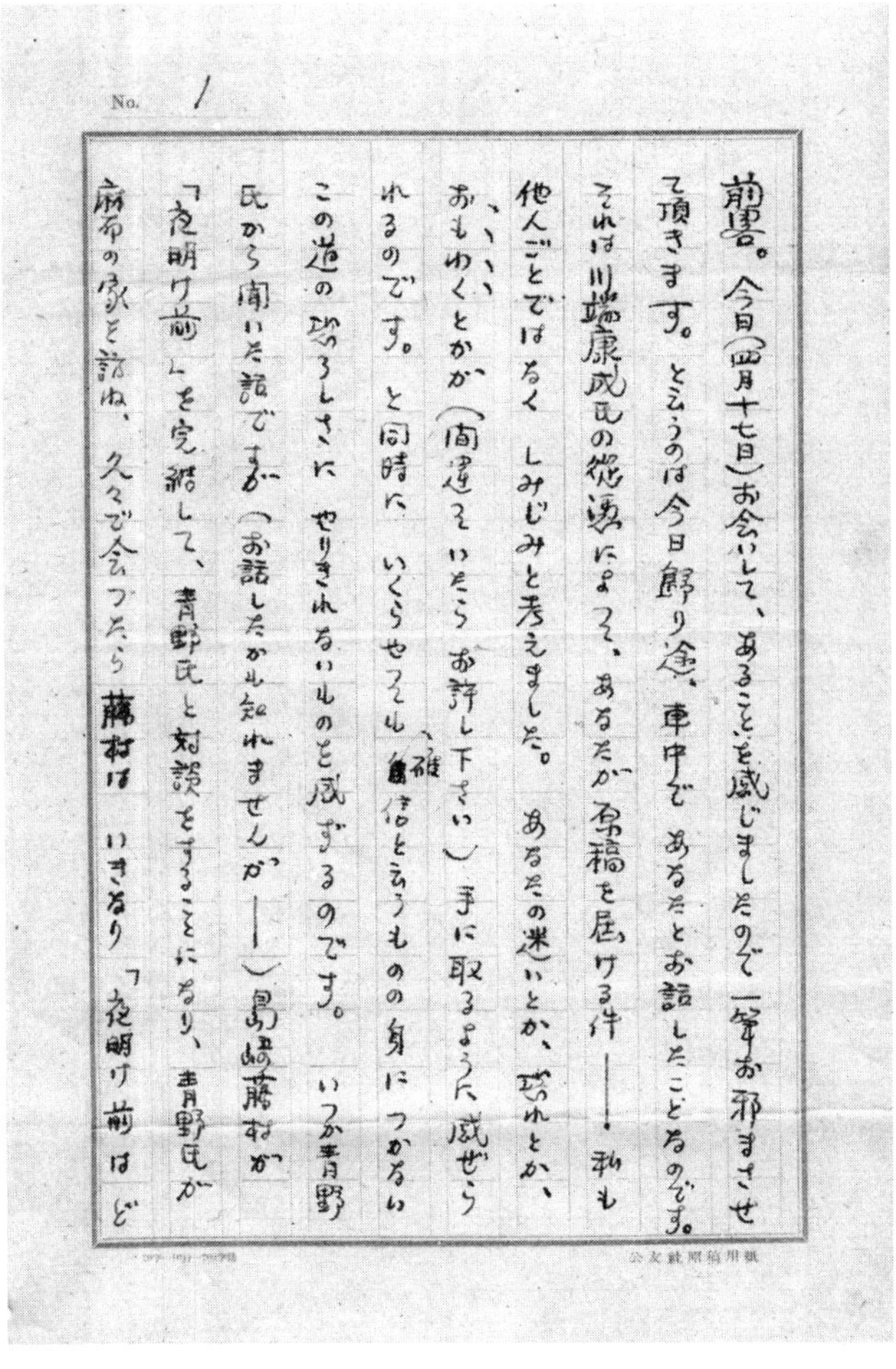
No. 1

前略。今日（四月十七日）お会いして、あることを感じましたので一筆お邪魔させて頂きます。というのは今日帰り途、車中であなたとお話したことなのです。それは川端康成氏の催促によって、あなたが原稿を届ける件――。私も他人ごとではなく　しみじみと考えました。あなたの迷いとか、恐れとか、、、、おもわくとか（間違っていたらお許し下さい）手に取るように感ぜられるのです。と同時に　いくらやっても確信というものの身につかないこの道の恐ろしさに　やりきれないものを感ずるのです。いつか青野氏から聞いた話ですが（お話したかも知れませんが――）島崎藤村が「夜明け前」を完結して、青野氏と対談をすることになり、青野氏が麻布の家を訪ね、久々で会ったら藤村は　いきなり「夜明け前はど

公友社原稿用紙

成田有恒書簡

とりあえず、私がいつかこれも「島崎藤村資料になるな」と思って取っておいた、無名の人のものと思っていた手紙一通を印字してみたい。この項は太字でなく明朝にする。

前略。今日(四月十七日)お会いして、あることを感じましたので一筆お邪まさせて頂きます。と云うのは今日帰り途、車中であなたとお話したことなのです。それは川端康成氏の従憑によつて、あなたが原稿を届ける件――私も他人ごとではなく しみじみと考えました。あなたの迷いとか、恐れとか、おもわくとかが（間違つていたらお許し下さい）手に取るように感ぜられるのです。と同時に いくらやつても確信と云うものの身につかないこの道の恐ろしさにやりきれないものを感ずるのです。

いつか青野季吉氏から聞いた話ですが（お話したかも知れませんが――）島崎藤村が『夜明け前』を完結して、青野氏と対談をすることになり、青野氏が麻布の藤村の家を訪ね、久々で会つたら藤村はいきなり「『夜明け前』はどうでしたか、自分には全く自信がない」と不安の眼差しで問うたそうです。

青野氏が「立派なお仕事じやありませんか」と答えると「ほんとうにそう思いますか」と何べんも念を押したそうです。『夜明け前』の客観的な價値はともかくとして、藤村のこの迷いは貴いと思います。ある意味で、良い年をしていつまで迷っているんだと笑えないこともありませんが、この孤独な迷いがまた文学を次々に生む原動力ではないでしょうか。

例は少しずれるかも知れませんが、ヴァレリイの「スタンダアル論」の中にこんな文章もありました。

――著名な作家の中で最も馬鹿なところの少い人間でありながら、なお世間の人に読まれたい、永久に人を感動させたいと云う欲望にさいなまれていたスタンダアルは、あれほどの機智を持ち、また自己の不意をつき、自ら訂正し　己れの滑稽さから目ざめ、自己をからかうことがあれほど好きであったのに、やはり他人の気に入り名声をかちえたい大きな念願と、一方それと対立するところの、あくまで自己であり、自己に属し、自己にだけ従おうとする偏執、または逸楽と、この二つの氣持に両断されていたのである。

彼は肉体の奥深くに文学的虚栄の拍車を感じていた。だが、なおそれより少し深い処で、只自己にしか依存すまじと云う絶対的な自尊心が假借なく、あやしく身を咬むのをも感じていた……

ヴァレリイの見事な修辞力よりも私たちにはスタンダアルのその迷いが一層身にしみてまいります。その迷いは恐らく『赤と黒』や『パルムの僧院』以上に身近いのではないかと思います。どんなに心境が澄んできても、自己の内側にある作品と、一ぺん外の風にさらした後のゆく末を案ずる時の作品と、自己評價が余りにも違ってくるのは宿命なのでしょうか。

自分の子供が（こんな比喩をとつて、お前は未だ子供を持ったことなんかないではないか――ときめつけられれば一言もありませんが……）周囲の誰よりも劣つているような、それと同じ感情が自己の作品に向けられるのは疑いを拒む余地もありますまい。なにもかも醜く見える、どの一箇所を読み直してもそこが命とりの傷のように見える、こうして私たちはおずおずと周囲の顔色を伺いながら原稿を持つてゆくんでしょうか。

あんなものを書きやがった、たるんでいる、マンネリズムだ、そんな罵倒がもう耳の傍できこえてくる地獄——まさに作品を書きあげた時の、あの天下を取つたような感情とは雲泥の卑屈感が……

私の乏しい体験から先輩であるあなたの心情を推しはかつて　おしつけがましくこんなことを書くのはきわめて恐縮なのですが　例によって勝手な放言としてお聞き流し下さい。

私自身「水月荘」を発表する時はそれこそ盲人蛇におじずと云う奴で、自分の文章が一字でも多く活字になれば……とそれ以外のことは考えていませんでした。「小蝦」の時は物凄く迷つたんですがこれが作品として一番古いのだから最初に出すのが順序だとふてくされました。今度「紅い靴」を出す時も何べんあれにしようかこれにしようかと迷つたか知れません。だが考えてみれば「小蝦」の次に書いた作品だから善きにつけ悪しきにつけてまた順番だと自分に云いきかせました。ずいぶん頼りない話ですが、制作の順序に従つて出すのが一番穏当のような気が致します。

こう云う悩みを感じない奴はたしかに二種類いるでしょう。それは「水月荘」の時の私のような全然無垢な者、それと月に三つも四つも書きとばす流行作家、この連中は迷う閑がないのです。

どちらが良いか、そんなことは判りません。どちらだつて自分の文学を充分にやってゆければそれで良いのでしょう。

一瀬さんの場合、『赤い月』『馬肉屋』と発表されたから、やはりあれ以後のものを何でも発表されたら良いんではないでしょうか。傑作の出来るのを待つたらキリもないし、色々な意味があつてこそ傑作なので……

まるでいつもお話されることを逆に私が云つてるみたいで冷汗ものなのですが……われわれの文学は永遠につながつてゆくものです。川端康成だつて権力者でも神でもない筈です。われわれと同じ迷い多き小羊なんではないでしょうか。

この間読ませて頂いた「地下生活者」――私はあれを立派な作品だと信じます。「馬肉屋」「赤い月」「神秘に挑む」と三つ並べて「赤い月」が頂点であるとすれば「地下生活者」は頂点でないかも知れませんが次の頂点をとりまく山脈ではないでしょうか。その、次の頂点を出したい気持は判りますが、この頂点が何年先に出るか誰にも判らない筈です。

いやに説得めいた口調なんでお気を悪くしないで下さい。私の云わんとする処が判つて頂けたでしようか。

私たちは過去にも未来にも頼る訳にはいかないのでしよう。只、現在だけで……そうすれば現在の作品を出す以外に道はなく、それがどうのこうの云われたって　やっぱりどうにもならない、口かせをはめられて訊門台に立つようなもので……ぼ、ろ、く、そです。

迷いながら近ごろ私も幾分ふてくされて　こんなことを云いきかせているのです。どうせ短い一生だ、自分の書いたものを一つでも多く活字にして　一人でも多くに読ませてやれ！ケツペキに考えればひどく濁つているようですが、そうでも考えていないとこわくてく身がこわばってきてしまうんです。うんと倨傲になろうではありませんか。自分本位の暴君に……何だかこうしていないとサラリーマンが借金出来ない根性に　いつのまにかなつてしまうように私たちはいじけてゆくんでしよう。

そうです。借りるだけ借りましよう。まずい処ばかり見せてやりましよう。いくら借金したつて死んでしまえば屍に鞭打つようなこともありますまい。生命保険金でかんべんしてくれるかも知れません。こんな強がりを云つて、やつぱり内心ではなるべくボロを出さないように健全財政のタテマエをとることに人並以上汲々とする私なんですが……今夜はウイスキーをいささか　ひっかけたんで洪然として乱言を重ねています。

そう云う意味で近頃徒党を組んで　のしてきた連中が次々と書いてゆかれることが判るような気がします。お互いにいたわり合い、ハタで見ればコツケーなほど見えすいた仲間賞めをやつて、この位良い気になつていなければ何も書けないではありませんか。

何を云おうとしたのか自分でも判らなくなるほど支離メツ裂なんですが　何か少しでも判つて頂けたらと。　四月十七日　成田　拝

一瀬直行　様

追——大いに洪然の氣を養いましよう。いつかまた飲みましよう。

……この長い文面は文末に、あまり知らない作家一瀬直行に宛てた成田有恒という人の〝成田拝〟とある書簡である。

他に入札者はなく、中に川端康成からの、独得な毛筆での年賀状が一通入っていたので買った。他は何やら同人雑誌作家のものらしい数十通があり、買った値はたった三千円だった。この中に成田のものが入っていたわけだが、帰ってから私はもっとも分厚い封書の中を引き出して読んだ。文字は整然とし、一気に書いて消しあともない。文意も乱れがなくその上私淑する藤村の一挿話が出てくる。むろんその一挿話のことは知っていたが、その取り上げ方がすばらしい。私は一瀬直行との関係について興味を持った。

もしやと思った一瀬だが、『日本近代文学大事典』に小さくはあったが出ていた。

一瀬直行《いちせなおゆき》　明治三七・二・一七〜昭和五三・一一・一四（1904〜1978）詩人、小説家。東京浅草生れ大正大学予科在学中から詩作を川路柳虹の「炬火《たいまつ》」に発表。詩集『都会の雲』（大一五・六　曙光詩社）刊行後小説を執筆。昭和一三年『隣家の人々』が第七回芥川賞候補作となる。戦後は好んで山谷に取材し片隅の町に材を取り、そこに生活する人間を描くことを特色とする。『随筆東京・下町』（昭四七）の著書もある。『山谷の女たち』（昭三九）などを刊行。

（網野義紘）

中々の作家だったのだ。いや、下町の東部古書会館が山谷地区がトナリ町だった頃、この人の『山谷の女たち』は読んでさえいたのを思い出した。そして私がもっとも驚く出来事に遭遇する。私がある日、直木賞作家寺内大吉の直木賞受賞本『はぐれ念仏』を見ていたのである。その「著者

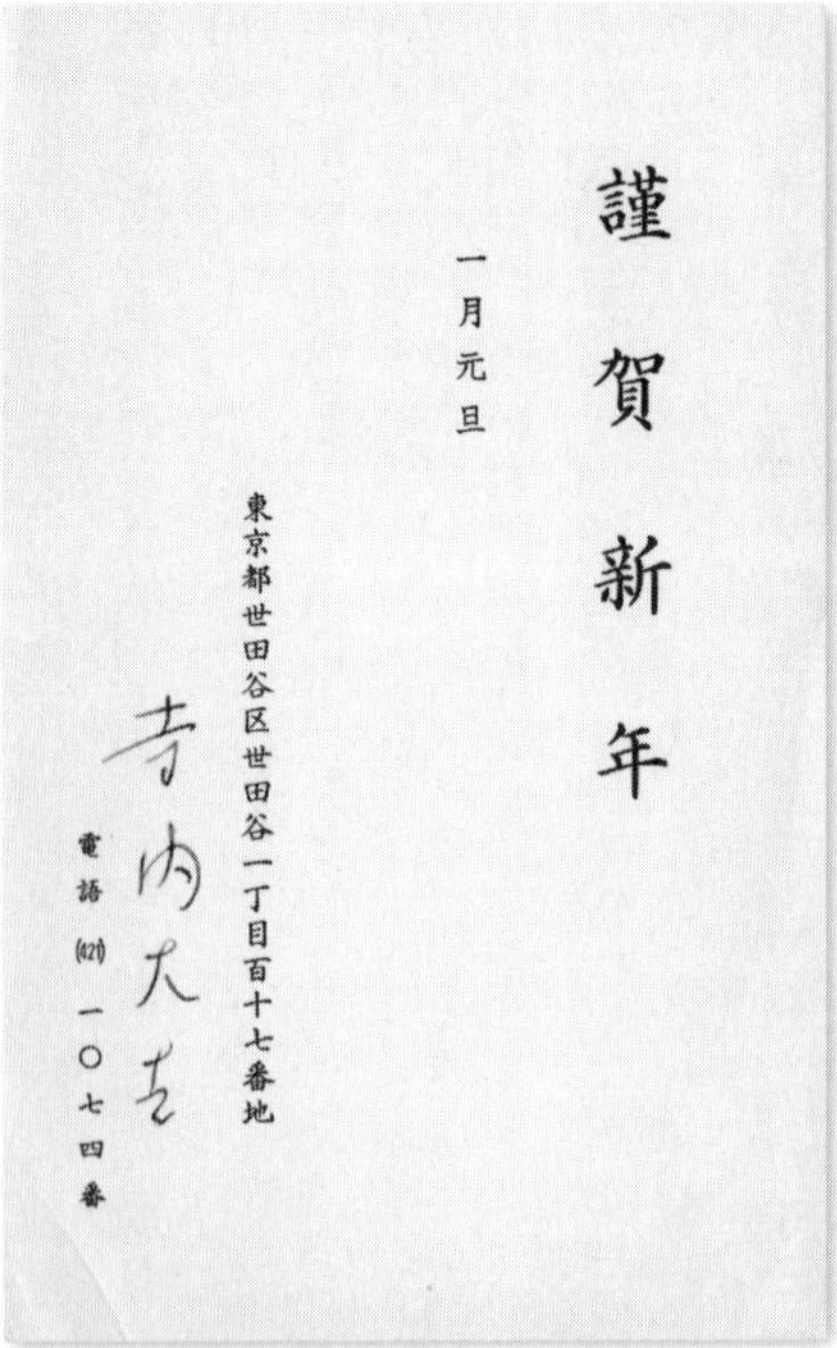

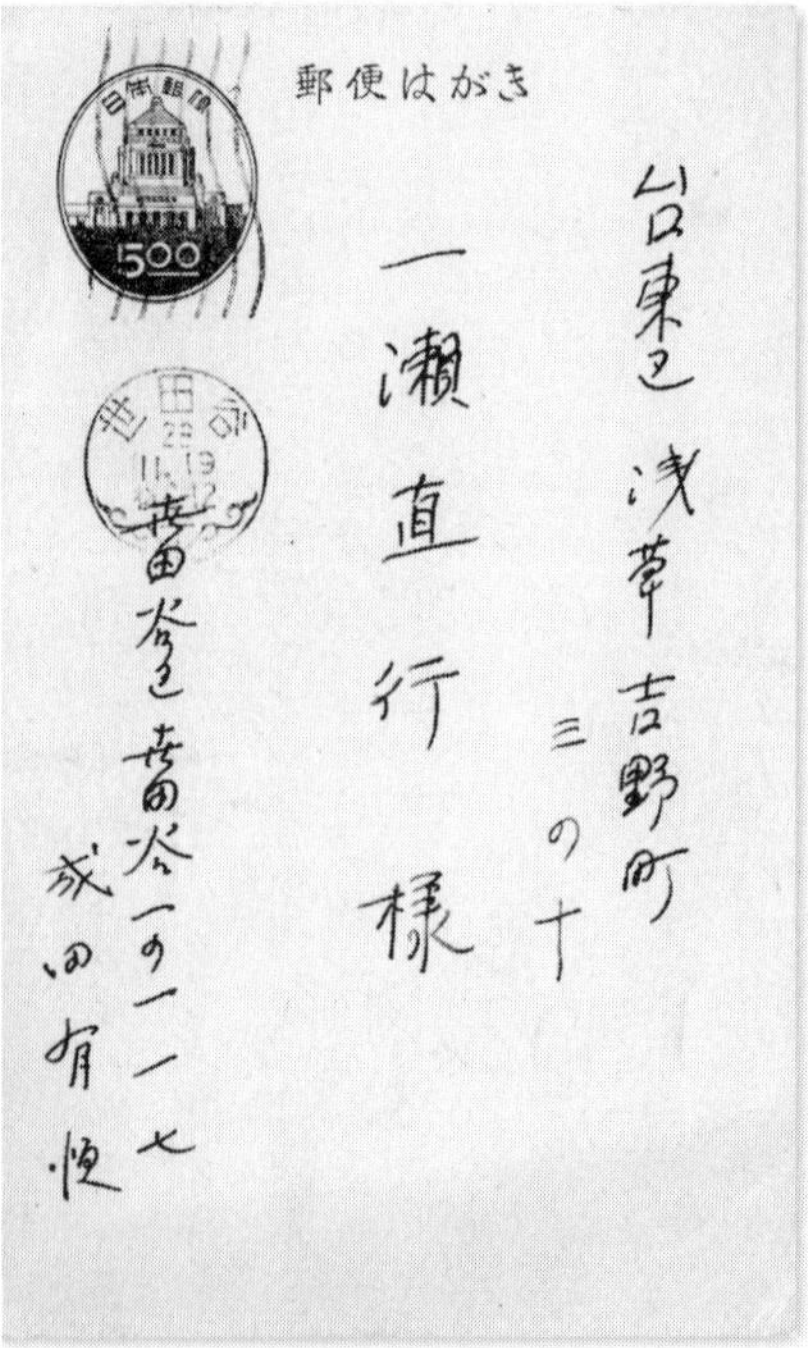

略歴」にあったのは、〝寺内大吉（本名成田有恒）〟の文字だった。

　そして考えさせられるのは、作家の裏側ということ。直木賞受賞のあとは、どちらかというと大衆文学の類を書き、それが業績と思われている作家だったが、元々はこれだけのものを一晩で書く下地あっての文学者だったということ。――それ故、この発見は、私には襟を正すべき驚きだったのである。

第三部　谷崎潤一郎と「鴨東綺譚」（ある妖女の書簡集）

谷崎潤一郎と「鴨東綺譚」（序）

（「日本古書通信」平成28年～29年に掲載）

「谷崎潤一郎と『鴨東綺譚』」という文章を載せる筈だったが、一月のある夜見たテレビ番組《ドラマ》から、谷崎の資料としてとってあった古い雑誌二冊を紹介したくなった。

（1）新青年　大正十五年　夏期増刊号
（2）中央公論　大正七年七月　臨時増刊号

ドラマは「屋根裏の散歩者」、（1）はこの作品掲載号。「世の中退屈だと言う郷田（元柔道家の篠原が扮する）は友人の紹介で明智小五郎（女優満島ひかりが扮する）と知り合い、その犯罪談に魅了されて行く。そんな時、郷田は下宿の天井板が外れることに気づく。郷田は足音をしのばせて天井裏を散歩、下宿人の秘密をのぞき見して行く。下宿人の中に歯科医の助手（杉浦某扮する）がいた。節穴からその寝ぐせを見て、郷田の頭に、不意に恐ろしい考えがひらめく」…この名作を読んだ人ならこの先は分かる。が、私がこの号に見つけ紹介したいのは、この小説のことではない。

同号の別頁に小活字で組まれた「私の好きな作家」特集があり、乱歩も書いている。

《僕はポオが一番好きに違ひないのだからかういふ場合にはさしづめ彼のことでも書くべきかも知れない。だが彼などが、五六枚の枚数で、とやかく云ふには、（略）作物にしろ伝記にしろ、全部二重三重の邦訳があり、ここには書かない。／その代りに、日本のポオとも云ふべき、我が谷崎潤一郎について少し書く。日本の谷崎潤一郎ならアメリカのポオより一層よく知られてゐるではないかと云ふ人があらうかもしれない。だが、例へば「新青年」の如き探偵小説専門雑誌に於て、（略）

一言の潤一郎に及ぶもののなきは、日頃の不満とする所である。》

こうして乱歩は、谷崎の「金色の死」「二人の藝術家の話」「白昼鬼語」「私」「柳湯の事件」「人面疽」「ある少年の怯れ」「呪はれた戯曲」などの作品を挙げている。中でも、《「途上」は、面白味では他のものに劣るけれど、佐藤春夫の「指紋」を外にしては、そこに取扱はれたデリケートな犯罪は、探偵小説に一つの時代を画するものといつて少しも過言ではない》と書き、《…などと、益々問題がそれた、変な小理屈になつてしまつたが、要するに、僕は潤一郎の諸作を、日本探偵小説界の誇りとしたいのである。》と結ぶ。確かに最後はしどろもどろになるが、この年三十一歳の乱歩にとっていかに谷崎が探偵小説作家（？）として崇拝の対象だったかが分かるではないか。ちなみに、この年谷崎はまだ三十九歳で、文壇では純文学の作家とみなされていたのだ。

さて（2）の紹介に移るが、目次面は「中央公論第三十三年（第八号）定期増刊・秘密と開放号」と長いタイトルで、「公論」「説苑」「創作」に別れる。「公論」の筆者は中野正剛、安部磯雄、吉野作造など八名。「説苑」は松崎天民、生方敏郎など七名、別に生田花世、杉浦翠子など女子十七名の「秘密の楽み《ママ》・秘密の苦み《ママ》」のアンケート形式の短文集がつく。そして先の「公論」「説苑」共に、全二七八頁に亘って全篇「秘密」のテーマの文章ばかりなのである。そして（2）で、私が本当に紹介したいのは、末尾の「創作」の部なのだ。

▼創作

（新探偵小説）

■二人の藝術家の話……谷崎潤一郎　■指　紋……佐藤　春夫

■開化の殺人……芥川龍之介　■刑事の家……里見　弴
　（戯曲と小説）
■戯曲肉店……中村　吉蔵　■戯曲別筵……久米　正雄
■小説Nの水死……田山　花袋　■小説叔母さん……正宗　白鳥

正に乱歩が八年後の「新青年」別頁に小活字で触れている歴史的作品だと分かる。芥川の「開化の殺人」が（探偵小説）として書かれていたことも私は知らなかった。そして谷崎の新探偵小説「二人の藝術家の話」。

私はこれを改めて読んでみたのである。《実際、青野の脳髄は決して死んでは居なかつた。彼の魂は此の世との関係を失つてから、始めて彼が憧れて居た藝術の世界へ高く高く舞ひ上つて、其処に永遠の美の姿を見た彼の瞳は、人間の世の色彩が映らない代りに、その色彩の源泉となる真実の光明に射られた。嘗て此の世に生活して居た時分に、折り折り彼の頭の中を掠めて過ぎたさまざまの幻は、今こそ美の国土に住んで居るほんたうの実在であつた。己の魂がまだ肉体に結び着いて居た頃には、己は屢々此れ等の実在を空想したり夢みたりした。―彼はさう云ふ風に思つた。》作品は全文こんな文章で埋められていた。この作品はのち「金と銀」に改題された。私は若き谷崎作品は自伝的作品「異端者の悲しみ」以外は読んで歯が立たなかった理由が初めて分かった気がした。

谷崎潤一郎と「鴨東綺譚」（一）

「濹東綺譚」は荷風の代表作、荷風の没年は昭和三十四年。谷崎が「鴨東綺譚」の連載を始めたのは昭和三十一年。谷崎も自信がなくては、こんな題はつけられないし、世に注目された作品だったに違いない。それから六十年を経た昨年（平成26年）五月十日付の朝日・朝刊読書欄の下段には大きく、「中央公論社・創業一三〇年記念出版」として『谷崎潤一郎全集』（決定版全26巻）の広告が出た。翌日私は、出版社に内容紹介のパンフを貰う電話をした。が、パンフによれば案の定「鴨東綺譚」はどの巻にも収載予定はなかった。あの件は未だその影響を受けているのかと思った。

話は十二年前の平成十六年までさかのほる。その年の暮、古書市場・明治古典会にその資料は出品されて来た。市は原則荷主非公開。しかし買おうとする業者は沢山あっても、買えるのは一人だけだから必死だ。荷主は分からずとも、やがて出どころは分かる。手紙類の宛名は没後八年たった綱淵謙錠。氏は若き日同人雑誌に小説を書いていたが、やがて「新評」に連載した「斬」が直木賞を受け、その後は作家生活で生涯をおくる。が、それまでの外（おもて）の顔は中央公論社の編集者で、昭和四十年に谷崎が死ぬと、中央公論社は翌年から『谷崎潤一郎全集』を企画、その責任者となった。その仕事ぶりはあとで示すが、とりあえず全集発行と並行して持ち上った事件「鴨東綺譚」について触れてしまおう。

〈「鴨東綺譚」は新潮社が創刊した「週刊新潮」昭和三十一年二月十九日創刊号から、三月二十五日号まで六回にわたって連載され、「第一部了り」として中絶された谷崎潤一郎の未完の長編小説である。この「鴨東綺譚」が未刊のまま中絶されたのは、モデル問題が起きたためであって、作者の事情によるものではなかった。この女主人公疋田奈々子のモデルが、有名な繊維業界の老舗、通称マルマスこと市田祐子（旧名弥栄）なる女性であることが、京都の町の噂となる。このことに対し谷崎は「これはどこまでも小説であって事実を書いたものではない。（「週刊新潮」三月二十五日号）」と、断っているが、市田の方は「週刊読売」四月一日号のインタビューで「何から何まで、私のことと周囲のこと」と断言したという。彼女は初め谷崎が自分をモデルに小説を書くことを諒承していた。彼女は名作「細雪」までといかなくとも「あわ雪」くらいには書いて貰えると思っていたのに、谷崎が彼女を淫蕩的な女性として描いたので、長女が「あれが奈々子の子供だ」と後ろ指をさされるようになり不登校になった、と小説の連載を中止するよう「週刊新潮」編集部へ抗議、中絶させるに到る。〉―これは河出書房発行の「文藝」昭和三十一年七月号に特集された「小説とモデル」中の十返肇執筆の一篇「谷崎潤一郎『鴨東綺譚』」の前半を私が簡略化して記したものである。

そして話は私が資料を求めた平成十七年まで飛ぶが、ともかく、この小説を読んでみなくてはと思った。何しろいかに古本屋商売でも、古い週刊誌までは探せない。ここはパソコンに練達した息子の嫁の世話になるしかない。正月になって「三田図書館にあるらしいです」と連絡がある。神保町より先は不案内、「ついでに行き方も調べてよ」と私。私は青砥へ出、都営地下鉄に乗り換えた。駅へは二十数分で着いてしまい、図書館も駅前というほどに近く、案内されたのは「週刊新潮」ばかりの大きく面積を取った棚だった。創刊号から見て行く。もう紙が酸化して、折れ目を直しただけでこぼれるように粉になってしまう。創刊号などは半分の頁が取れて、あとの頁に挟まれている始末。それでもかろうじて「鴨東綺譚」六回分をコピーすることが出来た。何しろ、この時点の私から見れば、創刊号の出た昭和三十一年二月と言えば、開業三年目のことで、やがてそこに記録された時代背景は「貧しかった日本」の姿そのものだった。コピーが終わると「鴨東綺譚」はそっちのけで記憶と重なる記事や表紙までコピーして帰った。

帰るとコピーをファイルに一冊にまとめた。創刊号は谷内六郎の絵が採用され、生涯「週刊新潮」の表紙を飾った。創刊号の絵は、海を背景に火の見櫓のついた家を先頭に、田舎家が四軒並ぶ。みな車輪がつき、汽車に擬せられた先頭の家の櫓が煙突で、煙に見立てられた貝殻がプカプカ空に浮かぶ。「上総の町は列車の列…」と六郎のあの稚拙な文字が雲に浮かぶ。表紙左端には「鴨東綺譚　谷崎潤一郎」の大きな印刷文字が配され、上部には横に大きく「週刊新潮」2月19日創刊号と入る…。

（つづく）

谷崎潤一郎と「鴨東綺譚」（二）

前回「週刊新潮」創刊号を今は見つけるのも大変と書いたが、先日コンビニに行くと立て掛け台に、「60周年記念創刊号復刻」の文字の見える「2月22日号別冊」なる厚冊のものが一冊残っていた。途中から複製の創刊号がアンコに綴じられており、私はその偶然に喜んで買って帰った。面白いのは末尾に「60年略史」がつく。若き谷内六郎が家族一緒に野外で写生する写真が載せられ、《週刊誌は新聞社が出すものという常識は週刊新潮の創刊によって破られ、「週刊誌の表紙は女優の写真か有名画家の作品」という常識もまた谷内の起用によって破られた》とある。そして「以後も（谷内の絵は）書きためた分を含め25年間に１３３５点が週刊新潮の表紙を飾った」とある。

さてあの市場の日、川端康成、小林秀雄、井上靖等の「推薦のことば」、三島由紀夫、伊藤整の解説原稿に人気が集中、あとは何やらコピー類の多い雑多な山も入札に付されたが、入札者はチラホラであった。結局私に落札、帰って調べると、値が踏めるのは、始めは資料提供の意思を示すものから、連載後は抗議の内容に変わるモデルとなった女性（以後、モデル女）の手紙関係が含まれているのは分かっていた。が、雑多な書類、コピー類（当時は、青写真と言った）はどうせ捨てるものと思った。が、中に、

貴社刊行中の「谷崎潤一郎全集」に「鴨東綺譚」を掲載する件については、著作権所有者として中止することを申し入れます

昭和四十三年一月二十七日

中央公論社社長
嶋中鵬二殿

谷崎松子

などという文書に至る資料だったと分かり、私はあわてて積み上げたものをもう一度見直したりした。

すでに十返肇の文章にある如く、モデル女は始め己が小説に書かれることを承諾していた。いや協力さえしていた。連載が始まるのは三十一年二月、モデル女の手紙は「昭和25・11・25」の消印が最初である。物語の語り手は、乾＝谷崎であり、この五年間では相当の取材もしていたのではないか。

「週刊新潮」創刊号とモデル市田弥生子の挿画

乾（以後便宜上、谷崎で記す）の所へは、すでに連載第一回で、モデル女が、谷崎の友人で前京都市長の紹介状を持って訪ねて来ていることが書かれている。《年の頃は三十五、六、色の白い太りに太った、づんぐりと背の低い、童顔と言ってもよい可愛らしい顔だちの、》と谷崎は書く。第二回では、モデル女の館を夫婦で訪れるまでになる。その体験と調査を元に、モデル女の周辺が、ほとんど改行なしが特徴の文体で語られて終わる。

そして第三回は、いきなり長々と詩のようなものが引用される。

獏にくはれし愛の戯言《ざれごと》は
胸からハラワタへ流れたれつ
痴戯の限りをつくさんと

男の鮮度は跳ね上る魚なり
わかれ今にしてはかひもなし
かゝるあつものを盛れる
私の花心にくらぶれば
春の空気に磨ぎすめる
よろづの魔神のをどれる皿よ

皿をなめ、骨をなめ
きしめる腕のずゐまでも
歯形をのこし、憎しみの相もて
いどみかゝれば
どんでん返しのそのかげに

男の鋳型（いがた）の残り佇てるよ
………

ここまで読んで、私はあれっと思った。モデル女が谷崎に宛てた手紙＝詩（？）に思えたからだ。続けて、「先生、江戸っ子の先生は…」と続けるモデル女の24字10行ほどの文章が続くが、この部分は私が手に入れた女の手紙の中にはなかった。

（つづく）

3　4月1日号（1956）　週刊読売

愛欲の"モデル夫人"

谷崎潤一郎氏の「鴨東綺譚《あふとうきたん》」執筆中止をめぐって

小説「鴨東綺譚」のモデルといわれる市田彌栄さん（上）と作者谷崎潤一郎氏＝建物は市田さんの対龍山荘玄関

この"事件"を報じた「週刊読売」'56年4月号

谷崎潤一郎と「鴨東綺譚」(三)

私は、ここに、谷崎が、連載時手に持ち（あるいは机上に置き）写したものであろう「京都市法勝寺14／市田弥生子」差出しの封筒を眺めている。宛名は谷崎潤一郎で、中の便箋の詩はほとんど丸写しだった。ただ、行変えは谷崎で、一節2行目（れ）が取られ、ひらがなで書かれた（いがた）が漢字に直されていたくらい。今回は、私が保存しているモデルとなった市田弥生子の手紙には無かった週刊誌の印刷で10行の文章を引用することから始めよう。

先生、江戸つ子の先生は京都人の悪口を仰つしやるけれど、私も同感よ、私が故郷に容れられない反逆児であることは、先生分かつて下さるでせう。驚くに堪へたる不品行な数々、合邦の玉手御前は物かは、悪徳、乱倫、廃類のありとあらゆる行動の体験である私の過去について、是非先生が聞かしてほしいと仰つしやるなら何でも隠さずお話するわ。私に関していろいろな噂が流布されてるのは本当かつて……、おほゝゝゝ。まだ世間では本当のことを知らないのよ。世間の人は私の蛇婬《ママ》の秘密についてまだ半分の半分も知つていないのよ。……

先に言ったように、モデル女史の手紙にこの文言はないところから、谷崎の創作個所かな、と思えないこともないがどうであろう。ともあれ、詩の引用はまだまだ続くが、ほとんど引き写しだったことが、実物と対照してみて分かる。あと一詩だけ写そう。

てすさびに　戀てふものゝあやかしに
つひえはてたるしゝむらよ
けふの日はなほあかるきを
ぬめともまがふやははだのよよの
みだれもとゞめしに

ねやのうんきにしづもりて
をさなきころもしのばれぬ
いけにえごとのとぎといへ
うつらうつらの戀ごろも
しとゞにぬるゝみそぎかな

何のよすがにかくもせん
をみなに生《あ》れしわざといへ
いのちのはてに　戀すなる
うさのまにまに　戀すなる

谷崎はモデル女史が絵を学んでいることは個展にも誘われ夫婦で行ったから知っているが、こんな余技があることを知る。それからはすぐまた次が配達される。かと思うとふらりと訪ねてくる。そして決して人のいうことには耳を貸さず言いたいことだけを言って帰ってしまう。手紙の書き方や字体も性格そのままに谷崎には思える。始めの〈谷崎潤一郎様〉がいつか〈松子姉上様〉という宛名になったりする。

何しろモデル女史の文字遣いは乱暴で、清書しようという気配は全くない。「てにをは」の使い方もでたらめ、ものの書き方も漢字だったりひらがなだったりする。そしてまるで火を吹くように躍動する文字。乾夫婦＝潤一郎と松子が交わしたというモデル女史の詩文について語る場面が、小説の中に出てくる。

「まるで精液を放射するように詩を作るんだね、この人は」
「やはり一種の才能ね」
「才能というよりもっと体質的なもの、あの方のエネルギーと同じ種類のものじゃないのかな」
「少し頭が変なんじゃないでしょうか」
「ことによるときちがいかもしれんね」

モデル女史の手紙はますますエスカレートする。さすがにこれからの詩文を谷崎が引用することはなかった。少しだけ覗いてみよう。

……さんとのことは閨房のものなので公開をはゞかります。先生、ゆるして下さいますよね。さすがの私もはづかしうございますゆえ。それにろこつなだけでいけません。参考にとめておいて下さいませ。

そして詩のような文章になる。

舌なめづるははだに寒き甘き花とさかす
ふくよかな肉と肉はたのしき均度を保ち相うつ音のぬくとさよ

（つづく）

谷崎潤一郎と「鴨東綺譚」(四)

モデル女史の詩文は続く。

さながらにさぐるごとくにうがちいれば
かるきさけび、いけものゝ昇天
目くるめくやさしき咬噛のひまにもるゝ
わが呪文こそ、あるす、あまとりや
…と…の出あい打ち
……(約20行略)
歓喜天にして、さもあらばこの合掌の、何と色めくる!
「女体供養を!」「御開帳を!」
かみはらいだなるどくろとなりて
つばきもて念珠のごとくまさぐりぬ
見よ、わが白きくちなわのおみあしは、天をもけりぬ
(…以下部分引用不可・筆者注)

この小説は谷崎が取材の他にモデル女史の手紙を引用しているわけだが、私は、今、引用されて

いない手紙を多く読み、その一部を紹介しようとしている。無論、これは谷崎自身を通したもので、内容は過激で、時には写しているこちらもくらくらしてしまいそう。かと思うと、時には何とも魅力的な言葉に引き込まれそうな箇所もある。

とにかく、文豪と言われる人がこれら材料をどう書き分けたのかと、私は「週刊新潮」の連載五回目までをもう一度読んでみた。しかし、乾夫婦は谷崎と松子、奈々子は明らかに詩文の作者と分かった私には、これを純粋に小説としては読めなくなっていた。

《奈々子は一人娘で嫁いだあとも素行悪く、出入りの運送屋や下絵書きの男と流血の乱痴気騒ぎまで起こす。今では中国人留学生を情人に持ち、その乱倫ぶりを手紙にして谷崎宅に寄こす。彼女が正妻の子でないことや、父の別荘で何不自由なく育ったことなどが明らかになる。谷崎はその夫とも会ったが、すでに離婚する決意をしたらしい奈々子は情人と熱海、別府へと遊び歩く。》―これは五回目だけの粗筋だが、この頃すでに、モデル女は谷崎の「ことによると気ちがいかもしれんね」の言葉さえも連載文中に見てしまっているわけだ。

このあとは先ほどの詩文からはほぼ五年後のモデル女の手紙を紹介して行きたいと思う。それは全く奔放に書かれた、全く変らぬ筆跡だった。ただ、相変わらず論理的な文章は続かず、すぐにあの即興的な詩文へ移行する。

二人も三人もかげの男がゐて、何か…したみたいだけどそんな事はないわ京都えきへ最後尾からしよんぼりおりたら子供達と…夫妻が来て下さつてゐてほつとしたの。でもこれがもう…と読売の記者が上がり込んでゐたの。それから入り変つた色かはりで、何もつかまれてゐないのに…又してもはらがたつ。

私が男だつたらだれも何もとはれないわ。
方々の女に子供を生ましたつてね。
他人の私事にたち入りすぎるわ
子供さえ傷つかづに、うまく育てられればね。
……

鴨東綺談《ママ》と、宣らし給ひ
どんらんあくなき筆のえじきをとなり給う。
老いの身の、ひゞある頭を費えして
筆の息、筆の王者の宿命に
こころかたむけ執り給う
文人の血まつりなりしわがすがた

さりな生くるに難き世迷いを
罪なき四人《よたり》の少女の将来《さき》

わがハラをいためしものを守らんと
猛りタチ、たち向うおぞましき女なりき
情のひとよ　師の君ハ
ふるさとびとのつれなくも
不滅のものとなりたれば
わが半生もあだならず
あゝ師の君よ
筆ためたよう事なかれ
いたつきになほれ給う事なかれ
よたりのむすめとみそなわせ
先生……

五年前の「おほほほ……」のモデル女史はそこになく、なり振りかまわぬ母親像に変身していたのだ。彼女は手紙で、谷崎を持ち上げ、あがめ、哀願し、おどしてもいる。さすがの文豪の心も揺れたかもしれない。相手は狂人的性格の女なのだ。チクチクと針をさすような手紙が何通も残っており、こんな調子の文章を方々に送り、取材されれば、「娘が、娘が……」と四人の娘がこの小説によっていかに被害を受けているかという現状を訴えたのかもしれない。

（つづく）

谷崎潤一郎と「鴨東綺譚」（五）

…そうして連載第六回は、タイトルの下に「第一部完」とあり、《さう云ふ訳で、終戦以来八九年間つゞゐた奈々子と薫の同棲生活は結末を告げたのであるが、（中略）お花が生んだ子は薫が引き取つて、彼の新夫人の手で実子も同様に愛撫されつゝ育てられてゐるのであつた。》と、「鴨東綺譚」は終る。最後の《…育てられてゐるのであつた》の結びは、ここでモデル女史を救おうとした配慮を見てしまう（筆を曲げてしまった）のは、私の邪推だろうか？

一行おいて唐突に「著者の言葉」が入る。《此の物語は、もともと疋田奈々子を唯一の女主人公にした小説ではなく、乾一家を中心に、一方に奈々子、一方に矢筈弓子と云ふ女性を設定して、それらの人々の葛藤を描きながら京都に特有な雰囲気を醸し出さうとしたのであるが》

奈々子の話につい深入りをした結果、世上の噂に思わぬ迷惑を及ぼしてしまう結果になつた。これは小説であってこれこれの人のこれこれの行為を叙したものではない。こうして多数の人々の誤解を招き、質問攻めにも遭っている――要するに《…此の物語は此の辺で奈々子の話から弓子の話に移るのが順序と考える》と谷崎は記し、《今年も正月早々から高血圧症に悩み》数日前から今後一日十時間以上の安静その他内外に故障が起こり《筆者は此の機会を以て此の小説に一段落をつけ、第二段の物語は他日筆硯を新たにして起稿する折もあらうかと思ふ。》と書いて、谷崎はもう一言添えるのである。《返す返すも、此の小説が未完成に終つたことをお詫びをし、いずれ何かの作品を以て此の埋め合せをすることをお約束する次第である。（昭和三十一年三月三日記）》

私はモデル女史の存在や、谷崎のこの時点の事情から考えて、谷崎の右の文章には少し違和感を覚える。それはこの年の谷崎は「中央公論」一月号に、老いと性の問題をテーマにした「鍵」を発表していて、こちらは初老の大学教授が妻との性生活の刺激剤として日記を利用、カタカナ書きの夫の日記とひらがな書きの妻の日記で文章を進める斬新な小説。話は外れるが、これは当時読書会の大量な古雑誌を扱っていた古本屋《わたし》の体験でも、下町では売れない「中央公論」が、引っ張り凧に古本市場では売れた。ちなみにこの現象は前年石原慎太郎の「太陽の季節」が載った「文藝春秋」が単行本になる前はこれでしか読めないため、やはり雑誌一冊が市場では取りっ子の人気だった。実は谷崎は一週毎に四十枚もの週刊誌への執筆は無理になってもいたのである。一方五月号からの「鍵」はこうして二月まで「中央公論」に連載して完結、単行本化された。結果的に、「週刊新潮」の連載中絶が幸いして、当時は国会でも論議を呼んだこの問題作が生まれたとも言えるのだ。

一方「鴨東綺譚」事件の方である。この連載（4）を書いたあたりで、知人でこの連載に興味を持って下さった方から「使えるものなら…」の短いメモを添えての、十返肇の文にもあった「週刊読売」4月1日号が送られて来た。表紙に文字はなく、めくって驚く。目次は下三分の一に印刷されて上三分の一を使って大きく《愛欲のモデル夫人谷崎潤一郎氏の「鴨東綺譚」執筆中止をめぐって》という九頁ものトップ記事を豪壮な館の写真にモデル女史の写真と谷崎の顔が両端に丸くかぶされているもの。（91頁掲載）

とりあえず私は知人にお礼の手紙と、近著をお送りし、その雑誌を頂くことにした。

私が書いてきた四回までと全文ほぼ同じ要旨であるが、補足の意味で記事の一部を取り上げてみたい。まず、読売の記者がモデル夫人（記事はこの表現）の対龍山荘に取材で訪ね、「私が市田でございます」と軽く会釈して現れたのを見て、「週刊新潮」の挿絵そのままだったのに驚く場面がある。《前髪をヒタイにクーニャン風にたらした豊満な体格の…四十六歳とは見えぬつややかな顔である。》そして一問一答の場面となり、談じ始める女の写真まで載せている。記者はまず、「あの小説はフィクションでないと騒がれていますが？」と聞く。女は元京都市長の名や琴の師匠の名、中華料理屋の屋号、自分の家の庭が東山三大庭園の一つと書いてあり、「これだけでもヒロインの疋田奈々子が私のことだと、京都を知る人は思うでしょう」。モデル小説と気付いたのは？の質問に、女は答える。「第一回目からです。第二回以後、あんまりなので、熱海の谷崎先生に長距離電話で一言申上げたのです。先生はご自分の奥さんの姉妹のことを、名作「細雪」に書きました。…私のこともあわ雪くらいには…」

（つづく）

谷崎潤一郎と「鴨東綺譚」㈥

「あわ雪くらいには…」この項第一回に紹介の十返肇の言葉は、「週刊読売」の中のモデル女史の談話だったのだ。そればかりではなく、末尾には十返肇の「モデルは傷つけていない」という谷崎擁護の解説文も載っている。

が、これ以後「鴨東綺譚」の問題は水面下のものとなり、たとえ中絶の作品とは言え、「鴨東綺譚」は翌年、中央公論社が出した新書判『谷崎潤一郎全集』はともかく、決定版というべき没後一年して出された中央公論社版『谷崎潤一郎全集』（昭41／11～45／7）、同愛読愛蔵版（昭56／5～58／11）にもこの作品が入ることはなく、現在刊行中の全集内容見本にもなかったことは最初に述べた。

もう一度、あのあと水面下の、モデル女史と中央公論社の戦い（？）をあらためてみたい。―ここに昭和41年版全集の内容見本がある。これによると第十七巻（昭和39年4月―昭和32年10月の執筆）に収録される作品名が、

幼年時代／過酸化マンガン水の夢／鍵／鴨東綺譚（交渉中）／老後の春

と五行に書かれている。

異様なのは「鴨東綺譚」の下にカッコして入る「交渉中」の文字だ。著作権を委託された出版社は誰と、どんな交渉をしていたというのか？当然モデル＝市田弥生子とであったが、五十七歳で健在の彼女は、すでに第三者を立てていたのだ。あの雑資料の中には、「中央公論／嶋中雄作」宛に書いた、

谷崎潤一郎全集「鴨東綺譚」収載問題交渉経過報告者　綱淵謙錠があった。ついでに記せば雑資料の中には「谷崎家より預かりし品目一覧」、「谷崎潤一郎海外出版図書目録」などの文書類。特に豪華な記録は「作品別・画家挿絵一覧」とある谷崎の著書に寄せた顔ぶれ。姓を略し列記すると、―清方、大観、五葉、夢二、雪岱、耕花、百穂、爾保布、青児、良、専大郎、志功、楢重、靫彦、荘八、三造、深水、繁次郎、曽太郎、良平、孝之介などとある。では、昭和四十一年から書き始められた綱淵の報告を辿ってみよう。

1月14日(金)

小瀧穆氏より―昨日、谷崎夫人との打合せの際「鴨東綺譚」の市田弥生子氏が一番その人の言を入れるのは藤川延子氏であるというお話があった由。

2月27日(日)

小瀧氏より電話にて―谷崎夫人のお話として「鴨東綺譚」収載については、渡辺千萬子の方から藤川延子氏を通じて市田弥生子氏の諒承が取れそうだとのこと。

綱淵の報告文は七か月飛ぶ。

9月8日(木)

「鴨東綺譚」関係資料の整理をする。

9月9日(金)

新潮社麻生吉郎氏と面談。「鴨東綺譚」が「週刊新潮」で執筆中断になった頃の経緯を聴く。（氏は市田弥生子氏が社へ執筆中止の申入れに来た際折衝に当った）またこの作品を中央公論社の谷崎全集収載につき、新潮社としての意向を聞く依頼をしてあったのだが、それについては新潮社としても「異存がない」旨の返事であった。

次の日、報告書に思わぬ人が登場してくる。「瀬戸内晴美氏に、この作品を全集に収載することにつき市田氏の方から諒承は簡単に取れるかどうかを打診する」とあるのだ。

綱淵が瀬戸内晴美に電話した事情は、こうだ。瀬戸内は雑誌「風景」昭和四十一年六月号に「一つ屋根の下の文豪―未完の傑作」という随筆を載せ、Y女史（市田弥生子）との親交ぶりを描き、「やがては谷崎潤一郎全集が編まれれば、こんな未完の作者心残りな傑作があることを思うと、これが陽の目を見ないのは残念な気がしてならない」と書いている文章を見たからである。

綱淵は、瀬戸内とモデル女史との親交ぶりに注目する。一方、綱淵は十二日には市田弥生子に面談希望の手紙を出し、十六日午後、軽井沢で会い概略次のことを市田側に示す。

初め発表されたのは週刊誌だったため、スキャンダラスな状況の中であった。今回は全集の一部分を占めるだけで、当時の状況とは社会的にも違っている。全集の読者は純然たる知的読者であり、真面目な研究家である。従ってモデル問題をわざわざ探し出して喜ぶような事態は考えられない。

（つづく）

谷崎潤一郎と「鴨東綺譚」（七）

市田弥生子の返事が記されている。

①娘の縁談にさわること、まだ自分自身も働かなねばならぬので社会的支障の恐れがあり、掲載は拒否した。私のこの気持がわかって下さったので谷崎先生も中絶された。

②しかし中央公論社の真摯な態度も考慮しなければと思うので、自分の娘たち、谷崎夫人、瀬戸内晴美氏と相談、返事したい。（会議中、嶋中さんにお願いして海外、パリへでも行かせて貰おうかしらとの独語あり。慰謝料的ニュアンスが感じられたので、その話には、話をそらせた。）

9月19日（月）

朝、市田弥生子氏に電話し、返事を問う。やはり掲載してほしくないという返事。瀬戸内晴美氏に「鴨東綺譚」のゼロックスを届ける。（瀬戸内氏はまだこの作品を読んだことがなかったのである。）

夜、谷崎夫人と市田弥生子氏が福田家にて会談。終ってから谷崎夫人より「明るい見通しがついた」とのことで、藤川延子氏にも入って頂いて、三人で京都で会談される由。

綱淵が瀬戸内晴美に電話してその読後感を聞くと、瀬戸内の言葉は意外なものだった。「鴨東綺譚を読んでみたがつまらない作品でした。春琴抄ほどの作品ならともかく、あれを無理に載せて被害者を出すのはどうかと思いますよ」

綱淵はしかし、瀬戸内の作品評価には動じなかった。編集者としては「鴨東綺譚」を今度の全集から洩らすことは許されないという使命感の方が強かったのである。報告書は詳細を極める。

9月22日(金)

市田氏代理人柴田勝・宮瀬洋一両弁護士宛に「鴨東綺譚」収載問題につき手紙を出す。この作品が発表された時から刊行予定の昭和四十三年三月までには満十二年の歳月が流れ、マスコミ界の状況も変ったこと、今は谷崎先生も亡くなり、発表当時は週刊誌ブームを予測させる社会状況にあったこと。谷崎先生も「鍵」を発表し文豪の生彩を加えマスコミ界の驚異となった頃で、マスコミ種にすれば〈アタル〉と狙われ、その好餌にされたのが「鴨東綺譚」であったことなどを述べ、次のような当方の配慮を確約して、全集収載の諒承を得たい旨を述べた。

まず、綱淵は▼本全集十七巻の新聞・雑誌広告には収載作品名のなかに「鴨東綺譚」を記載しない。▼掲載誌「週刊新潮」の最終回に入っている連載中止に至った経緯を述べた「著者の言葉」を、本全集でも作品末尾に付載する。▼万一マスコミ関係でこの作品につき取材に来た場合には、絶対にこれに応ぜず、その企画を抑えることに極力努力する。—以上の末尾に「なお、『鴨東綺譚』の収載問題については、谷崎家としては白紙の状態にあり、すべて全集の完璧を期そうとする当社の希望から出ている問題であることをお断わり致しますと付言する。」と、これは筆者が簡略にまとめてみたもの。

こうして綱淵は、以後昭和四十二年十月まで、一年余りに亘って報告書のメモ（清書されて400字詰原稿用紙で二十四枚）を取り続けた。

最後は相手側の弁護士とも交渉、この問題で結局のところ、市田弥生子一人がこだわっているのだ、という言質を取る。綱淵はもしこちらが全集への収載を強行した場合はどういう手続きを考えているか？と質問したりもする。その場合は、出版停止の仮処分を申請するだろうと弁護士。ただこれが訴訟問題となった場合、こちらも恥部を公開することになる、矛盾したことだが困っているのが実状、…とにかく収載しないように、とのこと。中々ラチが明かない関係で、時ばかりが過ぎてしまう。

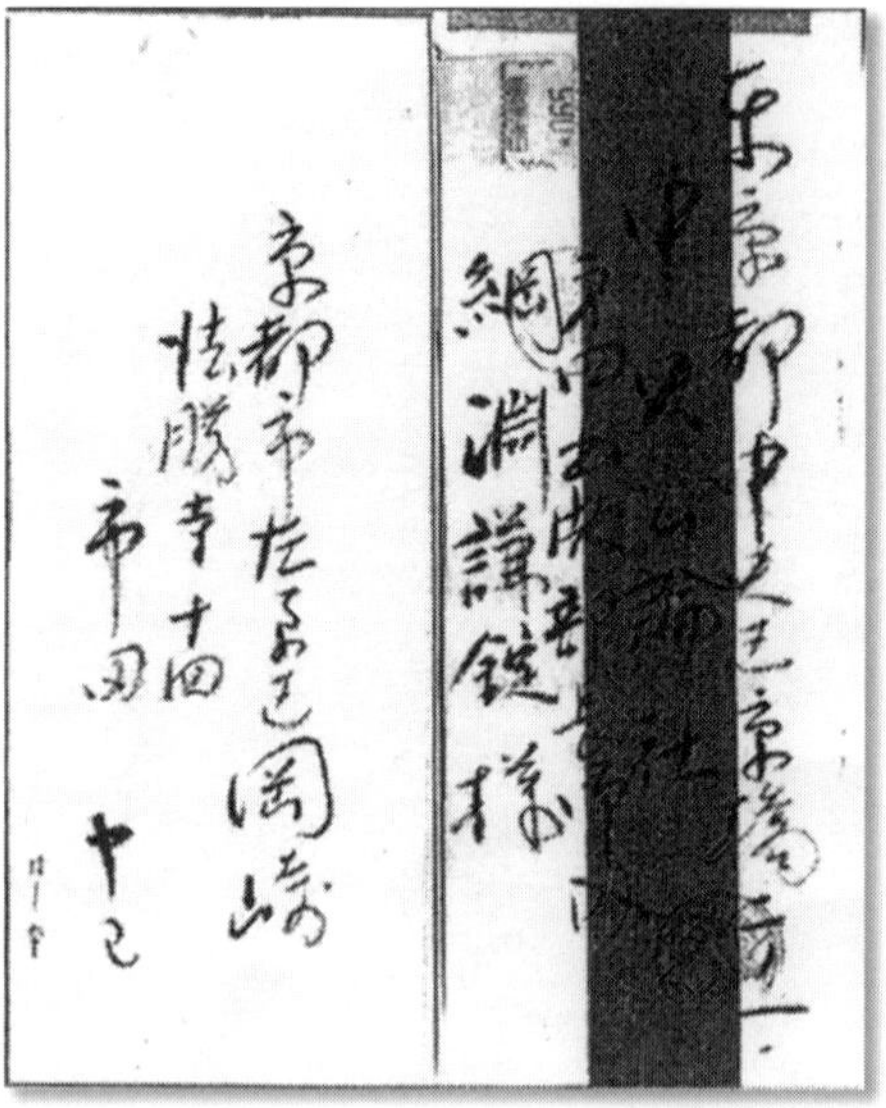

結論の出ないまま綱淵が報告（書）の日付を「十月三十日」と入れたその十日後に出した市田弥生子の直筆手紙が届いている。

中央公論社第四出版部長御内《ママ》・綱淵謙錠様宛、「42・11・10」付の速達便である。

（つづく）

谷崎潤一郎と「鴨東綺譚」（八）

《柴田さんから、やはりあれ程お願ひして居りますにも関わらず、御けいさいされる話し承わり以来ショックで半病人になつてしまひました、（略）娘達の実害は今日迄でもうたくさんでした、長女の東京での最高の縁談は聖心時代に流れましたし、（略）外地で婚約しました××電気の息子との次女の二年間の先方の反対理由もこの小説に他なりませんでした、（略）三女は姉二人の首尾を見て家を出て自由結婚をしてしまひ、いま未婚の縁談進行中にも見透しが懸念されます、（略）週刊誌ならよみすてもきゝませうが永遠の汚点として残る事をおもえば冥府の谷崎先生も娘達をおもって筆を折つて下さつた事がこんな悪魔の作用をする事を、私と共に憤つてゐて下さるでしよう。中央公論社から夫人におあげになる金銭上のことを（略）こつちからお支払ひさせて頂いてもいゝとおもひ、このためにはこの家ぐらゐたゝんでもいゝとおもひつめてゐます（略―この問題が）あなたの掌中にあります以上どうか非情《ママ》な措置を今一度御考慮頂きたいと存じます、作品よりも人間を貴重にお考え下さいませ、やえ

綱淵さま

沈静剤をのみ続けてゐて、誤字だらけでご判読下さい、》

手紙は半分位に要約して写した。無論これは谷崎松子も見たか、聞くことになったのであろう。松子はこの件は、もうどうでもいいという気になってしまい、あくまで完璧な全集にこだわる中央

公論社（と綱淵）宛の、翌昭和43年1月27日付の申込書（本連載二回目に公表）だったのではなかったか。

…それから四十七年、連載（一）で書いたように、今度の「決定版・内容」（見本）を見ると「鴨東綺譚」の文字はどこにも見えない。言うまでもなく、編集方針の基本は執筆順が常道である。当然入るべき巻としては第二十二巻の「過酸化マンガン水の夢」から始めて「鍵」「夢の浮橋」、その間の雑文の題名も明記されているが、中絶したとは言え小説である「鴨東綺譚」の文字は見当らないのである。現在この決定版はこれを書いている八月現在、15回配本である。最終配本までに「鴨東綺譚」が収載されるかどうかは今のところ分からない。

実はこの文章を書く前に、グーグルで谷崎潤一郎の項を引き、こころみに、「谷崎潤一郎と鴨東綺譚」で検索してみたのである。これが意外にもヒット件数が多かった。先ず第一番目に、二〇〇八年九月十八日付で、

詩集『京をんな』

のもと、「先日ある古書目録で注文した古書が届いた。市田ヤエ詩集『京をんな』（六月社）」のこと。これを写させて頂くと、

《昭和32年8月15日発行・限定１５００部記番・カバー付１６００円》

そして外装のことから、求めた理由までも。

《…どうも段ボールの函がついていたらしいがそれは欠で、タイトルなどを印刷してあるカバーがついている。開高健の「日本三文オペラ」みたいなもんだ。とはいえ、ビニールカバーというよ

りはアクリル板みたいな厚くて硬質のものである。こういうのは後々劣化してきてひびが入ったりしてやっかいなものだ。それと著者名、本体背ビニールカバー表紙面、本扉には、（市田ヤヱ）とあるのだが、奥付表記は（市田ヤエ）とある。まあそんなことはどうでもよいのだが、今何故この詩集を、というと、この詩集は以前から安く欲しかったのである。》

無論「鴨東綺譚」のモデルと知っているわけだ。その後私は、この詩集が「日本の古本屋」に出品されないかと、ずっと検索し続けたことはいうまでもない。別の著者による『京おんな』は多いのであるが、発行年も数年新しいものばかりだった。

またこの人がネット上に上げている書影もだが、目次のどこかに入る（説明ナシ）頁の以下に記す記録はあまりにも豪華で貴重である。

　装案〈コブト製〉　梅原龍三郎
序詩　室生　犀星
歌　谷崎潤一郎
口絵　須田国太郎
挿絵　三岸　節子

そして、ネット上の「谷崎潤一郎と鴨東綺譚」の項には、

坂本葵「鴨東綺譚」事件とは

谷崎潤一郎の鴨東綺譚―書籍文庫

谷崎潤一郎の「鴨東綺譚」Goo 知恵袋
谷崎潤一郎の「鴨東綺譚」の画像
東京大学総合文化研究所・東西南北／七9805
谷崎潤一郎「鴨東綺譚」と「夢の浮橋」と―京都を描くということ
等、検索結果は三、四十にも及んだのである。

谷崎潤一郎と「鴨東綺譚」(九・完)

『われよりほかに―谷崎潤一郎最後の二十年　伊吹和子著』という本がある。一九九四年に出版された。

「本年度日本エッセイスト・クラブ賞受賞」の帯がついている。A5判20行詰めの細字で組まれて542頁もある。発行価は三九〇〇円。二月が初版でこれは七月第七刷で、末尾には「初出＝東京新聞夕刊・一九八九年八月二十一日～一九九三年十月十三日・原題『文豪の日々』」とある。足掛け四年余の連載である。京都大国文学研究室を経て一九五三年、谷崎『新訳源氏物語』の原稿口述筆記を担当。引き続き中央公論社に入社、主に文芸書、文学全集の編集に携わり一九八四年退職―という経歴。なお、二〇一五年八十七歳で没とは別の資料で見た。またこの本、今は文庫化されているとも言うが、見ていない。

私はこの本を前から買ってパラパラとはめくってもいた。が、ある出来事でこの本と向き合えなくなる。それは「引用文献」が末尾にあり、その二行目に、《市田ヤエ「谷崎潤一郎の（奈々子）といわれて」（婦人朝日・昭和三十三年十月号）》というのを見て、「婦人朝日ならあった筈!」と、私は、書庫の雑誌をかきわけて、その戦後揃いを担ぎ出す。瞬間、私は肩を落とした。確かに揃ってはいたが、それは三十三年度前半までであった。一時、私は「日本の古本屋」を検索し続けたが、その号に出会うことはなかった。実は「鴨東綺譚」と市田ヤエの話はもう前から書きたかったのに延引したのも、この件があって、これを見てから書くべきと思ってしまったからだった。

われよりほかに
谷崎潤一郎 最後の十二年
伊吹和子

今度伊吹の本を眺めて、谷崎は「中央公論」三十一年四月号に、「嶋中鵬二氏に送る手紙」を寄せ、「しかし私は同時に二つの創作に筆を執つたことはなく、（略）新潮社のためには特に中央公論社の諒解を求め、『鍵』の続稿を一時延期して貰うことにして、実は昨年中に「週刊新潮」の「鴨東綺譚」を書き終え三月号乃至四月号から本誌で「鍵」を載せることが出来ると思つてゐたのですが」という言葉があるという。伊吹は続けて《先生は連載の場合、ある程度先まで書き進んでから発表されるのが原則で、セッカチに催促されることを何よりも恐れておられた。（略）私にとっては「鴨東綺譚」出発強行は、依然として謎のままである》と書いている。それとも、実はすでにある程度まで進めた別稿があったのを、予想外の執拗な市田側の追及のため、私が先に推測したように、「週刊新潮」連載第六回で筆を曲げた（？）結果があの終わり方だったのだろうか。

伊吹はまたこんな話を京都生まれの立場で「鴨東綺譚」にからめて書いている。《「鴨東綺譚」の書かれる何年も前、わたしがまだ女学生であった頃から、京都中を駆け巡っている感があった。噂を知っている京都の読者にとっては、小説にどこまで書かれているのか、または自分の持っている情報と小説の内容とが合致するかどうかが興味の的であったと言っても過言ではない。つまり事実は、この小説で俄かにY子さんの所業が有名になった、というのではなかった。》そして中絶の第六回に加えられた「著者の言葉」には、《正直言って今更、という気がし、何やら白々しい響きがあるように思われたが、それは先生のY子さんへの心遣いがそうだというよりも、何か、入り組んだ事情がこういう殊更めいた弁解を書かせているというように、私には思われたのであった》と書いている。伊吹もまた、私が感じた「違和感」を覚えていたのだ。

そして「『鴨東綺譚』論」として紹介されている森安理文の『谷崎潤一郎―あそびの文学』の中には《……この作品の素材が未消化である。》とし、「奈々子の描写がいかにも物足りない（略）奈々子から直接聞いた話、奈々子に関する土地の人々の噂話を、ただ羅列しただけで奈々子の放縦な性格は、単に説明されるだけで女性像として描写されていない憾みが残る。遠慮なくいえば、どう考えても文豪谷崎らしからざる作品なのである。これでは例えモデルからの抗議がなくとも、「これから先を書きつづける」ことに、多分躊躇を感じたであろうと思われる」という箇所を引用している。

また、伊吹の小見出し「『鴨東綺譚』始末」の末尾は、「私が五十五歳の定年を迎えて退職したのは昭和五十九年の三月であったが、その年は、例年になく雪が多く、なかなか春が来なかった。そんな四月半ば、Y子（ヤエのこと）さんの永眠を報じる小さな記事が、新聞の片隅に載っていた。」と終わっている。

第四部「作家の手紙」26人

江口　渙

（1887～1975）

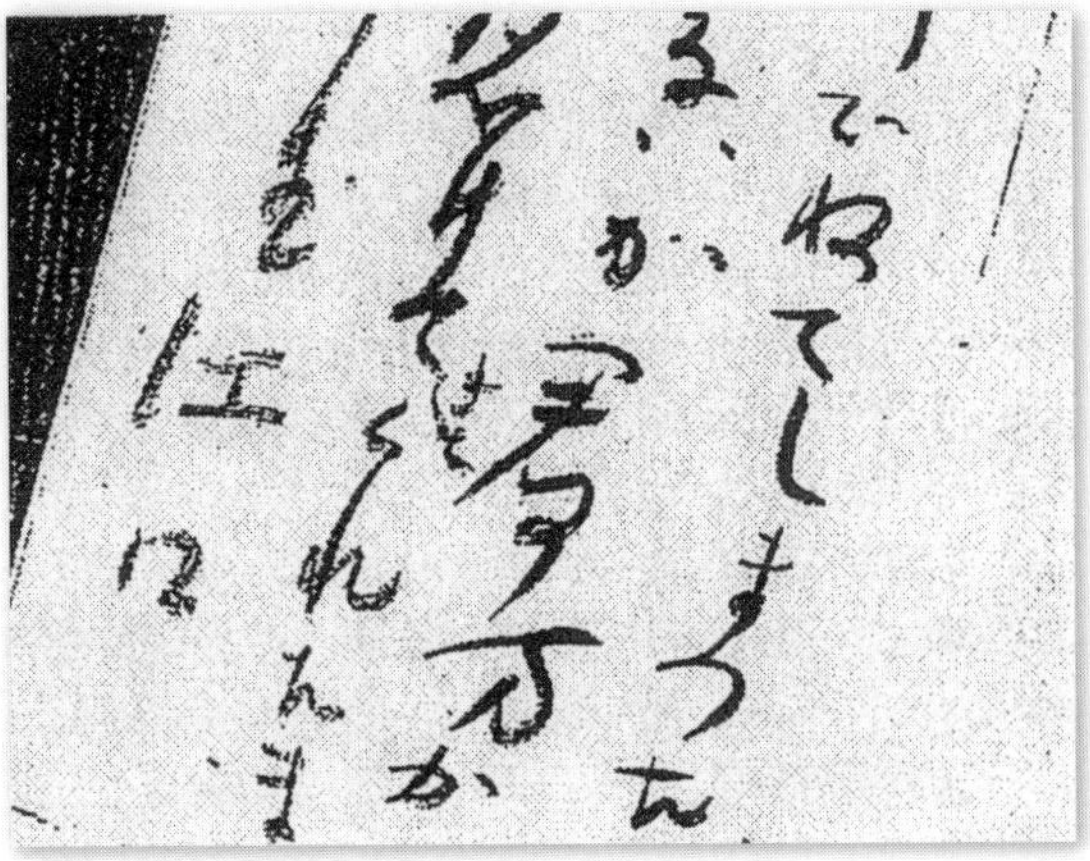

昔、芥川龍之介の江口渙宛の毛筆句入の葉書一枚を持っていたが、今日探したがどこにまぎれ込んだか出て来ない。江口は漱石門下の一人で、そこで龍之介と親交を結び、久米正雄、菊池寛とも知り合う。今回は江口の久米宛書簡葉書の紹介である。江口（1887〜1975年）は三十一歳の大正七年、二十七歳の久米に、毛筆で書きなぐったような葉書三枚を残している。まず十一月二十四日付。

《風邪でねてしまつた。
すまないが君の方から出かけて来てくれたまへ、たのむ。　江口》

そして三月三日付。

《黒潮のをよんだ。十回以後は傑作なり。今まで君がかいたものの中の傑作なり。君のために祝盃を上げたい位だ。ただし納め方はいやいや書いたのが好くわかる。》

少し久米側の事情を説明すると、二月の「黒潮」に発表した「受験生の手記」のことである。そして江口の「十回以後」というのは、この中篇小説の「十章以後」ということであろう。五月、久米は早くもこれを入れて『学生時代』として新潮社より刊行、久米の純文学作品としてはもっとも読まれた本の一つとなった。久米はまた、四月からは時事通信に「螢草」を連載、好評を博す。ただしこれは、純文学畑の作家が通俗小説に進出した最初となり、菊池寛の「真珠夫人」よりも二年先んじている。藤村や漱石が新聞小説を書いたのとは違い、新しい家庭小説、風俗小説、社会小説の出発であり、戦後の石坂洋次郎、石川達三、獅子文六、井上靖等まで続くと言われる。

残る江口の葉書一枚は昭和六年の年賀状で、「グズグズしてゐるうちに年賀状を出し損つて申訳ないことをいたしました」とある。そのほか江口の封書は三通、その一つは昭和7年8月2日付で、中は謄写刷りの紙片だった。


《宣戦の布告なしに始められた中国との戦争は、上海の停戦会議後一応終結したやうに見えますが、日本政府は現在でも満洲に数個師団の軍隊を配置し「土匪」「丘匪」と称せられる彼の地の民衆との戦闘を継続してゐます。それ所か諸般の情勢を総合して見ますと、新たな帝国主義戦争が目前に迫つてゐると信ぜられます。来るべき世界戦争は何よりもまづソヴェート同盟に対する干渉戦争となるに違ひありません。その際の各国民衆の惨苦は恐らく第一次世界大戦とは較べものにならないだらうと想像されます。

このやうな危険を阻止するためにアンリ・バルビュス、ロマン・ロラン、マキシム・ゴルキー等世界知名の芸術家、思想家の首唱の下に、七月二十八日ジュネーブで国際反戦闘争会議が開かれました。この会議の準備委員会は正統政派の如何に拘はらず戦争に反対するあらゆる人々の参加を求めました。

各国では即にこの会議支持のための運動が作家、芸術家、思想家等の間で進められ、英国のバーナード・ショウ、H・G・ウエルズ、米国のドライザー、シンクレア、独乙のハインリッヒ・マン、オーストリアのアインシュタイン。中国の宋慶齢等を初め賛成者の数は非常な多数に上つてゐます。我々もまたこの会議に賛成するものです。ついては我国でも賛成の士を多数得たいと思ひ、潜越《ママ》ながら左の諸項について質問し、貴下の御援助を求める次第です。

一、中国（満洲をも含めて）に対する日本政府の戦争をいかに考へられるか

二、ソヴェート同盟干渉の世界戦争が起つた場合いかなる態度をとられるか

三、国際反戦会議を支持されるか

何卒右の三項について忌憚なき御意見をお示し下さることを期待してゐます。

一九三二年七月二十八日

秋田雨雀

藤森成吉

江口　渙》

この前後、江口は昭和五年四月、日本プロレタリア作家同盟中央委員長（昭和八年まで歴任）、七年、武蔵野町会議員選挙で一位当選、八年三月、小林多喜二虐殺労農委員長となり逮捕、六月、バルビュスと共産党の要請で極東平和を守る会発起人となり九月検挙され、十二年一月より十三年暮まで治安維持法によって投獄される。一方久米の方は、昭和五年平凡社より『久米正雄全集』十三巻を刊行。六年、満洲開拓民に取材した「白蘭の歌」を毎日新聞に連載（のち映画化される）、といった経歴を辿っていた。ちなみに、この封筒の中には二つ折りで江口宛の返信葉書が入っていたが、久米はそれを出していない。

残る二通の封書は、「日本労働組合全国評議会の渡辺君を紹介します」と「関東金属労働組合の西沢隆君を御紹介します。誠にすまないが、印税の中から金参拾円だけ寄附して下さい」というもの。私の持つ久米正雄宛の江口の手紙はこれで全部だが、江口の『わが文学半生記』(昭28・青木文庫)には「俳句と久米正雄」の一章が含まれている。

「……久米正雄とさいごにあったのは、忘れもしない一九五一年の一月二十四日、本郷駒込林町の宮本顕治の家で、宮本百合子の告別式があったときだった。／私が司会者としてのあいさつをすませたあとで、そのまま、棺のそばに立っていると、横手のろうかの出口から久米がひょっこり姿をあらわした。あい色の無地の結城つむぎの三つがさねにしゃれたつむぎのはかまをはいた様子は、芸術家というよりも芸人に近いかんじだった」と言う。

そして江口は、久米の文学上の仕事としては、まるで昔の久米宛葉書を思い出したように、「学生時代」中の諸作、戯曲「牧場の兄弟」、それに俳句くらいだろう、と、自らも若き日俳句に没頭したことのあった眼から久米を論評している。ちなみに、久米の出席は百合子の父が大学時代の保証人だったため、と言われる。

(一九九八年　一月)

里見　弴

（1888〜1988）

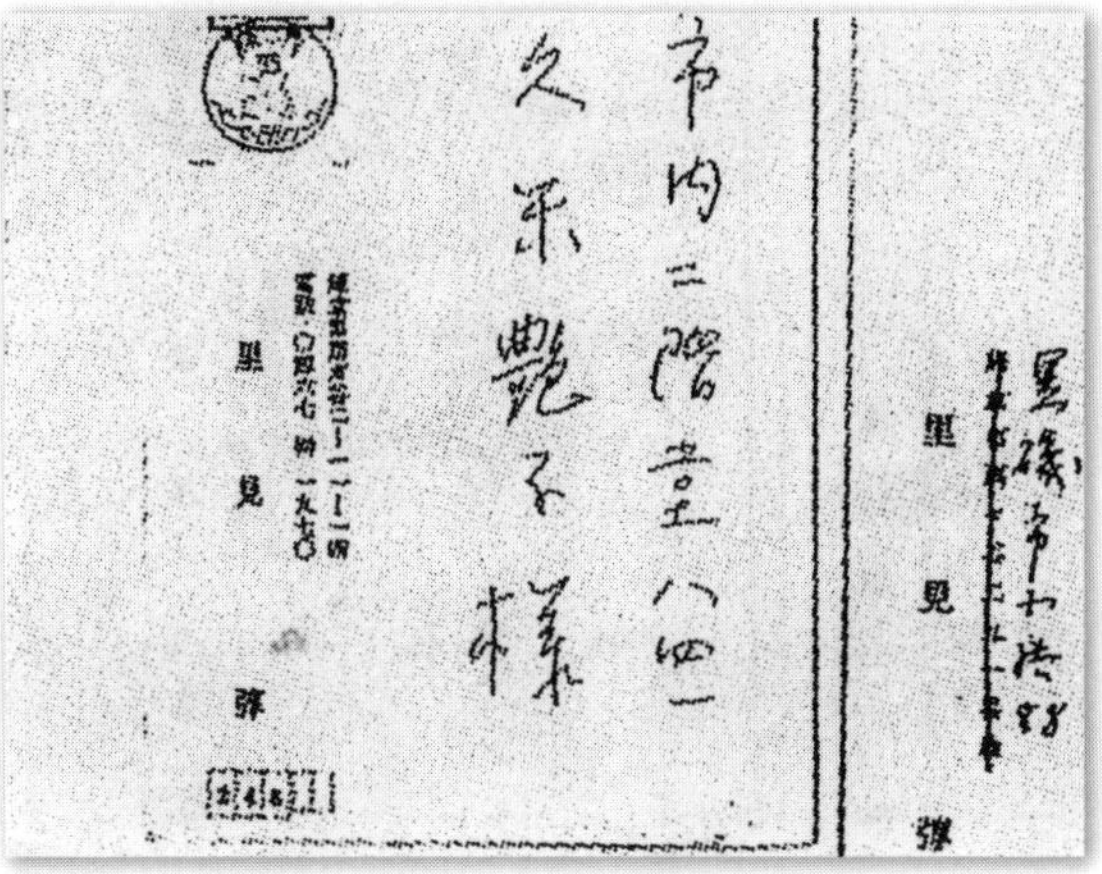

（上）

『昭和文学全集』（小学館刊・3巻）の「里見弴集」によると、年譜中、昭和二十年（57歳）のところは、「この年、鎌倉市小町に文士が集り貸本屋『鎌倉文庫』を興す。久米正雄、川端康成、高見順らが参集出版を行う」とあり、いかにも里見もメンバーだったように取れないこともない。一方、今回の一通目の受信者久米正雄（54歳）のこの年の年譜は、「十一月、鎌倉在住の川端康成、高見順、中山義秀と共に、戦後の慌しさの裡に、鎌倉文庫を創立し、翌年一月、雑誌『人間』を発刊す」とあり、里見の名はない。その久米（家）宛第一信は20年12月16日付葉書である。

《平素も元気に御精勤のことゝお喜び申上げる。今朝、河内仙介君より来翰、貴兄より身にあまる御厚意を賜つたといつて大変に喜んで、小生にも礼を言つてよこしました。いやなところがあつてもあまりそれにこだはらず、こちらも好意のもてるかぎりに於てよくしてやれば少しづつでもよくなつて行くものと思ひますから、どうぞあの人に対しても今後ともそのやうにしてやつてあげて下さい。小生からもくれ〴〵もお願ひ申上げます。

来春早々執筆中の原稿の前半を小生に見せる由、もしよくなりさうだつたら小生の考へも述べ出来るだけいゝものにさせてやりたく脱稿の上ハまた〳〵御世話頂くことになりませう。序文も承知してやるつもりです。「姥捨」後篇、明日ハ出来るつもり、ヒヨツトするとその電話か電報のお知らせの方が先になるかも知れませんが。》

『軍事郵便』で第二回直木賞を受賞した河内仙介（明31～昭29）を巡るやりとりのようである。「いやなところがあつても」は、「まごころ哲学」を説いたいかにも里見の言葉らしい。また、「姥捨」は、「人間」二十一年一、二月に載せたもので、文学全集として最新の『昭和文学全集』にも載せられ、代表作の一つとなった。ところで、このあとは、昭和二十七年に久米正雄が没したあとの、未亡人艶子宛のものとなる書簡葉書は、元々は艶子自身が晩年に放出した、膨大な量の久米家資料の一部である。久米より十四歳若く結婚した艶子は、久米の死亡時わずか四十七歳で、平成四年（87歳）まで生きた。次の書簡は、里見弴六十九歳、艶子五十一歳（昭和32・9・14日付）のものである。

《随筆集を出すので、旧い原稿の手入れにうつたうしい雨の一週間ばかりを竈所しました。その間にいゝお手紙を頂戴「うまいなア、久米ママ手紙美人だよ」と三嘆これ久しうし、早速御返事をと思ひながら、手直しにもせよ仕事中とてつい〳〵延引それも昨日ですみましたから。また「バカヤローゴツコ」をしませう。》

それからまた十六年、里見八十五歳の、次の手紙（昭48・5・21日付）が残っており、すでに艶子も六十七歳になっていた。

《心にかゝりながら手前にかまけて御無沙汰ばかり、相済みません。
土曜日の人ごみに揉まれて、上野駅をたち、かれこれ半年ぶりの山小屋に参りました。
無為懶惰の鎌倉住所を

〽浮世はなれて
　奥山ずまひ
　　恋もりんきも……
とうの昔からそんなものとは縁がないのに目に青葉、夕にハ《ママ》鳥の声ばかり。病院のあなたには、何とも申訳なく思ひますけれど、身も心ものび〳〵します。
一日も早く御一緒にかういふ想いが出来ますやう、御全快を待ちわびて居ります。
　五月二十日　　　　　　弴
艶子さま》

一応宛名は「鎌倉市二階堂八四一」になっているが、艶子はこの時病んで入院中だったらしい。一方里見の方はすでに八十五歳、結果的にはあと九年生きるものの、もうすでに平均寿命を十年も越えた存在だった。さて、この書簡の封筒であるが、差出人は「鎌倉市扇ケ谷　里見弴」と印刷。それを消して「黒磯小結」（里見が建てた山荘）と訂正された文字、宛名共に別人の筆跡。また封筒の中にはその別人の「伊都子」名の便箋も入っていた。こちらの文章も少し拾ってみよう。

《十八日にこちらへ参りました。さつきや昨年須賀川で買い求めて植えた牡丹がさかんに咲いていて、目を楽しませてくれます。すぐそばでカッコウが鳴き、のどかさを一段と強調しています》が書き出し。まず十二日から二泊三日で下諏訪の「御柱」という祭りを、里見他同行五人で見に行ったこと。これは未知の夫婦二人でやっている宿屋が是非にと言って来たものに、里見が乗ったものと言う。

《初めは有島武郎の戯曲〝御柱〟を芝居として先生が演出なさったのを知っていて》呼んでくれたものと思ったが、そうではなかった。しかし宿の夫婦は親切だった、また土地の出だという阿木翁助も来ており一晩一緒に飲んだことも書かれている。ともあれ近頃は駅の乗り降りが一番の苦手になってしまった里見のことが書かれ、話は黒磯のことになり、

《六月二日が例の山登りをする事になっておりますが、今年はもういやだいやだとおっしゃっているのですが、地元の人達はどうにもこうでも連れて行こうと担いでいく新兵器まで用意》してる、結果は後刻後便で、「艶子さま――伊都子」とあった。ところで、この「伊都子」とは誰なのか、次回はこれを調べ、また手元に残る里見弴九十歳までの、久米艶子宛書簡葉書を紹介したい。

（下）

さて、前回は弴の書簡に同封されていた「伊都子」とは誰か、というところで終ったわけだが、私の頭にあったのは「もしや愛人？」などという浅はかなものだった。うろ覚えにあったのは弴が『月明の夜』（昭56・文藝春秋）などで公言している「お良」のことで、「伊都子」はどういう存在か分からない。年譜を作成されている紅野敏郎先生にお聞きすれば分かるのだろうが、先日御労作『大正期の文芸叢書』（98・雄松堂）を頂いてしまったばかりで恐れ多い。「追悼・素顔の里見弴」（「別冊かまくら春秋」）の口絵写真を見たら今　日出海、小林秀雄等と並んで、弴の右に「外山伊都子」

という女性が写っており、多分この人のことと思われる。ところで次の艶子宛書簡は、昭和48年8月18日付で、やはり「黒磯」から出されている。弴八十六歳のもの。

《生きてゐるかぎり、何より彼より健康第一、暑いにつけ寒いにつけおん身大切に願ひ上げます。イチベエが俳句に熱中してゐるやうに聞きました。夜半はゞかりに起きたあとの小一時間ほどに二句か三句の解説を読むのが眠りを誘ふのに好適なので、こゝのところ枕頭おそば去らずの読みものなのです。

毎度口にする通り、私には俳句はわからぬもの、格別面白がれないものとひとりぎめにきめこんでゐたのですが、秋桜子、山本健吉など八名の解説者による「新歳時記」を読むうち、ひとの鑑識眼を通して、／「フーンなるほどなア」と古句の面白さがどうやら少しは呑み込めるやうな気がして来た処です。

そこへお手紙を頂き御近作を見て、

「なか〳〵うまいんだなア」とこれまでの無関心を恥ぢ、且つ申訳なく思つたことです。

八人の解説者の講釈を聞かなければ、面白くもヘツたくれもないのが俳句の本質ではなくて、一読してピンと響くのが文学のほんとの姿かも知れないし、さうである古句に盲目なのは当方の身から出たサビであることくらゐ改めて申すまでもありません。／遅蒔ながら、俳句を「第一芸術」と敬意を表します。

お作の「椽に西瓜の」の椽は、先夜読んだ分に芭蕉も、

鶯や餅に糞する椽のさき

があり、解説に「椽」は「縁」の誤用とありましたし、私も座敷のそとの板敷を「縁」即ちへり、ふちの字義で使つてゐます。

「椽」は添へ役、下役の意で、すけとかじようといふ訓《よみ》もあり、建築の一部を指す意は全くありません。などとチョッピリ知つたかぶりをしてみました。

「おばけ」は午前二時前後と、四、五時間おいての六、七時頃との二度にはつきりきまつて昼間はめつたに現れません。来ても茶を含むや否や消え去りますから、御放念下さい。

八月十八日　　弴

艶子さま≫

右の内、イチベエというのが「伊都子」だろうか。よく分からない。ただ「おばけ」の箇所には弴の優しさがあふれている。今年NHKの衛星テレビで、生地福島県へ移築のことが放映された久米正雄邸に、艶子は正雄の没後四十年も生きるのである。ちなみに艶子には多少の文才もあったらしく、戦前の「少女の友」には艶子名で探偵小説を連載している。

軽症なれば
御安堵下サレ度候
夏の月

片身に魚の
目にも照る

次いで、翌昭和49年8月6日付の葉書。
枠内の空白部分には、「月」と「魚」の絵が淡彩で描かれていて素晴らしい。差出地は「相模原市麻溝・北里大学病院」である。次の葉書は、昭和50年9月9日付で黒磯から出されている。

《おたよりありがたう。当時でも何やかと怠屈どころでハありません。フイルムの件、なほく捜索御尽力ねがひます。永く保存の価値あるものだからで、毫も他意ありませんが「女探偵」となつても見つけてください。もうちつと涼しくなつてから帰ります。》

「おじいちやまはとても元気」の「伊都子」の添え書がある。次の葉書は、昭和53年9月16日付で、これも黒磯から出された。

《おたよりありがたう。
暑かつたり急に寒くなつたりで忙しく暮しました。近々帰鎌のつもり。
何事もよき楽しさの秋くるる　　弴》

ここにも伊都子の添え書があるが略す。

次いで、昭和54年8月15日付黒磯からの葉書。

《ゆきとゞいたおたよりありがたう。毎日三十五年前の耐乏生活を、まのあたりにあゝさうくでやらしてゐます。（疎開先のお良との往復文の整理）／泊り客はつかれるが、なければイチベエがたいくつします。

八月十四日》

右の文中にある「往復文」が『月明の夜』になったことは言うまでもない。さて、今私の手元に残る艶子宛最後の葉書（弴92歳・昭和55年12月6日付）は扇谷から出されている。

《たゞ今、ボンでの記念写真同封のおたより頂きました。ありがたうは昭二君へ。

相変らず、夜昼なしに寝てばかりゐます。千余人の集会など、夢にも見られません。

極月六日》

艶子は海外旅行をし、弴はもう鎌倉から外に出ることは出来なかったのかも知れない。

（一九九九年五月）

賀川豊彦

（1888〜1960）

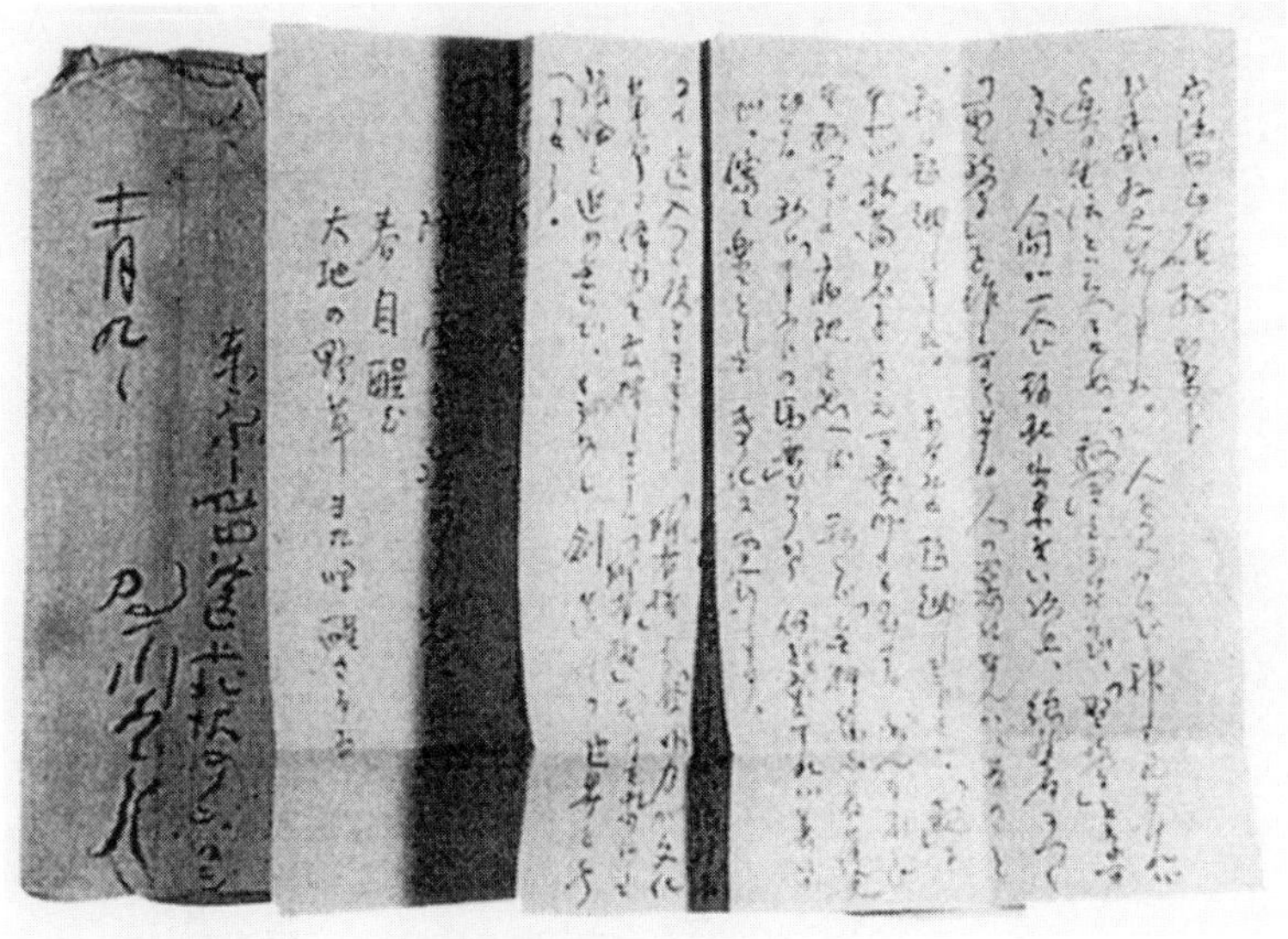

賀川豊彦書簡　窪田正雄宛

四月二十二日、六十四歳になった。私の二十冊目の本『青春さまよい日記東京下町一九四五—五一年』（東京堂出版）が出来て来た。Ａ５判二段組七七〇頁の大冊本で、定価三五〇〇円。四〇〇字詰で二、四〇〇枚を収録した。正確には十六〜十八歳（昭和24〜26年）の日記が二、二〇〇枚、そこへ敗戦の二十年八月十五日から二十四年三月（十二歳〜十五歳）までの概略を二〇〇枚にまとめ「序章・日記以前」として添えたものだ。ほとんど半世紀も大昔の文学少年の日記だが、今やっと一字一句そのままの形で本にする気になったのである。

何しろこの少年は、当時の教育と社会通念からすれば禁忌で病的と言われたオナニーの常習者で、古本屋での万引経験もあり、その上満員の映画館では痴漢《ナンパ》行為にも励むという後ろ暗さだった。また少年はそれを、まるで罪状を記す如くにバカ正直に記し続けていたのである。だから中々にこれを本になどすることが出来なかったが、私はある時『理想の図書館』（平２・パピルス刊）中にガブリエル・マツネフという人の、「日記、とりわけ『スキャンダラスな』、つまり破廉恥な日記を発表するということは、すべてをありのまま、生の形で読者に委ねない限り正当化されない。日記とは零度の文学なのだ」という言葉を見つけ公刊する勇気を得た。無論だからと言って、昔の罪状が正当化されるというものではないし、ましてこの本が世に迎えられるという保証など全くないのだけれど。

……さて、ここに私は賀川豊彦の手紙を一通持っている。実は右の本を製作中の私は、自分が見た賀川豊彦と、その思い出がある故に買っておいたこの手紙のことを再三想起していたのである。自堕落な生活から、二年途中で夜学の高校にも敗れ、十八歳の秋、私は夜学の友人に紹介されて本郷三丁目際の弓町教会に行き始めた。何でもいい、すがるものを求めていた私は、暮れには受洗まで勧められていた。そんな時、私の住む町の教会に「賀川豊彦来る」のビラを見た。

その小さな教会は駅からは遠い田畠の中にあり、私は早く行って待った。もう六十三歳の賀川はかなり老けて見え、体調もよくなさそうだった。とくに眼は何か疾患が進行しているのか、度の強いメガネの奥で始終しばたかせていた。賀川の話は期待外れだった。もっと文学者らしく情にうったえるものを予想して出かけたのに、話は日本と英国の犯罪件数の比較、日本の賭博行為の多いこと、ドイツの日本に比べた同じ敗戦後に於ける施策の立派さ。電気と光、原爆の製造原理を滔々と述べる。最後にはキリストに結びつけるのだが、私には熱が感じられなかった。私は結局弓町教会での洗礼を断わるのだが、それは賀川の話が面白くなかったからではなく、この夜帰宅すると、私は父母に「俺、洗礼受けるよ」と言ったほどだ。が、次の日曜、私は確答出来なかったのである。そして帰り、上野で待ち合せた弟の一人の許に急ぐ。そこで私は、貧相に背中をかがめ黄色っぽい普段着に黒いズボン、ズックの運動靴姿で、寒そうに眼をキョロキョロさせながら不安げに私を待つ弟を見た。これから映画を観せてやろうというのだが、私にはこの外に三人の弟、二人の妹さえあり、昨日はその一人をちょっとしたことで足蹴にしたことを思い出した。「こんな俺が、何が洗礼だ！」と私はハッキリ受洗を断わる決心をした。

……私が賀川の手紙を市場で見たのは、今から五、六年前。差出地は世田谷区上北沢、宛名は北海道樺戸郡である。「人の悪になんか、昔のこと、私は超越しました」「私は『キリストの馬鹿』です……」私はここに、この人のあの時とは別の肉声を聞く思いがし、入札に参加したのである。落札価は六万六千円であった。

《窪田正雄様

御手紙拝見いたしました。人を見ないで神を見なければ、真の生活とは言へませぬ。「教会」と言はないで、「聖社会」と言ふ可きで、人間が一人で存在出来ない以上、絶対者につく「聖社会」を作るべきです。人の悪になんか、昔のこと、私は超越しました。あなたも超越して下さい。「親」になれば放蕩息子さえ可愛がるものです。どんな不良な教会でも病院と思へば、私には「無料篤志看護夫」です。私は「キリストの馬鹿」ですから何でも愛すれば善いので、悠々楽々として奉仕に専心します。

あなたが絶対者から離れ収るなら、社会性をたち切りなさい。「社会性」を認めるなら、神に同志と手をつなぐ可きです。実行性の善い方面を見ませう。神にある愛は「ロマ書十二章」の気持で行く可きです。また、あなたの村を訪問する機会もありませう。「上」に向いて歩きませう。車の心には穴があいてゐます。その穴の所に心棒が這入るので、凡てを人間中心にしないで、絶対者にも這入つて頂きませう。「所有権」より「発明力」が文化革命に偉力を発揮します。「所有権」だけを中心にして議論を進め無いで、もう少し創造性の世界を考へませう。

あなたの御手紙を拝見してあなたが、あまり周囲の人の「アラ」を見て、それを如何にして再創造するかに就て瞑想してゐられないことに気がつきます。再創造する力は「絶対者」と共になれる生活です。あまり周囲の欠点を数へず、それを鋳換えて行くべきです。

降る雪を溶かす光に
春目醒む
大地の野草また呼醒さるる
唯物革命は、永遠の道はありません。新しい天の道を歩まれんことを祈る。
一九四八、一一、九日

賀川豊彦》
（一九九七年七月）

内田百閒

（1889～1971）

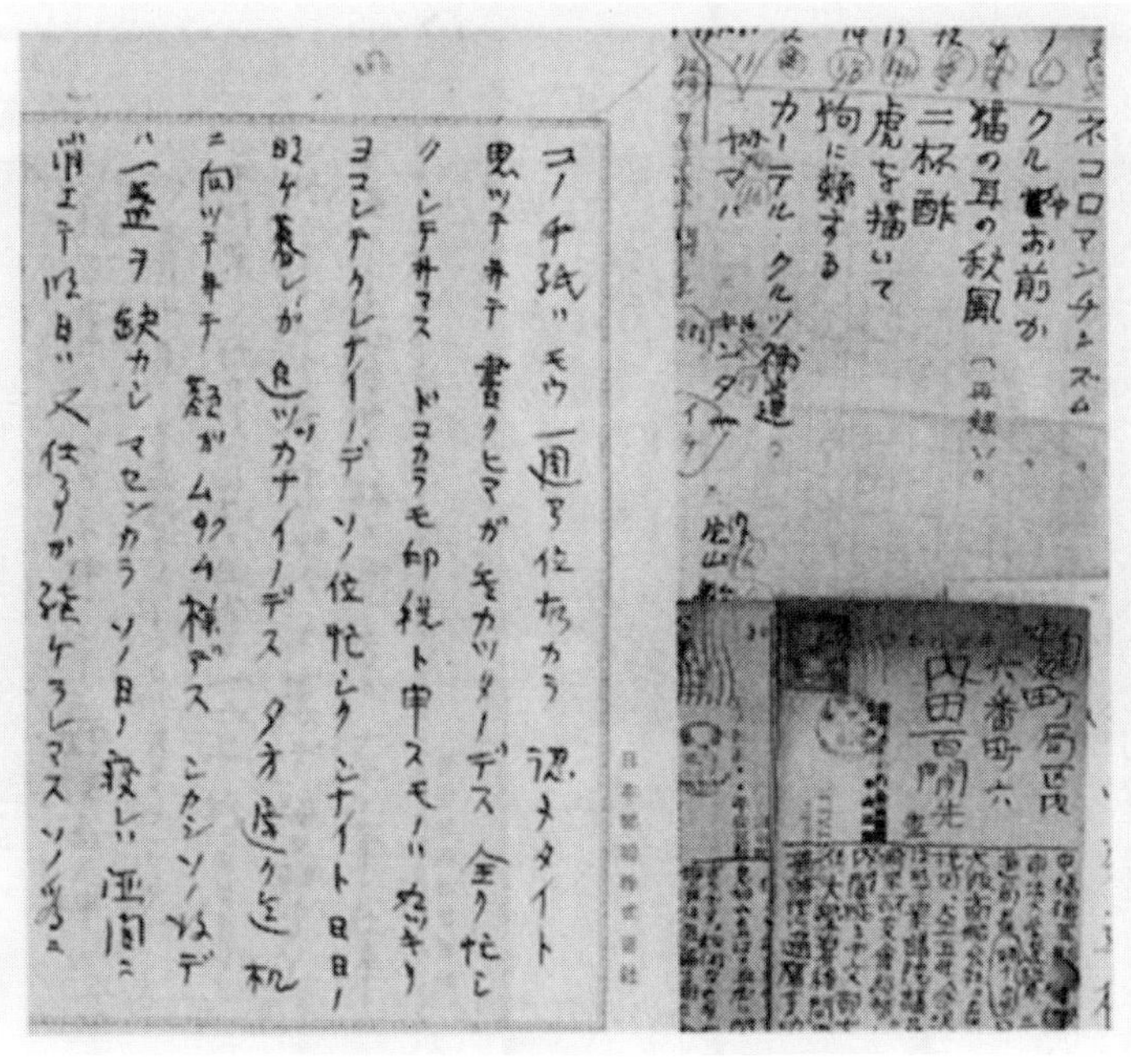

百閒宛書簡・葉書　平山三郎宛書簡

内田百閒（二人の間では終生「栄造」）の久米正雄宛葉書四枚他を紹介する。

久米の、いわゆる自伝小説『風と月と』（昭22・鎌倉文庫刊）を、私は今でも気が向くと読む。何しろ、有三、文明、龍之介、寛、与志雄との交友、漱石邸の木曜会での三重吉、豊隆、赤木桁平等の風貌が余すところなく描かれている。大正四、五年頃の話で、今からだと八十年前だが、私が初めて読んだ頃からはわずかに三十年ほど前の出来事だったのだ。「私はその頃、本郷の宮裏と云ふ所に素人下宿をしてゐた」というのが書き出しだった。

そこは東大の正門前を真っすぐに本郷通りを突っ切り向い側へ入った横丁で、石の鳥居が正面に見えるのが特徴の小路だった。その辺は「宮前」、そのお宮の裏辺りを「宮裏」と言っていたらしい。久米は東大の学生だったが、すでに戯曲「牛乳屋の兄弟」を「新思潮」に発表して名を知られ始めていた。そこへ百閒の大正四年十一月三日付の葉書が（正に久米の言う「森川町一宮裏・河野様方」で）着く。

《是非たのみたきことが出来上りました。実は相変らずの虫おさまらず、俳人を相手に文芸雑誌・高台を出すので十二月号へは君から何んでもよいので一篇出して頂きたい。ビール位の原稿料は出す。君が出来なければ、御友人のでも是非周旋して下さい。とにかく返事はたのむよ。夜分遊びに来給へ。今度門を入ると二軒目の家へうつりました。》

というもので、久米は早速承諾の返事を出したらしく、十二月五日付でもう一通の百閒の葉書が続いた。

《東京では原稿供給者として鼠骨一人のみ有するばかりで気が気でないところへ君の快よい返事を貰つて雀躍した。初号はゴタくでつまらなかつたがダン〳〵猛進するつもり（今校正中）。早速だが十二月号に間に合せるために、十一月十五日頃までに題だけ送つて下さい。原稿は二三日おくれてもよい、それは広告の爲めに題を急ぐのです。別送の原稿用紙二十枚でも三十以内のもので結構、ヅツト短かくてもよろしい。出版業と云ふことに興味を感じてゐる病気が来年あたり直つたら、銀行やめるつもり。》

ちなみに、百閒はこの年二十七歳、前年東大を卒業、差出地にある如く小石川高田老松町四十三（元津田青楓宅）に住み、漱石の新著及び縮刷版の校正に当たっていた。久米（は一高）とは六高にいて俳句をやっていた頃からの知り合いだったのである。話を少し久米側に移すが、久米は二十五歳、「宮裏」の下宿のことを「主人は河田といふ退職の遞信官で、家族はその老妻と、可愛い四五歳くらいゐの娘を連れて、良人に死に別れたといふ二十五六の若い寡婦と四人暮しで、その奥の座敷の階上を、地方の豪農の息子らしい物持ちの法科生に貸し、其階下の八畳に貧乏な文科大学生の私を置いてくれてゐた」と書いている。面白いのは、すでに作家として立ったそれから十数年後に、その河田（内田の葉書には「河野方」とあった）の主人が鎌倉の久米邸を訪ねて来た話だ。老人は落魄した様子で無心をし、次のように述懐する。

「――いやKさん。貴方がただけは、全くお見それいたしましたよ。貴方が、なかなか勉強家なことは、分からないではありませんでしたが、幾らか変つてゐる人だな、少しは見所があるくらゐに、考えてはをりましたが、またかうまで皆さんが、御有名にならうなぞとはねえ。……あの頃よくおいでになった芥川さん。松岡さん。それからお終ひ頃に、ちよくちよくお見えになつた菊池さん。あの方が、いまの菊池カンさんとは、ねえ。……全く思ひも寄りませんでした」

――話を大正四年に戻そう。林原耕三の紹介で、久米が龍之介を伴なって夏目漱石の門に入ったのは、この年の押し詰まった十二月のことであった。そして諸先輩の中には、つい一ト月前葉書二枚をくれた百閒もいた。挨拶を交す二人に、

「何だ、君たちは織つてゐたのか？」と漱石。

「ええ、昔、僕が森田素琴門下で、新傾向の俳句を作つた頃、三汀君は一高に居て、有名な俳人だつたもんですから」と百閒。

右の森田は百閒年譜には志田とあり、久米の誤記か。三汀は久米の俳号である。……足早に残りを紹介しよう。

謹賀新年
一月元旦
東京市牛込区市ヶ谷仲之町九
佐藤方　内田栄造

右は昭和六年の百閒の年賀状である。

《前略後略ニテ御免下サレ度。イツ迄も新田丸ヲ持ち廻ツテ御迷惑ノ事ト存ジマスガ郵船ノ船客課カラ御願ヒシマシタ御感想ヲドウカ近日中ニ御恵投御願申シマス。長ケレバ勿論結構デスガ会社カラモ御忙シイ際ニソンナ事ヲオ願ヒスル所存ハナイト思ヒマス。一二枚又ハ二三枚何卆宜シク御配慮願マス》

右は昭和十五年九月五日付の百閒葉書。

《拝啓
指定席券本日入手したましたから御送りします。若しネツト裏のがよろしければ至急御返送下さればおとり換へ致します。ネツト裏（に四四―四五）二枚所持して居ります。一枚四円です。
十一月十三日》

右は昭和十年前後の、便箋だけのもの。他に「桑原会」という百閒も演奏したお琴の会の、昭和十四年十二月一日付の案内がある。

（一九九六年二月）

豊島與志雄

（1890～1955）

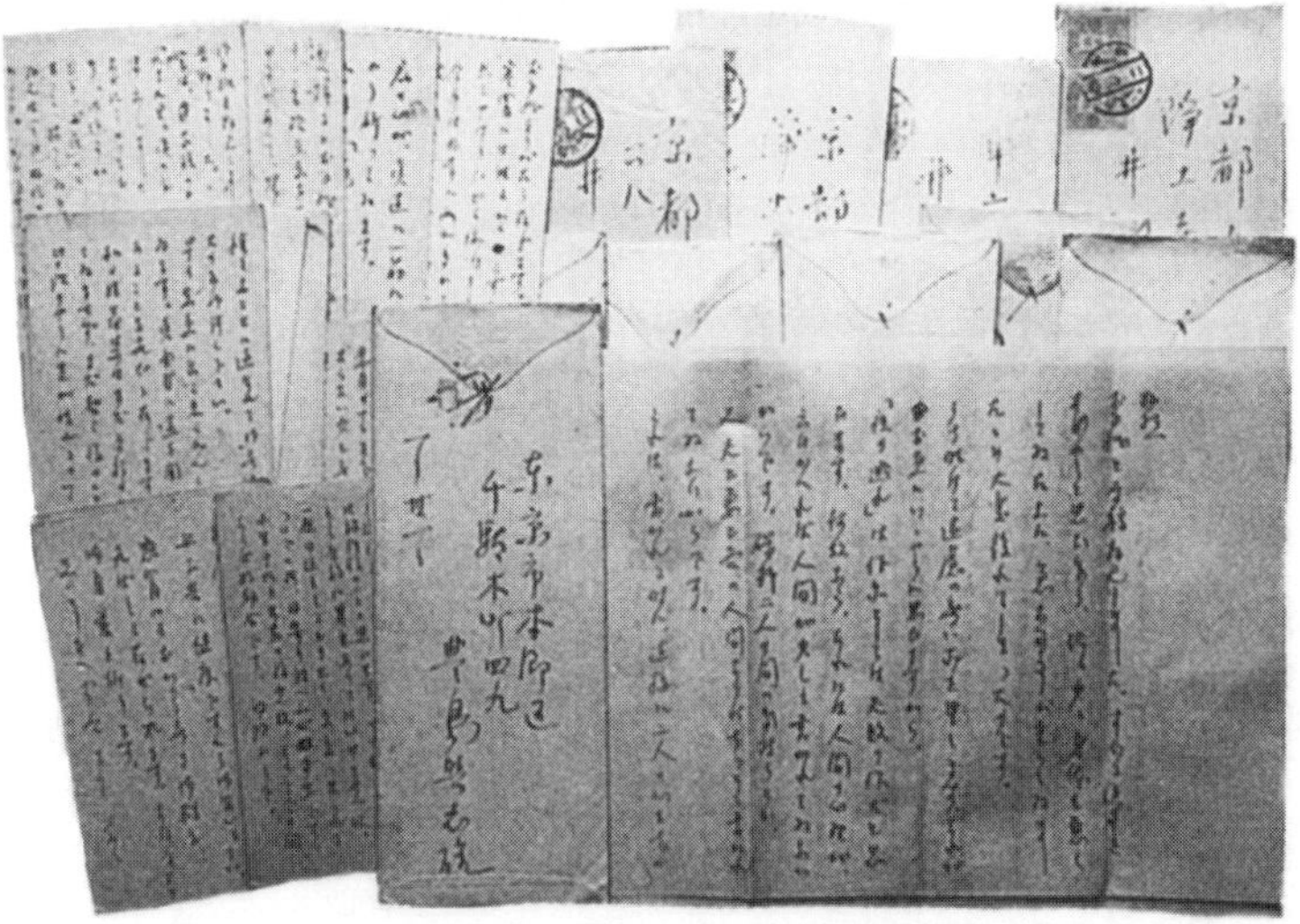

豊島與志雄書簡・葉書　井伊義勇宛

豊島與志雄、岸田国士、芹沢光治良。最も最近の完結である小学館の『昭和文学全集』に、背文字で作家名が表示されていない三人である。以前セット販売された講談社版『日本現代文学全集』全百十巻にはかろうじて入っている。第62巻『豊島與志雄・岸田国士・芹沢光治良集』。三人とも無視は出来ないが、何か日本文壇という尺度では律しにくいということで共通している。

私が初めて豊島の名を知ったのは、十七、八の頃読んだ『レ・ミゼラブル』の訳者としてであった。小説家でもあったと知ったのは古本屋になってからで、正直面白そうでなく読んでみることはなかった。そんな私が豊島の小説「白塔の歌」を読んだのは五年前、一誠堂の古書目録でこの原稿を求めた時である。中国の北京を背景にした何とも奇妙な出来上りの小説であった。……更にその一年前の、ある大市会で買った豊島の書簡は、すぐ半分ほどを商売用にしてしまった。市に出たのは書簡40・葉書45通という沢山なもので、大正五年〜戦後にかけ井伊義勇という弟子（？）筋の人に宛てたもの。手元に残っている分で内容を紹介してみよう。まず最初と思われる書簡。

《お手紙拝見しました。

銀杏の黄色い葉はほんとうに嬉しう存じました。銀杏は私の一番すきな樹の一つです。（―約80字略）私の小さな書物に対してあんなことを申されて、私はすまないやうな気がします。それからあなたのお手紙は餘り情に激されてゐます。あれをよんで私はあなたの純真な感情に涙ぐまれます。然しまた同時に不安になります。それは私自身の小さな力に対して、またあなたの純な感情に対して。力のうちに、また根深い人性のうちに、あなたの純な青春の焔をお生かしなさい。ど

つしりと大きくお育ちなさい。私はあなたのためにそれを喜びたいのです。私は生活のために陸軍幼年学校で佛蘭西語の教師をしてゐます。そしてその餘暇に本職の筆をとつてゐます。陸軍教授といふことゝ創作といふことゝが矛盾してゐると友は笑ひます。私もこういふ二重の生活をよく情なく感ずることがあります。然し、……わたしは未来を信じてゐる。斯うあなたに云ふのを許して下さい。（―約６００字略）**夏目さんが死なれたのは、日本文壇の大きな損失です。その葬儀に行く筈にしてゐます。何だかこれで先を書きたくなくなりました。今日はこれきりにします。**

十二月十一日夜

豊島與志雄

井伊義勇様》

大正五年暮の二十六歳の手紙である。豊島は前年帝大を出たばかり、すでに妻帯していて生家の没落で就職、この書簡の一ト月前には父も亡くなっている。生活苦から、翌大正六年には新潮社と翻訳の相談をする。また友人の芥川龍之介の『羅生門』出版記念会に出た八日後には長男が病死。こんな中での一文学青年が小説への読後感を寄せたことへの返事で、以後豊島は習作を見てやり作品を雑誌に紹介、悩みを聞いている。井伊も成長し、中央公論社に入社、のち独立して地方で雑誌を出す。豊島は井伊を信頼し、昭和三年三月、「……社会的な何かいけないものが餘りに大きく、自分々々の力が餘りに小さいのを顧みて感じませんか。この感じこそ、社会運動の本当の鍵です。」と書いた。

時には立場が逆転、豊島が悩みをうったえる場面さえある。争いの場も……。以下は、約束の原稿が書けないことへの弁解を主とした400字六枚にも亘る昭和六年の書簡の一節。

《……なほ、方々に豊島與志雄攻撃の印刷物を配布されること、勿論君の自由だ。豊島與志雄は紳士でもなく、道徳家でもなく、君子でもない。僕の友人は皆そんなことはよく知っている。『僕を買ひかぶつてはいけない』とは、僕がよく君に云つてた言葉だ。僕はむしろ君から、僕の本来の獣的な姿で見て貰ひたい。

僕は今、前述の壁をつきぬけることに、そして自分を立て直すことに（道徳的な人格的な意味ではなく、単に人間として、）全力をつくしてゐる。死を思ふこともあるが、これは最悪の卑怯な考えだ。つきぬけて生きたいと思つてゐる。第一には僕自身生きてるがために、第二には母なき子供たちのために、そして第三には……》

この二、三年前、昔訳した「レ・ミゼラブル」が円本全集に入り印税が次々と入った。最低の義務としての学校勤めは続けるが、小説への意欲はすっかり減退してしまっていたのだ。前年、豊島は妻を亡くし、創作は何故かこの年あたりからは童話等の執筆が多くなって行く。翌昭和七年には円本の金も底をつき、豊島は以後金銭との戦いに追われる。

戦後は昭和二十三年の太宰治の死で葬儀委員長をつとめる。二十四年、芸術院会員として天皇招待の午餐に斎藤茂吉らと出席、その後日中友好協会、日本ペンクラブ等で重要な役割を果たし昭和三十年六月に死去。私のところに残る井伊宛の最後の葉書は、昭和28年6月18日付。

《猫のこと有難う。―実は、僕、昨年来健康も思はしくなく、仕事も出来ず、会合や来客との対談を出来るだけさけてる始末。専ら静養。随って。現在白猫二匹ゐるが、あと餘分に飼ふ気持ちなく、猫の世話も家内に一任してる始末。右の次第故、折角の御厚意ながら御断り致したく思ひます。》

というもので、豊島は猫に関する文章も多い猫好きだった。「家内に……」云々は戦後迎えた妹能好子のことである。

決して幸せではなかった中、明晰に苦悩し続けた作家・豊島與志雄を語る上に、かなり重要だったかもしれないこの書簡の半分を、ろくに読んでもみないで売りとばした六年前の自分を今の私は悔いている。

（一九九六年二月）

岡田三郎

（1890〜1954）

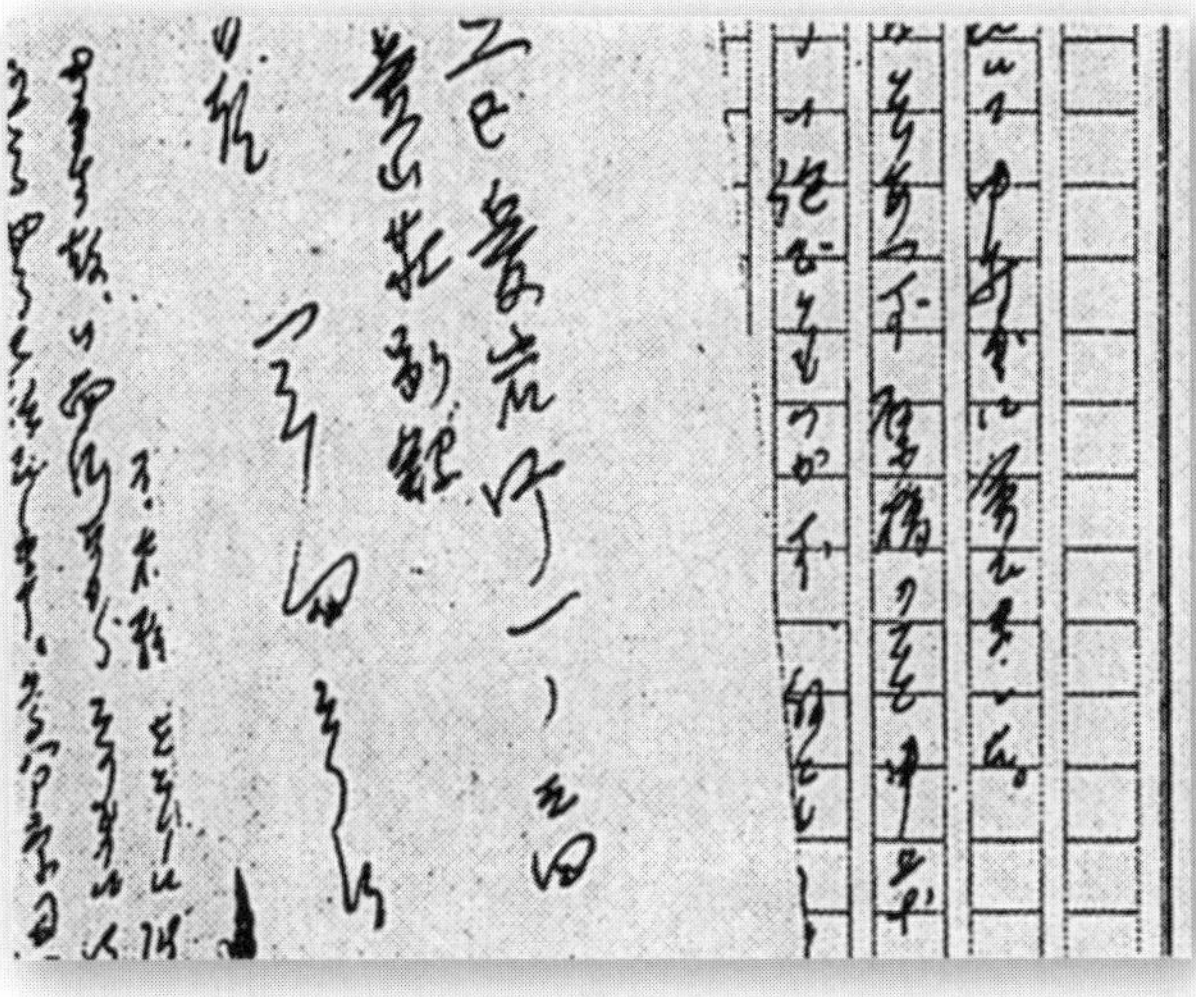

文学全集の、例え何人が一緒でも背文字に名の載る作家は、一応いいところまで行ったと言ってよいのではないか。そのすれすれの作家で、背文字からは落ちたが、どうしても無視出来ないという作家は、末の方の「名作選」で拾われるが、岡田三郎（1890〜1954）もそんな作家の一人である。

私がもっとも信頼し、今も愛蔵する資料として講談社版の『日本現代文学全集』全百十巻があるが、岡田はその百五、百六巻の「現代名作選」の㈠に収録されている。㈠のメンバーは宮地嘉六、中戸川吉二、新井紀一、加能作次郎など十七名で、岡田の収録作品は「伸六行状記」。

岡田は北海道松前市生まれ、始め洋画家志望、上京して太平洋画会研究所に学ぶ。大正三年、早大英文科に入学、七年に卒業して博文館に入社。十年渡仏、十二年に帰国して日本に初めてのコントを紹介。「文芸日本」「不同調」の同人となる。昭和四年「近代生活」同人。また中村武羅夫と神奈川県藤沢に映画会社を創設するが失敗。創作、翻訳、評論家としては活躍、——と言った経歴だった。

岡田は縮れた頭髪、隆い鼻、大きな眼、浅黒い顔と、日本人離れした容貌で女性をひきつける。前記「名作選」の口絵写真でも、一見、藤原義江や萩原朔太郎を思わせる顔立ち。

その頃岡田はパリ時代熱烈な恋愛で結婚した初枝夫人と別れ、軽井沢のホテルに勤めていた女と新生活を始める。女は胸を患い、岡田は通俗小説を書きまくったが、やがてその空しさを夜毎銀座へ通ってまぎらわせる。二度目の妻は療養所で死に、岡田は酒色をくり返すうち、銀座の「サイセリア」で女王のように言われていた「お京さん」と関係、そこの「お艶さん」には部屋の合鍵を貰い、やがて結婚した。その後二人の子をもうけたが、いつか亀裂が生じ、今度は銀座の喫茶店「東京茶房」で働く、宝塚少女歌劇の踊子だった腺病質の少女に心を傾けるようになる。

《銀座西六丁目の東京茶房という店は、コロンバンの右隣りにあたる洋品店の二階にあって、私は年長の友人がその店の経営者と親しかったために、開店当時からの常連であった。（略）この店には一種の新鮮さをもとめて集まる中年の客がすくなくなかった。ウェイトレスが二十歳前後の若年層によって占められていたことも裏通りの酒場にはなかった特色の一つで、のぶ子さんはその中の一人であった》とは、野口冨士男『暗い夜の私』の一節である。

岡田がほれてしまったのはその江尻のぶ子で、妻と二人の子供さえ捨てて入れあげてしまう。二人はこうして芝愛宕のアパートに身を隠した。この愛山荘から、昭和13年2月1日付で「新潮」編集者の楢崎勤に出した岡田の手紙が、今私の手元にある。私はこれを楢崎未亡人から十数年前に、太宰治の葉書二通などと共に譲り受けてあったのである。

《冠省。原稿は今日夕刻までには出来ます。明日午前中にはそちらへ届くやうに取計らふつもりです。

どうやら気持も積極的に動きだせるやうになつて来ました。自分勝手の行動のみとりつゞけ、随分と感情も害されてゐられることと思ひます。第三者をとほして間接に或は何かとお耳に達してをるかも知れず、そのため場合によつては当方の真意も伝はつてゐないおそれもあるかも知れません。些事は清算し近くお目にかかれるやうになりたいと考へてゐます。

先程松喜にて中村氏に会ひました。
今日のところはとりあへず原稿のこと申上げ、旁々簡単ながら御託びともつかず、何ともつかず、右様書きつけました次第。
二月一日
芝区愛宕町一ノ三四
愛山荘別館（電話芝二三五八）
岡田三郎
楢崎勤様
二伸、二三日後原稿料をとりに誰か行きます故、御面倒ながらそのものに御渡し下さるやうに願ひます》

何ともつまらぬ手紙と思っていたが、今度右までを調べて読んで見ると、全く意味のない文面でもないと私は知ったのである。そして楢崎はこの件では「お艶さん」から、「だいたい岡田さんを初めて私が泊めたキッカケは、あなたなのよ」と、当時責められたと、『作家の舞台裏』（昭45）で自身語っている。

この岡田の恋愛事件は、当時の新聞も採り上げ、非常時の時局を認識しない作家の行動は許しがたい、とまで書かれた。秋声、武羅夫、尾崎士郎が相談、岡田をいさめたが聞かず、岡田は少女と新居をかまえる。が、少女は岡田の子を生むと、あえなく死んでしまう。戦後その孫のような子供を連れて、出版社などを廻る岡田のいたましい姿が見られた（高見順『昭和文学盛衰史』などの証言）が、もう昔日の作品に匹敵するものが書けず、岡田もまるで女達に復讐されるように胸を患い病床の人となってしまう。楢崎は前記『作家の舞台裏』に書いている。

《……家内は、不精者のわたしのかわりに、幾度か池袋に岡田を見舞った。見舞うたびに衰弱の甚だしいことを告げた。昭和二十四年五月十二日、朝から暴風雨が吹き荒れた。その午後、長男の一郎君から、父死す、という電報がとどいた。滝なす横なぐりの雨と、傘をたたきつける烈風のなかを、池袋の岡田の家へいそいだ。病魔に食い荒された岡田のやつれ果てたその顔には、まだ布もかけらず、薄暗い、その部屋を三人の遺児がうろうろしていた。枕頭には花もなく、線香も焚かれていなかった。台風のような烈しい雨風が硝子戸を間断なく叩きつけていた》

六十四歳の死だった。

（一九九八年十一月）

芥川龍之介

（1892～1927）

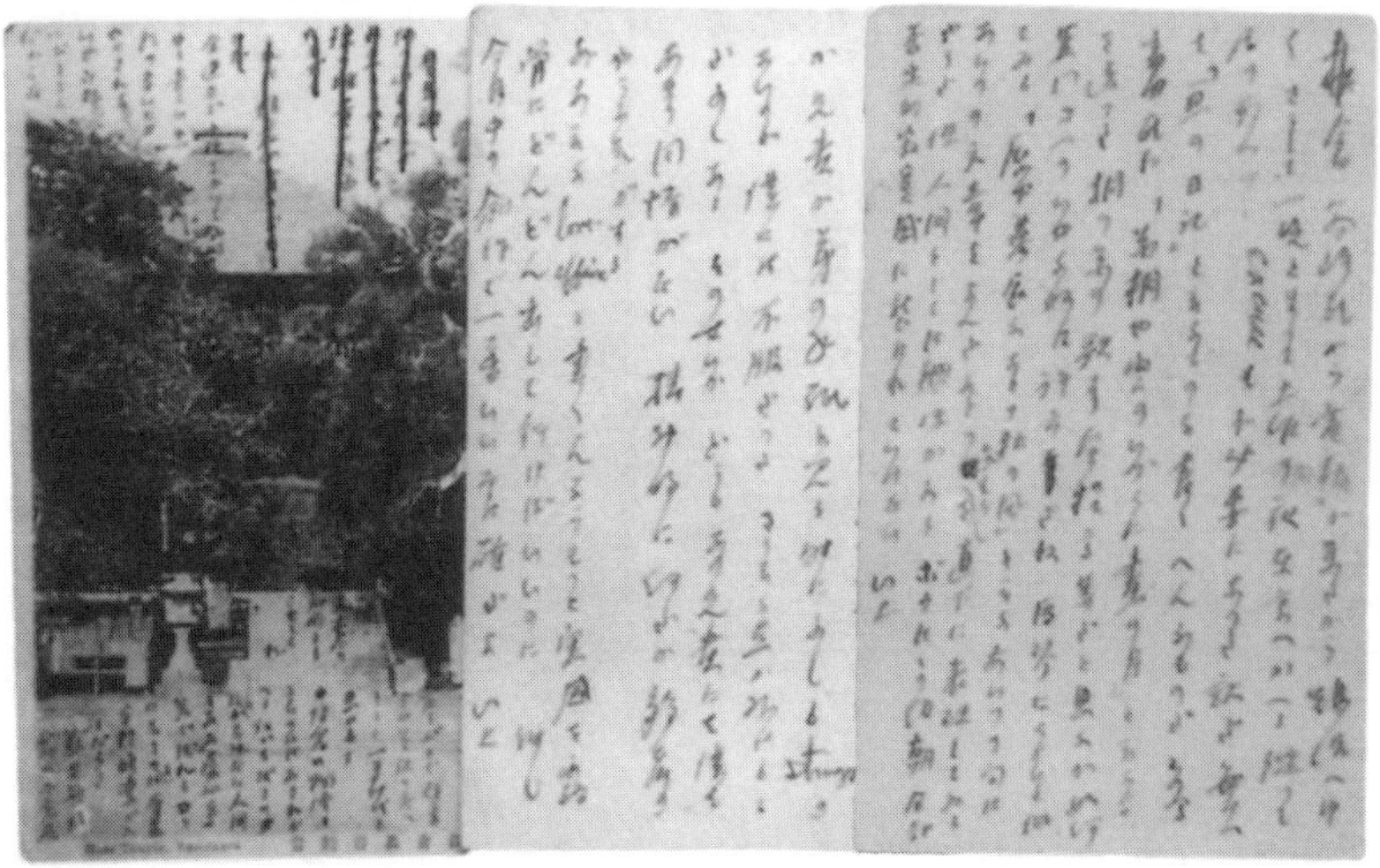

芥川龍之介葉書　久米正雄宛

平成三年七月十七日の朝日新聞に、

「或阿呆の一生」元の姿に
肉筆原稿の冒頭部
老古書店主が寄贈

という大きな見出しの下、神田神保町の三茶書房主・岩森亀一氏の記事が、社会面の半分をさくような形で出た。すでに十数年前、岩森氏は郷里の山梨県立文学館へ「或阿呆の一生」の原稿を寄贈していたのだが、その冒頭部の久米宛書簡（四百字一枚）を欠いていたことが気にかかっていた。その書簡が記事の二年前に市に出た。「これを入手出来なかったら私の面目が立たない」と思い切った値書きで落札、この度の「誕生百年記念芥川龍之介展」を機会に同館へ寄贈された、という経過が報ぜられてあった。

……岩森氏がその久米宛書簡を求めた市場で、私も芥川の久米正雄宛葉書を十通ほど買った。所で、私はもうずっと以前から棚ふさぎの〝個人全集〟の類はほとんど売ってしまっている。で、先日近くの区立図書館へ出かけ、持参の葉書と全集書簡篇とを照合してみたのである。すると所蔵の葉書の大部分が未掲載であった。私が見た印刷された久米宛書簡は、どちらかと言えば資料性の薄いものばかりで、けっこう面白い内容も含むこんな十通もの葉書をとうとう全集へ出さず仕舞いだった久米の行為を私は笑った。

一通を示そう。

《羅生門の会をしてくれると云ふ通知をもらつて時節がら何だか君にすまないやうな気が少しした。が承知した。気を悪くしないでくれ給へ

但廿四日には出られないので廿七、八日の夕にして貰うやうに江口君に通知した。もし君に相談があつたらよろしくとりはからつてくれ給へ今日午後ガタ、乗艦して由宇へ向ふ。伊豆沖で一日くれ土佐沖で一日くれる豫定だ。胃の調子が悪いので酔ひさうな気がしてゐる》

このあと「○はたるる靴の○さやほととぎす」の句が加えられているが、消されて「○」の部分は判読出来ない。大正6年6月20日付、「横須賀にて　芥川龍之介」の署名。芥川、久米ともこの年二十六歳。葉書の文中「……時節柄何だか君にすまないやうな……」が何を指すのかは不明だが、芥川は前年十二月より横須賀の海軍機関学校に英語の教授嘱託として就職していた。「今日午後ガタ、乗艦して……」は「六月二十日―二十四日軍艦金剛に乗り横須賀から山口県由宇まで航行。岩国、京都に寄って帰る」の年譜記事と符合する。そして二十七日の、日本橋のレストラン「鴻の巣」での出版記念会「羅生門の会」への出席となるのである。

その記念写真に、つつましく久米が立つのは当然だが、この時の二十三名の出席者の中から多くの近代日本文学史上大きな足跡を残す人達が出るのはのちの話である。

ここでもう一枚を写そう。

《拝復
五十両調達出来て難有い。今日は○○（二字不明）落意識に襲れて居た際だから君の手紙を見て起る元気が出来た。その意味でも難有い。金は書留で田端四三五僕宛で送つてくれないか。さうすると今度の土曜日にすぐ拂つてしまふから。久保氏にはよろしく礼を云つてくれ
足の腫物デイフイリスにもや暮の春
春風に青き瞳や幼妻（文壇未来記一句）
寫懐二句
片恋や夕冷え冷えと竹婦人
青奴わが楊州の夢知るや否》

こちらは大正7年1月29日付。年譜によると、芥川は二月二日には十八歳の塚本文と結婚を控えた身であった。それが、その三日前に久米に五十円の金策を依頼、久米は多分「久保」という人に芥川の借用を世話したのであろう。そう言えば、あの出版記念会の記念写真中には「久保」も写っている。昭和三十九年刊の『近代作家研究アルバム・芥川龍之介』（筑摩書房・葛巻義敏、吉田精一編）には姓だけの「久保」、そして現在では「左より芥川、二人おいて日夏耿之介、一人おいて中村武羅夫、田村俊子、一人おいて佐藤春夫、滝田樗陰、有島生馬、一人おいて豊島与志雄、赤井桁平、谷崎潤一郎。立っている人たちの中央奥より江口渙、一人おいて加能作次郎、一人おいて小宮豊隆、和辻哲郎、松岡譲、久米正雄」的説明で名をはぶかれ、「久保」は結果的に無名で終って

しまったのである。

芥川は、このように生身の人間としての久米に世話になり続け、全芸術を書き終えて死する時も、久米を最も信頼して遺稿「或る阿呆の一生」までも托したのである。私達古本屋は、その文学の質ばかり見てとかく人間を見ようとはしない。『羅生門』の初版一冊の前に、久米の全著作を積み上げても久米に勝ち目はないのだから。

私は、図書館で久米が全集のために選び、差し出したものであろう手紙を笑った。が、この何日かで、私の浅はかさを感じ出していた。久米は実は、いくら若き日のものであっても親友の借金を証する事柄に触れた文章など公表することをいさぎよしとしなかったのかもしれない、と思うようになったからだ。一方芥川は、久米のそういう常識人的なところに、終生信頼を置いていたのかもしれない。

逆に久米を文学者とみる時には、久米のそういう人のよさが結局は大衆文学に走らせ、やがては文壇をにぎわす社交家にさせてしまったのではなかろうか。


（一九九三年二月）

秦　豊吉

（1892〜1956）

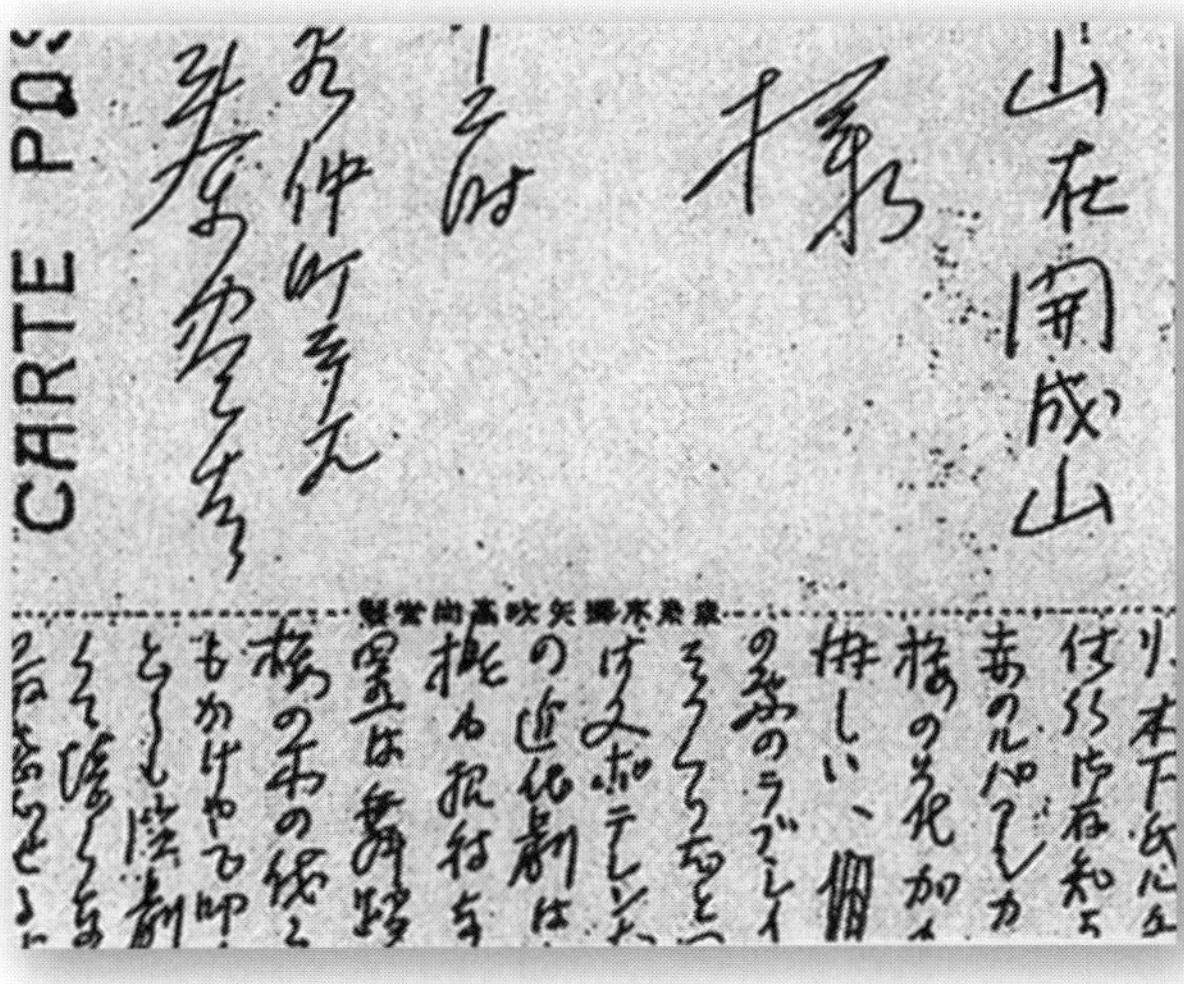

昭和十八年没の島崎藤村の命日は八月二十二日、今年この日を期し、昨年秋からかかわって来た『藤村（資料）コレクション』（全四冊・国書刊行会）が十一月まで毎月刊行される。思えば藤村づけの私の一年間であった。

蒐集四十年に亘る藤村文献は膨大なもので、積み上げた中には『わが恋する未亡人』（昭25・丸木砂土著）などというのが入っていて、何かの間違いかと思った。が、「柳ばし」なる項に、《柳橋には、もとの新片町、今の柳橋一丁目に、島崎藤村が『新片町より』を書いた家の跡がある。左隣は待合『藤や』、右隣駄菓子屋、その間の小さな二階家であった。／藤村先生は浴衣がけで、魚屋の団扇をつかい、銀杏返しに色白の、大柄な若い方が茶を注いで出されたが、これが『新生』の女主人公であつた》——で始まる約十行が枕に使われてあり、取って置いたらしい。今号は右の丸木砂土＝秦豊吉の、若き日（大正4年・23歳）の東大での友人・久米正雄宛葉書四枚を写そう。なお秦は大正六年、一歳上の久米は大正五年に卒業する。

《昨夜例の「桜の園」を見にいつたが時間をまちがへて序幕を全く見なかつたので、いづれもう一度すつかり見直しにゆき、くはしい事はその節知らせる。絵ハガキも昨夜はまだなかつた。出来てゐたら今度言つて送らせます。

何分小山内さんの監督とかだからめちやくちやなことはない。しかし役者は孔雀の軽快なるさまのみ目に残り、伊庭君の大学生、沢田君の兄なんてひどい。伊庭君のはもつと強いワルガアな処が欲しいと思つたが、例の通りといへば君にも分らう。（やつぱりどうも脚本を読んで想像する

方が余裕があつて万事いい。見るととかくあらが見え）しかし四幕目なんか全くいいと思つたよ。殊に天才孔雀がコダツクを肩にかけ、黒の外套を着、赤い帽子を冠つて大学生と連れ立ち勇ましく部屋を出てゆく処なんか涙が出たよ。沢田君が一番酷かつた。浦路の主人が黄白色の絹服に真紅のかうもりをさした処はいづれもモスコオ土産だらうが中々いい。桜の木の伐り倒される音は、案外音がまづくつて想像通りいかない。しかし舞踏会の（三幕目）の舞台面はおもしろいよ。いづれくはしくは後便。僕は嘉永安政に没頭。（大正4・7・21日付）》

《けふ楽の日だから又出かけて、序幕から見ました。すべて変つたことをし、何だかもう僕の頭は頗るわるくなつてチエホフの情味がつく〴〵味へなくなつたのかしらと思ふ程印象がうすい。批評は楠山氏が来月の演芸画報でやる由、僕は書かない。／伊庭君の芸は見れば見る程唾棄すべし。孔雀の服芸のうち　形の帽子は黒がかつた赤で、コダツクと前に言つたのはその形のいろんな物をいれるさげ鞄だ。（肩より吊す）手品は悪おち処ぢやない、頗る有効なり。けふは（今帰つてきたばかりだ）特に音楽と音響とに気をつけて見たが、どうもうまくいかない。／田中君への伝言たしかに伝へたり。木下氏に逢ふ。赤のルパシカは二人着てゐた。桜の花が少し出し足りないで淋しい。二幕目の林の処のラブシインは金色夜叉そつくりだと田中君いふ。孔雀は又ポテレンだと、とにかく今度の近代劇は客なき事夥しく、概ね招待なり、と。舞台装置は舞踏会の処、最もよし。桜の木の伐られる音は何でもかけやで叩くやうだ。どうも、演劇雑誌がやりたくて堪らないよ。最も感心した点——人物の動き。（大正4・8・1日付）》

《拝復、「うき世新聞」なるもの未だ見ずお差支へなければ拝借したく、御郵送下さらば幸甚、なほ明治二十年頃の「やまと新聞」御所蔵なきや、又は所蔵せられるゝ方御存知なきや。上野図書館にもなく大困り。／昨日、上田敏博士を訪ふ。田之助の用也。得る処なかりしも、他の文芸談にありてはその有名なる博学に接してびつくりす。菊池をほめてゐた。

とりあへず御願ひまで。御上京を待つ。八月二十六日朝（大正4・8・26日付）》

《近況如何。僕は今月中芝居ばかり見て歩いて、一枚も何にも書かなかつた。先日は一寸小山内さんの処へ上つたら、君の話がすぐ出て、対五九郎の談判について今朝五九郎から使が来て、どうしたもんだらうと相談に来た由。それから始まつて君、山本文学士の悪口さん〴〵に聞かされひいては僕に及び今月は新潮の例の雑誌批判で三田文学の○《不明》劇研究の悪口を言つたのがお気に召さず、いつにない御立腹だらけ、かくして信用失墜逃げるに如かずと引上げた。／劇界珍談なし。小山内さんの演劇学校、芸術座の演劇学校、何れも九月頃から開講の由、前者は「学者」は入れぬ由、後者アクチングの先生、実に田中介二君。我等よろしく緊褌一番の秋也。今月見たもの帝劇、カブキ、三崎座（四谷怪談）蓬来座等。暑さにうだつてとんと遊び通しだつたから、来月はうんと勉強するつもり、早く上京し給へ。東京は面白い。（大正4・8・28日付）》

以上は福島へ帰郷中の久米に宛てたもの。実は前年分のも二枚あり、これは本郷森川町の久米の下宿宛のもので、中村星湖を訪問するが一緒に行かないか、というものと、明日は女中だけだから遊びに来てくれと言った文面。又写した四枚の一枚は舞台写真の絵葉書で、秦は装置や衣装の色や俳優名をペンで説明している。上山草人という説明もあり、葉書文の人名はそこから想像される。即ち山川浦路は上山夫人（?）、沢田は正二郎、菊池は寛のこと、山本文学士は山本有三、勿論、小山内さんは小山内薫のことであろう。

秦はしかし、初め三菱商事ベルリン支店に勤務、昭和八年からは小林一三の宝塚劇場に転じ、戦後は帝国劇場社長に就任。傍ら、多くの随筆集、『西部戦線異常なし』等の翻訳書を手がける。ともあれ古書の面からも何となく気になる、この事業家兼文学者の一面はすでにこの葉書文には出ているように思われる。

（一九九八年九月）

葉山嘉樹

（1894～1945）

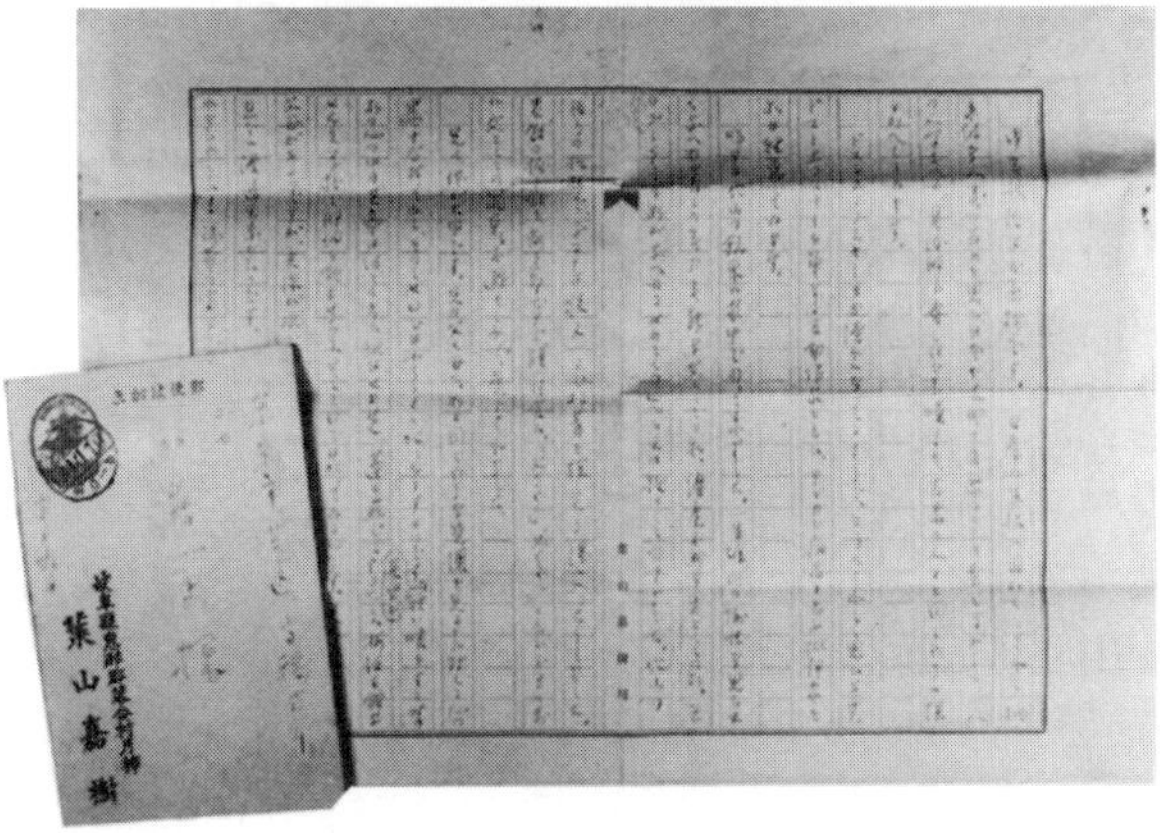

葉山嘉樹書簡・葉書　加藤一夫宛

ここに、裸の、未発表書簡が一通ある。発信年不明だが、その作家の、その時代の心境、家族への思いが書かれていて貴重。その作家には幸い日記が公刊されている。それを読み進めることで、書簡の投函日が探れないものか？

――こう思って取りかかり、今回予想通り解明することの出来た、日本プロレタリヤ文学の代表的作家・葉山嘉樹の筆跡が古書市場に現われることは稀だ。それでも私は、この四半世紀の間に原稿を一点、加藤一夫宛の封筒に日付ナシの手紙一通を買ってあったのである。

葉山の全集は四、五年前の市場値で五、六万もし、その頃私はこの全集を売り飛ばしてしまった。で、また区立図書館へ行くとすぐ借りることが出来た。手紙は未載であった。幸い「日記」にこだわり続けている私のところに『葉山嘉樹日記』（昭46・筑摩書房刊）はあった。ともかくこの書簡に描かれたと同じ日を日記に探そう！　が、Ａ５判二段組で六一二頁もある日記読みは、少々大変な作業だった。

三四六頁の、昭和十二年九月二十六日の一行目に、「穴山温泉に家族総動員にて行く」とあり、これだ、と思った。葉山はこの日を次のように書き次いでいた。

《朝から握り飯を拵らへ、リユツクを背負ひ、川魚と削り節を弁当箱に入れて、美女ヶ森から小鍛冶を経、渡しで穴山鉄鉱泉に行き、湯に入る。／松山で取れた松茸と、竹輪、焼豆腐の煮つけを出して貰つて、昼飯に握り飯を食ふ。／皆驚く程食つた。／胃腸にいい湯だとの事なり。湯治客相当あり。／午後四時、帰路につく。湯代やお菜代などで、全部で五十銭だと云ふ。安いのに驚

いた。／一泊料七十五銭、昼食二十五銭だと云ふから安いのは木賃以上だ。平民的なる鉱泉であつた。／浴泉は奇麗であつた。／民樹、百枝等、裏の松山にて松茸を探して、モチ茸と云ふのを採つた。／帰路は中沢へ出、天竜大橋を経て、日暮れ方帰宅。／みな快く労れ、快く眠る。／子等に、どうせロクな思ひ出を与へ得ない父であるから、今日は小《ママ》しは足しな思ひ出を与へようとてなり。／菊枝、リユツクより重い三千枝を背負つたので肩が痛いと云ふ。サロメチールを塗つてやる。》

——この次の日、葉山は加藤一夫に次の書簡を出したのである（傍点は筆者）。

《御不沙汰はお互様です。日常の生活に目かくしされて、抽象的な人類の爲めを思ひ、日本や支那の民衆を案じながらも、一人の人間さへも、具体的に愛し得ない嘆きを、古来の人々と同じやうに探りかへしてゐます。

ドストヱフスキーをお読みになつてるさうで、とてもうれしく思ひます。ドストヱフスキーを単なる反動作家と云ひ、テンカン病者と云ふ批評を私は軽蔑してゐます。

昨日は穴山の鉱泉に家中で行つて来ました。一生涯、何の愉快な思ひ出を与へ得ないこの無力無能な父としての私、優柔不断な男としての私。そのグータラな私が与へ得るせめてもの思ひ出の種として行きました。穴山の後ろの松林で、子等は猿又一つで松茸を探したり、湯に入つたりしました。麦飯の握り飯を、削り節だけで、腹一杯食ひ、「父ちやん」「父ちやん」と云ふ子等の前に、父としての罪悪、不遜をしみ〴〵覚らされました。

兄も、体が大切です。兄の父も母も、私と同じやうな感懐を兄等に対して心の中で十分持つてゐて、そのくせ口では小うるさく叱つたりするのです。長男が軽い咳をする時の私の心の中の苦痛は何とも云ひ現はせません。蓬を煎じてやつたり、梅酒を飲ませたり、学校で肝油を飲ませたり、そして口では叱つてゐるんです。兄にも、かう云ふ父母があるのですが、光線が水で曲るやうに、愛情は○○（不明）で曲つてしまつて、真つ直ぐに浸透出来ないのです。兄も体を真から丈夫にして下さい。お灸は忘れないやうに！　浅草の富士灸で時々灸をして貰つて、それからは家で据えればいいでせう。

湯浅君の妻君は信州の人です。叔母さんが本町の肥野屋鉄工場（役場の側）にゐるんださうです。親戚廻りに来て寄つて行つたんでした。

万場君、唐沢君、石川君等は時々来てくれます。九州人の私が信州で孤独な許りでなく、信州人が信州の生れたところで孤独で暮してゐます。今日本には、どんなに沢山孤独な人ばかりゐることでせう。言語は内から口から内臓に向つて発せられる。林房雄のやうな狂噪性患者だけが喚き立てる。

青野でも、鶴田、伊藤でも、誰でも御紹介します。青野へ御紹介申し上げれば、その他は一人でに会ふ機会が出来るでせう。他の連中は必要ならば又書くとして、とりあへず青野君への紹介状を同封して置きます。

　加藤一夫兄》

……大正末期より昭和初年にかけ、「淫売婦」「セメント樽の中の手紙」「海に生きる人々」等の傑作を書き大活躍した葉山も、次第に時代に追いつめられ昭和九年、東京での生活を清算、天龍川門島の下流、明島に去って鉄道工事に従う。十年九月、一家をあげて上伊那の赤穂村へ移り、釣りの毎日。時節柄、原稿書きは注文が細り、生活は窮迫する。こうした背景の中の、葉山四十三歳の日記と書簡であった。

その後農民になる決心をして中津川へ、更に西筑摩郡山口村へ移ったがどこも安住の地とはならない。昭和十九年、満州の開拓村に移住、二十年十月、敗戦で帰国の途中列車内で病没。葉山はまだ五十一歳であった。

一方受信者の加藤一夫（昭26没）とはどういう人か。詩人、評論家で、「アナーキズム——農本主義——天皇中心主義という、歴史の必然性を無視したところから起こる展開の一つのケース」（田中保隆）と言われている。

（一九九三年四月）

渡辺順三

（1894〜1972）

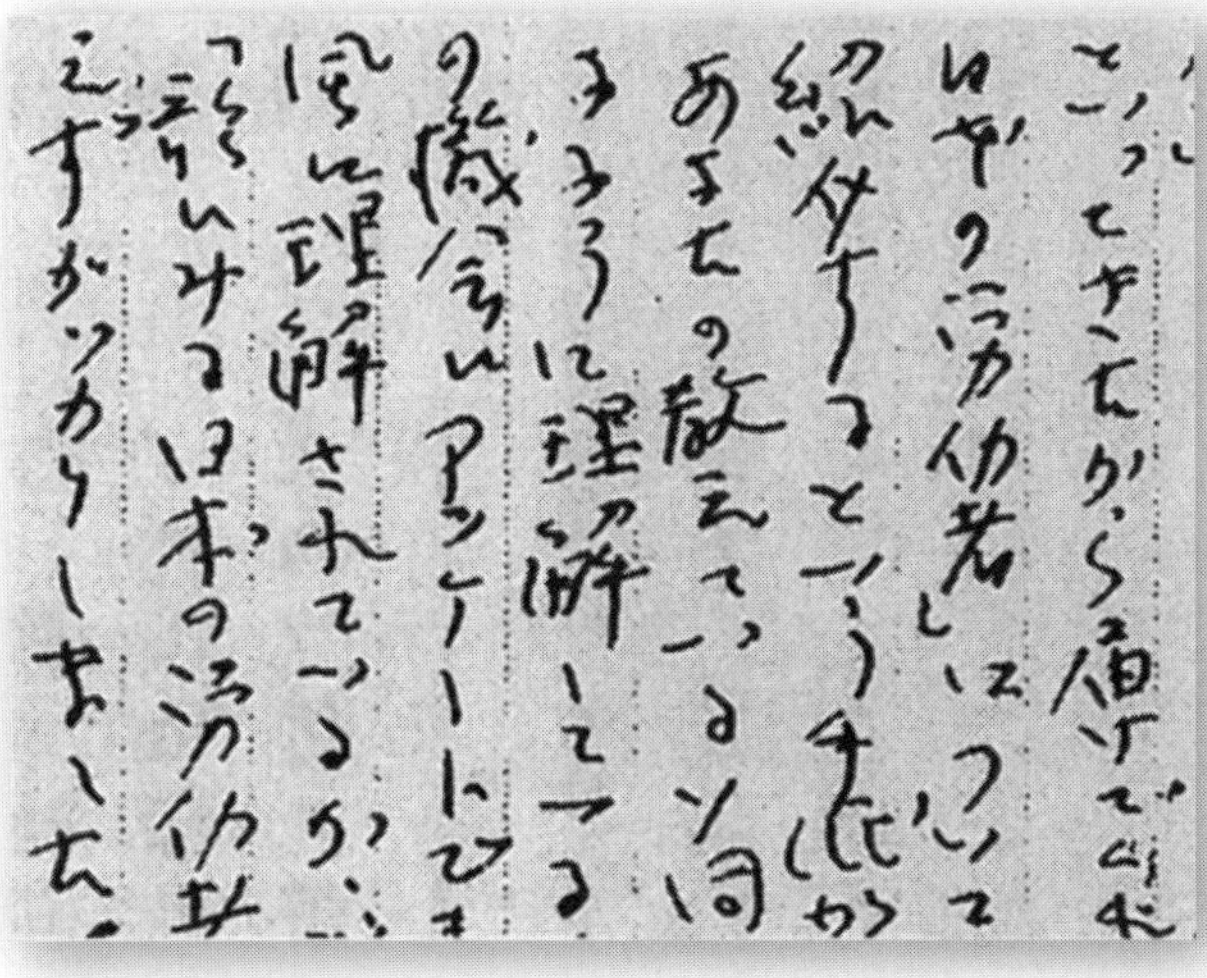

例のソ連レニングラード大学で日本語教授をしていた岸田泰政宛の、渡辺順三（1894～1972）書簡三通を紹介する。

渡辺と言えば、印刷屋を始めた大正十三年、自分で活字を拾って出した第一歌集『貧乏の歌』、昭和二十四年の『近代短歌史』（真理社刊・のち昭和三十八年、春秋社より『定本・近代短歌史』が出る）で著名である。また戦前の「短歌評論」、戦後の「新日本歌人」の編集者としても活躍、その革新的姿勢から投獄、貧困にも苦しめられ、一時下北沢で古本屋「大地堂」を営業したことでも知られる。

――一通目は昭和三十一年のもので、渡辺は六十一歳。

《岸田泰政様　　渡辺順三

一九五六年の新春を祝いあなたの御健康を祈ります。手紙を書こうと思いながら、年末から正月にかけて雑用に追われ心ならずも失礼しました。「愛唱めぐり」の第二回も頂き二月の記念号にのせることになっています。あの文章は会員の人にも喜ばれていますのでどうぞおつづけ下さい。

作品2の欄についても触れていただけると幸いです。

口語、行分けの歌は私たちの間でもいろいろ問題になっていて、私自身にも解決できない問題があります。一般の歌壇から見ても短歌の用語が次第に口語化しつつあり、発想も口語的になってきていて、そのためにいわゆる破調的になっているものが多くなっています。これは自然のなりゆきとして認めざるをえませんが、われわれはこれをもっと積極的に、口語の使用と、口語による新しい短歌的韻律の創造ということを昭和初頭のプロレタリア短歌運動以来主張して来ていて、私も以前は口語、行分けを多く作ってきたのですが、それがともすると短歌とはいえないものになりがちで、私などには短歌的なものへの郷愁から結局あともどりして、最近では文語定型を多く作っています。しかしやはり口語による新しい韻律の歌というものに将来性を考えますので、何とかいい歌を作りたいと思うのですが、どうもむづかしくてうまくゆきません。その点信夫澄子さんなどは私のように古くから文語定型をやっていないので、その影響が比較的少ないせいか、口語で新鮮な味を出しているように思います。とにかく短歌というジャンルにおける用語型式の問題はいろいろ複雑だと思います。

先日北海道にいる石田草次郎という人から「新日本歌人」の十二月号をみて、以前樺太であなたを知っているというハガキをくれました。この人は二十二年に帰国し、後志短歌文学会というのをやっているそうで、歌人協会にも入りたいといっています。

東京も今年の冬は温かでしたが二三日前から本格的な冬になり、北陸地方は大雪とのことです。東京はまだ雪は降りませんが、寒さは相当なものです。私のような老人は冬になると仕事の能率が上らず困ります。そちらの冬は東京などとくらべものにならない寒さでしょう。どうかくれぐれも御自愛下さい。「新日本歌人」一月号おそくなりましたが只今お送りします。

一九五六年一月十一日》

渡辺は、啄木の伝統を受け継ぐ生活派の短歌を、プロレタリア短歌にまで発展させる名実共に中心となった歌人である。実作も初期とごく後期のものを除き口語歌であり、右の書簡を見るにつけ、今流行の俵万智の短歌を見せてみたかったという誘惑にかられる第一の人でもある。

次に、昭和三十二年に出された二通目の書簡を写そう。

《久しぶりでお便り頂きありがたく感謝いたします。いろいろ御近況お知らせ下さって、御活動の御様子がよく分りうれしく思います。われわれの短歌があなたのお力によってソ同盟の人たちに御紹介下さっていることは何といってもうれしいことです。「十二人の死刑囚」を読んで下さる人がソ同盟にもあることもうれしいことです。早速お送りいたします。先日「日ソ図書館」からコムアカデミヤの図書館から「十二人の死刑囚」を一部寄贈してくれといってきたから届けてくれといってきましたので届けておきました。「歌にみる日本の労働者」について先日中国の文芸家協会の機関誌「芸文」に紹介するという手紙がきました。

あなたの教えているソ同盟の学生たちが日本の短歌というジャンルをどんなふうに理解されているか、興味をもっているかを知りたいものです。「歌にみる日本の労働者」は、出版社が破産したため印税も全然もらえずガッカリしました。ところが今度は「四季分類作歌辞典」も一冊出て、二冊目校正中に出版社がダメになり、これも金にならなくなりました。

この一、二年にやった仕事がみな金にならず閉口しました。中小企業の出版社が大資本に圧迫されてつぶれてゆきます。特に民主的な出版社は経営ができなくなっています。こんなことはソ同盟などでは想像もできないことでしょう。「新日本歌人」も六月号昨日お送りしました。四、五月もお送りしてあります。四月号から信夫さんが編集責任者になりました。そして誌面も大分変ってきています。私たちは労働者の作品を尊重し、その向上と普及に力を入れています。歌壇のジャーナリズムではモダニズムや誤った近代主義的傾向のものが流行していますが、私たちはあくまで健康なリアリズムの立場に立って、これらの流行とたたかっています。東京はもうソロソロ梅雨期に入ります。今日も雨です。

遠い異国で御活躍のあなたの御健康を切に祈ります。私たちも元気で平和と独立のためにたたかいます。かたい握手をおくります。

六月六日　渡辺順三

岸田泰政様》

この連載が丁度五十回ということで、いつもの倍の頁を頂けることになった。元々、渡辺の(下)は『太陽のない町』の徳永直のことにも係わる予定だったので、この親しい友人で同志でもあった作家のことを詳述することで、責めを果たしたい。

前回、渡辺が食うために戦前、下北沢に古本屋「大地堂」を始めた話は記したが、渡辺の自伝『烈風のなかを―私の短歌自叙伝』(昭34・新読書社)を読むと、編集していた「短歌評論」が弾圧でつぶれ、昭和十三年一月号で終刊した、とある。渡辺はそこに、

遠い遠い
春を待つせつなさだ

荒涼とした野道の日ぐれ

などの口語歌を載せており、とくにこの一首は代表作の一つとなった。失業した渡辺が最初に始めたのは「世田谷読書会」なる回覧雑誌の会。ところがこれまた、表面は読書会を装いながら、何か組織をくわだてているのではないかと、特高がうるさく会員の調査までするようになった。そこへ、「それなら、小さな古本屋でも出したらどうだ」と言ってくれたのが徳永直《すなお》だったのである。

渡辺が徳永と初めて会ったのは昭和六年、豪徳寺に移った頃で、徳永が経堂へ越して来たからである。すでに「街の印刷屋」を八年やった経験のある渡辺と、活版職人だった徳永だから話も合い、二人は急激に親しくなった。親しい関係は戦後も徳永の死まで続くが、手紙の紹介の前に徳永の戦後を少し説明しなくてはならない。

戦時下、国策文学団体「農民文学懇話会」に参加したりして体制側に近づいた徳永も、昭和二十年の敗戦と共に新日本文学会の創立に参加、二十一年一月には日本共産党に入党する。同月二十日、「『太陽のない町』の復刊」を「東京新聞」に載せた。昭和十二年に絶版声明を出していたのを自己批判し、十二月には新日本文学会より再刊させ、戦後期の活躍が始まる。昭和二十五年、「世界」七月号に徳永は短篇「日本人サトウ」を発表。これは「パルチザン部隊に身を投じて命をすてた佐藤三千夫の生涯を実証的に描いた佳作（浦西和彦）」と言われる。

一方徳永は、すでに昭和二十年に妻トシヲを亡くしている。二十三年、山口カネと結婚、昭和二十六年離婚して壺井栄がこの破婚を『妻の座』に描き、徳永も『草いきれ』を書いて、「群像」誌上でモデル問題を巡って論争した。年譜によると、このあと早くも二十六年六月鈴木晶子と結婚

（二十七年協議離婚）、二十九年四月、辻ヨシエと結婚とあり、読む者を少し戸惑わせる。そしてこの昭和二十九年、徳永はソビエト作家同盟第二回大会に招待され、岩上順一とともにモスクワに渡り、帰途中国を訪問し、翌年三月に帰国した。

——実は、この昭和三十年十二月に、徳永は当時ハバロフスクにいた岸田泰政宛に左の書簡を出すのである。

《岸田泰政様——はじめて御意を得ます。私、小説かいている徳永直というものです。じつは友人の渡辺順三君にあなたのことをきいて、お手紙さしあげるのですがじつはハバロフスクにいらっしゃるときいてお願いがあるのです。

それは私には亡妻の近親にあたり、日本共産党員でもあった日本人佐藤三千夫（故人）について、すこしでも結構ですからご調査ねがえぬだろうかと思ってです。この人はソ同盟内戦当時パルチザン隊員として活動し、死亡した唯一の日本人で、こちらでもいろいろ調査をしております。また私、今年ソ同盟作家大会に招かれてモスクワにいったとき作家同盟を通じてその調査方依頼してありますが、まだ出来てきません。それで箇条書にしますが、次の点でたしかにそちらに実在するかどうか、お知らせねがえればありがたいです。

○墓　　地　　ハバロフスク赤軍墓地
○死亡年月日　一九二二年十一月廿七日

○本　　名　佐藤三千夫（佐藤進）と改名せしことあり
○出 生 地　宮城県登米郡登米町字寺池
○死亡場所　ハバロフスク陸軍病院

以上のほか、何かわかってることがありましたらお教えねがえますまいか。遺家族は現在宮城県で妹三人がくらしていますが、三千夫が長男であるため、町役場の戸籍では生存していることになっており、家督相続もできぬ状態です。もちろん貧乏ですから名義だけにすぎませんし、また箇條書が判明してもそれだけで死亡確認ということはすぐにできぬと思いますので、それはすぐ求めませんが、遺家族は当時遺品の一部が見知らぬ人々に届けられて、箇條書のことを知っているのですが、ほんとに墓などそちらにあるかどうかわからず不安に思っています。従ってそれが判明すれば非常に安心するわけです。私のきいたところではこんどの戦争で、そちらに抑留されてかえってきた登米町出身の兵隊のいうのではハバロフスク政庁の玄関に佐藤の写真があって東北出身の兵隊はよく佐藤のことをきかれたということでした。私も日本にきた証拠品の一つに写真があって、ロシヤの人々にとりまかれて葬式が行われている風景や、棺の中の彼の顔、または砲車にのせられて墓地にむかって行進する場景の写真などみました。

たいへんお忙しいところすみませんが、一つでも二つでもわかっただけで結構ですから手紙なりでお教えねがえぬでしょうか。待っているのは遺族ばかりではございません。》……云々。

（一九九六年六月）

高橋鏡太郎

（1913〜1962）

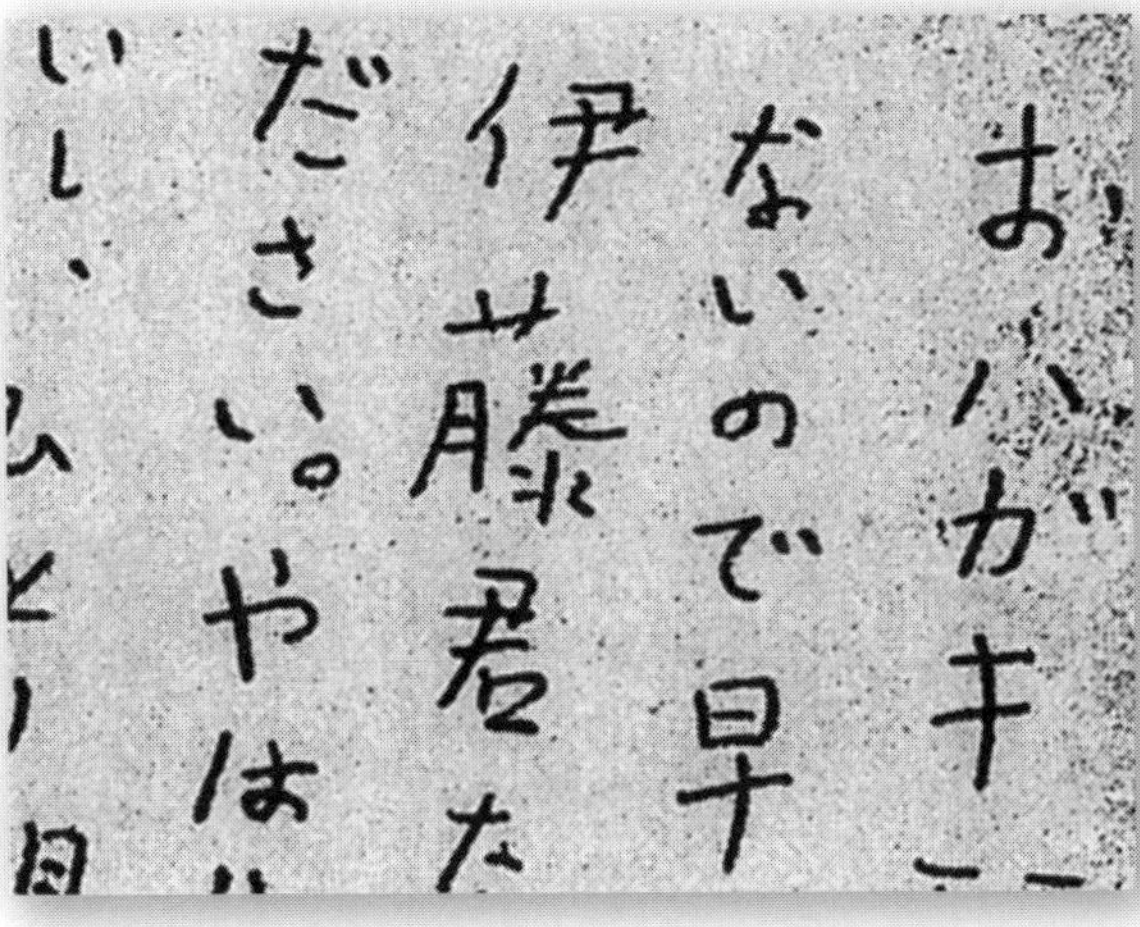
おハガキ
ないので早
伊藤君た
ださい。やは
いし、

（上）

読売文学賞にもなった石川桂郎『俳人風狂列伝』（昭48）は、山頭火、癖三酔、放哉、三鬼等十一人を取上げた本だが、列伝の巻頭にすえられているのが高橋鏡太郎だ。昭和三十四年、肺結核で入院した鏡太郎に、一年後退院の許可が出る。この時彼のとった行動は凄まじいものだった。深夜、重症患者の痰コップからその液体を己がコップに移し盗み、ベッドに戻るが早いかその半分を残し半分を飲んで、検痰検便に備えたという。評伝はこの場面から始まるが、それまでどん底の生活から知友に迷惑をかけ通しだった彼とすれば、この三度の食事にありつけ、寝たい時に寝、本も読め、好きな俳句や詩を作る暇もある生活を失いたくなかったための、この行為だった。……今度紹介しようとする鏡太郎の葉書八枚は、同じ詩人・牧章造宛である。とりあえず、昭和24年1月21日、3月27日付の二枚を写そう。

《先達の晩新橋駅で鈴木楊一君にひよつこり逢ひ、貴兄のお噂うかがひました。その後拜眉の機会を得ませんが「群像」の御作に接して御健在なのを知りました。いつぺんゆつくりお目にかかりたく、この廿日過ぎにお訪ねしたいと存じます。

先づはちよつとご挨拶まで》

《先達の「詩の会」は仕事を終つて駆けつけましたが散会後で、お目にかかれず残念でした。詩人連中元気なくお通夜のやうでしたが、それでも林君ひとり元気で酒をのみ出したら、若い某詩人にカラまれたのには呆れました。林君と新橋で飲み直し同君宅へ一泊、翌日の夜訣れました。二人とも佐藤春夫さんのところで一緒なのです。／今年はよい仕事をしたいとおもつてゐます。湯ケ島から戻つたところ、躯がよくないのでまた伊豆に行くつもりです。ではごきげんよう。》

この年、鏡太郎は三十六歳、初々しい文学青年のような文面だが、あくまでこれは詩人の一面でしかなかった。残念ながら、それは「牧章造」の証言ではないが、手元にこの辺りに当てはまる文献があったのを思い出した。……私がまだ、商いの本探しのため屑屋さんの問屋廻りを日課にしていた昭和四十年頃の話だが、足立区内のある建場《たてば》で、「牧野三郎」なる詩人が処分した沢山の資料を買った。井上康文、林冨士馬などの書簡も混じり、敗戦直後は結構嘱望された人だったと分かった。その後は生活のため公務員となり、役所内の文学サークルを主催するなどで詩作活動をしていた。その機関誌「るーぺ」12号（昭37／8）に牧野の「高橋鏡太郎の死」が載せられている。

「『牧野君のフランス語はきれいだね。アテネ・フランセを続けるといい』と高橋鏡太郎がいった。もう十五年になる」が書き出し。牧野が鏡太郎に初めて合ったのは二十二、三歳、昭和二十二年頃で、西巣鴨の林冨士馬宅であった。葉書中の「林」が冨士馬であることは言うまでもない。まだ東京は復興バラックが立ち並び、焼跡には夏草がむんむんと生い茂っていた。林宅から池袋に出ると、そこは露店と街娼の町だった。詩人は食べ物には飢えていたが、詩はよく書けた。綜合雑誌も詩が巻頭を飾り、詩人は限りない野望に燃え、幸せであった。林は「新現実」を出し、牧野も井上康文の「自由詩」を手伝う。――「新現実」の何号目かの同人会の帰り、牧野と冨士馬は鏡太郎に誘われ、葉書にもある「新橋」へ繰り出す。何軒か飲んで二人がもう金がないと言うと、鏡太郎は二人を裸電球のせせっこましい飲み屋に連れて行き、「僕の家内を紹介しよう」と言った。細っそりとした眼の美しい女で、女は二人に主人の平素の失礼を詫びた。すると鏡太郎は女に、「挨拶はいい」と制し、二人に言った。「たんと飲んでくれ、いくら飲んでも只だ」……が後日、牧野は女が鏡太郎の酒代のかたにそこで働かされているのだと知る。

次に、昭和二十四年夏（6／30・7／11・7／13付）の大阪旅行での鏡太郎の葉書を示そう。

《大阪はさすがにのんびりしてゐます。いや、のんびりしているのは僕の方かもしれませんが……。小寺家に三泊、ゆうべは別の友人宅で一泊、今夜は南田辺（表記の）にゆき、ここで数日滞在します。七月上旬、友人達と四国にわたり、徳島の旧友と久闊を叙し、一ケ月許り釣でもしてくらす予定。女房が早く集金してくるのを待機します。マコは大きなドロ亀をバスケツトにいれて、これも元氣。森ノ宮ベンチにて。》

《ゆうべ十時四十分でマコと緑をかへし、ひとりになりホツとしました。今朝は少年時代を送つた老松町にいき伯父達のやつてゐる肉屋〝江戸留〟で久闊を叙しました。三階建のコンクリートの店が焼け残り、相変らず盛大です。みんな寄つてきて懐しがつて呉れます。

此方で依頼された原稿もあるのでもう少し滞在します。駒柵、片岡、貴志、鶴家のマスターの諸兄によろしく。伊丹で左眼に重症を負ひ、金ピラ詣の森の石松よろしくといった恰好です。》

《リユツクにギターいつちよう、のん気なもの。緑にマコを託してから、再び大阪の街を転々としています。今日、住中に伊東靜雄先生（但し国語の）をたずねたが病気で休校中。詩人で逢いた

いひとはこのひとだけです。
小説十二、三枚で、調子がよすぎるので一ぺんペンを擱きました。頼まれた雑文二十枚執筆中。オー、ル、ヴァール。電車がきたので、片町駅にて。》

――いずれにしても、これらの文面からはまだその後の奇行ぶりは浮かばない。しかし、その後の道具立ての全てはここに出つくしている、と言えなくもない。息子「真《マコ》」と、恐らく妻の名であろう「緑」に、やがて鏡太郎は愛想尽かしされるのだし、「リユックにギター」の「ギター」は、鏡太郎が十三年後に酔って崖から転落死する時のお供をするのだから……。

（下）

この(下)は、角川書店の『現代俳句辞典』（「俳句」昭和52／9月増刊号）に載る「高橋鏡太郎」の項を写すことから始める。

高橋鏡太郎（たかはしきょうたろう）　大正二年三月二十四日～昭和三十七年六月二十二日。四十九歳。大阪市生れ。本名一《はじめ》。昭和九年、佐藤春夫に師事、同家の書生となる。「風流陣」に詩、エッセイ、俳句を発表。以後「琥珀」「多麻」「風花」等の同人を経て、昭和二十一年「春燈」創刊と共に編集に携わる。安住敦、志摩芳次郎らと「風詠派」（昭23）を創刊。著書に『空蟬』（昭15）『高橋鏡太郎の俳句』（昭41）、詩集『ピエタ』（昭28）『高橋鏡太郎詩篇』（昭40）他。
〈曇るときなほもくもれる方に雁〉
（岸田稚魚）

『日本近代文学大事典』、分厚い『日本現代詩辞典』（桜風社）にも鏡太郎の項がなかったのである。ともあれここにある最初の「佐藤春夫に師事」は前回の葉書にもある通りだが、「昭和二十一年『春燈』創刊と共に編集に携わる」だが、石川桂郎『俳人風狂列伝』によると、師の万太郎の留守中、鎌倉の屋敷へ乗り込み夫人から頂いた酒に酔い痴れ、さんざんごたくを並べて帰ったのを万太郎と安住敦の怒りを買い、除名処分を受けるという裏までは書かれていない。

さて、『俳人風狂列伝』は、やがて過去へ溯り終戦直後の出合いへと行く。そしてその前後のことを石川は書く。「ある日、私は不意に思いたつて、青山の旧歩兵三連隊兵舎跡の鏡太郎が命名した緑風荘を訪ねた。床板に茣蓙を敷き、四畳半くらいの部屋だったろうか、家屋には何一つなかった。いそいそと迎えてくれた細君が、鏡太郎と話している間に姿を消した。美人というより可憐な、いかにも恋女房といった人柄だつたと記憶している。十分か十五分ほど経つてから、一升壜に半分ほどの酒と、なにやら紙包みを提げて帰つた。（略）私には連隊長屋の知りあいを廻つて集めた配給酒と読めたし、干物もそのころよく配給を受けた棒鱈であったが、精一杯のもてなしの嬉しさに、私はかえつて礼らしい言葉が口を突いて出なかつた。」ここに、丁度この頃昭和25年10月4日、同20日、及び11月10日付の紛れもなく、「港区赤坂青山南町一ノ五五・緑風荘」が差出地の牧章造宛葉書三枚がある。

《その後いかがですか。詩はできますか。このごろは適度にアルコホルをたしなみ読書につとめてゐます。ひさしぶりで図書館に通つたりして。誰にも逢ふ機会がないので、いつぺん貴方や島崎

君にあひたいと思つています。

タクシス侯爵夫人の「リルケの思出」をよんでいますがリルケのリーベが幾人もでてきて、羨しいですな。呵々。なまはんかのリルケ論より、こんなマダムの回想記の方がアンチームな感じで、よんでゐてたのしいです。

なにかどこかへ発表しましたか。では。》

《おハガキ拝誦。この冬はこたつでは仕事ができないので、早くも火鉢を買ひこんだりしてゐます。伊藤君たちの「凝視」にはぼくも仲間にいれてください。やはり発表機関をもたないと、作品もできないし、ひとり相撲みたいで手ごたへがないですな。雑誌はいつ出るのですか。プランをしらせてください。先日「情婦マノン」をみた戻りに丸通に寄つたのですが。島朝夫君は有望ですな。エッセイを書けるひとが尠いから、その方面でも期待がもてます。このところ原稿は好調です。尤も雑文ばかりですが。「暗い河」は「俳句研究」十一月号にのせましたよ。夜分にやつてきませんか。》

《その後いかがですか。堀口太平君から手紙を貰ひ、とりあへず会費を送りました。／けふ「凝視」創刊号を手にしました。伊藤君の詩はひさしぶりでした。きよらかなイデーにつらぬかれてゐます。形象化する力がやゝ弱いやうですが……。／貴方の「風雨の劇」は現実のヴエールをはいで裏返してみせたものでせうが、さながら風雨の惨といつた趣きです。なぜなら、キエルケゴール流にいへば、現実に絶望するといふことは最大の悲惨ですから。／「凝視」に、なにか、詩論のやうなものを書いてみせてください。次号を期待します。いちど逢ひたいものです。》

――牧章造宛の葉書八枚はこれで終り。二人の交際がこれで終ったのかどうか、このあとがなく、もはや知ることは出来ない。破滅型とも言っていい鏡太郎の後半生は、このあとである。「諷詠派」の仲間・岸田三楼が課長をしている役所を訪ね、子供連れの鏡太郎は、でんと客用の椅子に座ってしゃべりまくる。三楼のタバコを吸ってしまうとやおら椅子を立ち、部下の机の灰皿から吸殻を拾い歩く。間もなく細君も一人っ子の真を連れて去った。ある日石川は友人から、鏡太郎が意識不明の怪我をして入院していると聞く。自動車事故とも、酔って喧嘩の果てともいうが、もっと驚くべきことには、「その看病をしているのが例の婆さんなんだ」という言葉。それは以前、新宿西口から表へくぐる地下道に座って三味線を弾いていた汚い老婆を、鏡太郎が引取り一緒に暮らしていると噂のあった、どうやらその老婆らしいと、友人は言うのだ。

昭和三十七年五月三日夜、鏡太郎は飲んで緑風荘へ帰った。しかし気が変って、彼がいつもギターを預けてある信濃町の屋台でまた酒を飲み、国電を見下す崖っぷちの草の上に寝転ぶ。やがて起き上ろうとして、鏡太郎は足をとられてその十五、六メートルもある崖下に転落、翌朝発見される。「夢よもう一度、もう一度いいことないかなァ」といううわ言を看護婦が聞いたというが、ほとんど意識不明のまま、六月二十二日、鏡太郎は誰もいないベッドで四十九歳の生を終えた。

虹のせて雲海かしぐ寂けさよ
冬芽摘む荒びしこころいまかしる
唇をつく詩とどむべし梅雨の玻璃

（一九九六年十月）

小島政二郎

（1894～1994）

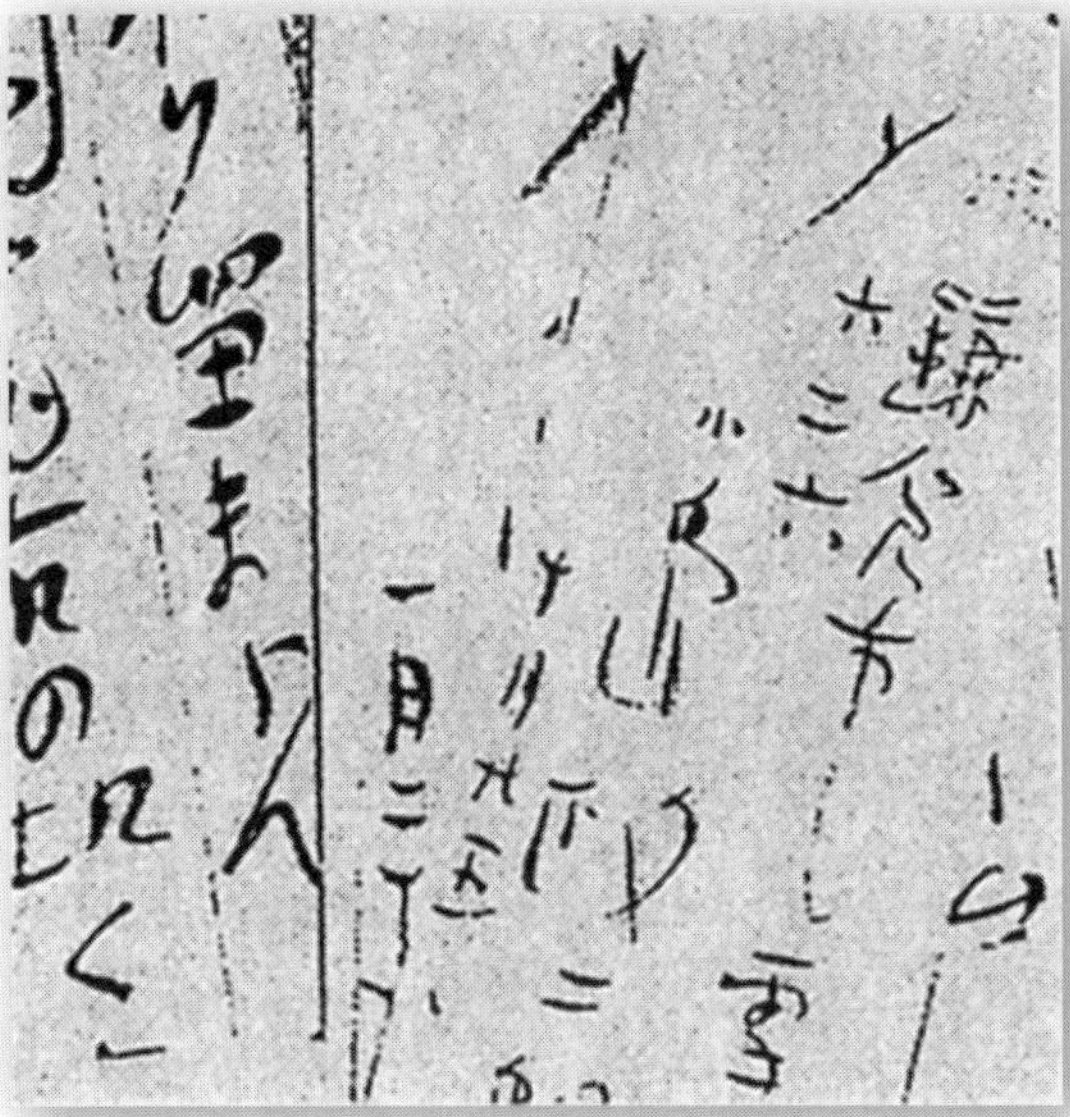

失笑を買いそうな話だが、この九月頃に出す本のため、私は「自作年譜」を編集している。その過程で再び思い出したのが、三月二十四日の死去が四月四日に報じられた小島政二郎の書簡一束のことだ。昔は概して、通俗小説に走った作家の筆跡は安いものだった。私がこの書簡の束を買う気になったのは、中に和紙に書かれた畳半畳ほどもある、毛筆の碑文用の筆跡が、細かく折られて混じっていたからであった。その文章は左の如くだった。

《ここは明治文壇の天才樋口一葉旧居の跡なり。一葉この地に住みて「たけくらべ」を書く。明治時代の龍泉寺の面影永く偲ぶべし。今町民一葉を慕ひて碑を建つ。一葉の霊欣びて必ずや来り留らん。／菊池寛右の如く文を撰してここに碑を建てたるは昭和十一年七月のことなりき。その後軍人国を誤りて太平洋戦争を起し、我国土を空襲の惨に晒す。昭和二十年三月この辺一帯焼野ケ原となり碑も共に溶く。／有志一葉のために悲しみ再び碑を建つ。愛せらるることかくの如き作家の面目これに過ぎたるはなかるべし。唯悲しいかな菊池寛今は亡く文章を次ぐに由なし。代つて蕪辞を列ねその後の事を記す嗚呼。》

六年前に、私は『幻の「一葉歌集」追跡』という本を書いたが、その時小島のこの筆跡を思い出し、また一度は記念館を見ておこうと出かけたのである。もし碑文などになっていないなら、本の口絵にでも使用しようと思ってもいたのだが、記念館入口近くにそれは建ち、「昭和二十四年三月　菊池寛撰　小島政二郎補並書」と加えられていた。ちなみに、この時貰った「一葉記念館しおり」

を今目の前にしているのだが、戦前旧居跡にこの碑が建つまでの由来も述べられている。菊池の秘書・佐藤碧子が三十年来この近くに在住、時々一葉の話が二人の間に出て、何か記念に残すべきだと話し合っていたと言う。それを聞いた町の有志が、最初の撰文を菊池に頼んだのだと言う。ただせっかくの「しおり」だが、その菊池を称して「大衆文学作家・菊池寛先生」とあるのは、少しいただけない表現と思われるのだが……。

ところで小島の書簡の宛名は安川安平で、どうやら一葉の事蹟などを調べた町の有力者だったらしい。そう「しおり」にも紹介されていて、住所も「龍泉寺町一三五」である。書簡は十通ほどで、昭和24年～27年のスタンプ。中の〈大きさが分からないので三通り書いて見ました。丁度当てはまるのをお選び下さい。三つとも調和しなければ又書きますからさう言つて下さい〉という毛筆書き封筒なしの手紙はあの碑文を送った時のものか。こうして二人の往来が出来たわけだが、次に昭和26年3月11日消印の一通を全文紹介する。

《今日は折角いらしつたのに、あんな訳で失礼してしまひ、申訳ありませんでした。お帰りの節、傘をお貸ししなかつたさうで、その点女房の不行跡、申訳なさの限りです。お許し下さい、さぞお困りだつたことと思ひ、恐縮してゐます。／さて、お心入れのお土産、こいつは鎌倉にゐては絶対に口に這入らぬ品だけに、感激しました。また今時の人は、こんな気の利いたお土産なんか持って来てくれません。虎屋、月ケ瀬の範囲を出ません。さつき五つ六つ戴きながら、昔の向島の花見時の賑ひを思ひ出したり、両親のことを思ひ出したり、久し振りに懐かしい回顧に耽りました。

もう一度両親に食べさせたいなあと思つたりしました。本当にいいお土産を戴き、御好意うれしくお礼申し上げます。／鳩山サンが碁を打つてゐる写真が、この間「サン」に出てゐましたね。丸々と肥へて、老人臭くなく、いい写真でした。早くこの人に総理大臣になつて貰つて、税を下げて貰ひたいと思ひました。会は大体四月の五六日頃として、村松梢風、倉島竹二郎など誘つて置きませうか。唯余り碁の会と極まり過ぎると、碁の分らない僕には詰まらない会になりますから、その辺十分お考へ下さい。／一葉の講演会は十日ですが、どこでやるのですか。文壇方面で講話をする人が必要なら早めにさう言つて置いて下さい。以上三月十日夜中記》

文面はこれだけだが、ここには、父母への想いをからめての食通ぶりが、『下谷生れ』を書く人の下町への思いが、「鳩山サン」に税金を……程度の政治への無関心が、心やすい交遊関係の名などと共に、小島政二郎という作家の全てが出ている。

いや、小島にはもう一つの面もあった。実は、私にこの書簡を思い起させたものは、この昭和二十六年四月の私の日記に「午後、自転車で龍泉寺町の一葉記念公園へ行く。ためになったのは、小島政二郎の話だけ」という一節があったからだ。結局安川は、小島に一葉についての講話を頼んだのである。

昭和十六年十二月、木村荘八装幀の、扉を鏑木清方の木版で飾っての新世社版『樋口一葉全集』第四巻が出される。内容は「日記・書簡篇」で、「ああ、やつと註が出来上がつた。けふが十一月三十日の夜中、いや十二月一日の朝だ。／思えば八月二十七日から九月二十五日まで、十一月七日からけふまで、五十四日間と云ふもの、明けても暮れても私はこの日記の註で暮らして来た」と後書きに記しているのは、この巻の責任編集者・小島政二郎だった。現在でも充分役立つ貴重な文献で、小島のこの面での功績の一つである。先の「どこでやるのですか。文壇方面で講話をする人が必要なら、早めにさう云つておいて下さい」

……実際は、小島こそ一葉を語る最適任者だったのである。その講話の何に感じたのかは、私の日記に書いてなかったが、私は躊躇せず「自作年譜」昭和二十六年の項に「四月十日、一葉記念公園へ行き小島政二郎の講話に感銘を受ける」と書いた。

「『人妻椿』などで幅広い人気……」小島の死を伝えたほとんどの新聞の「見出し」である。

（一九九四年九月）

相田隆太郎

（1899～1987）

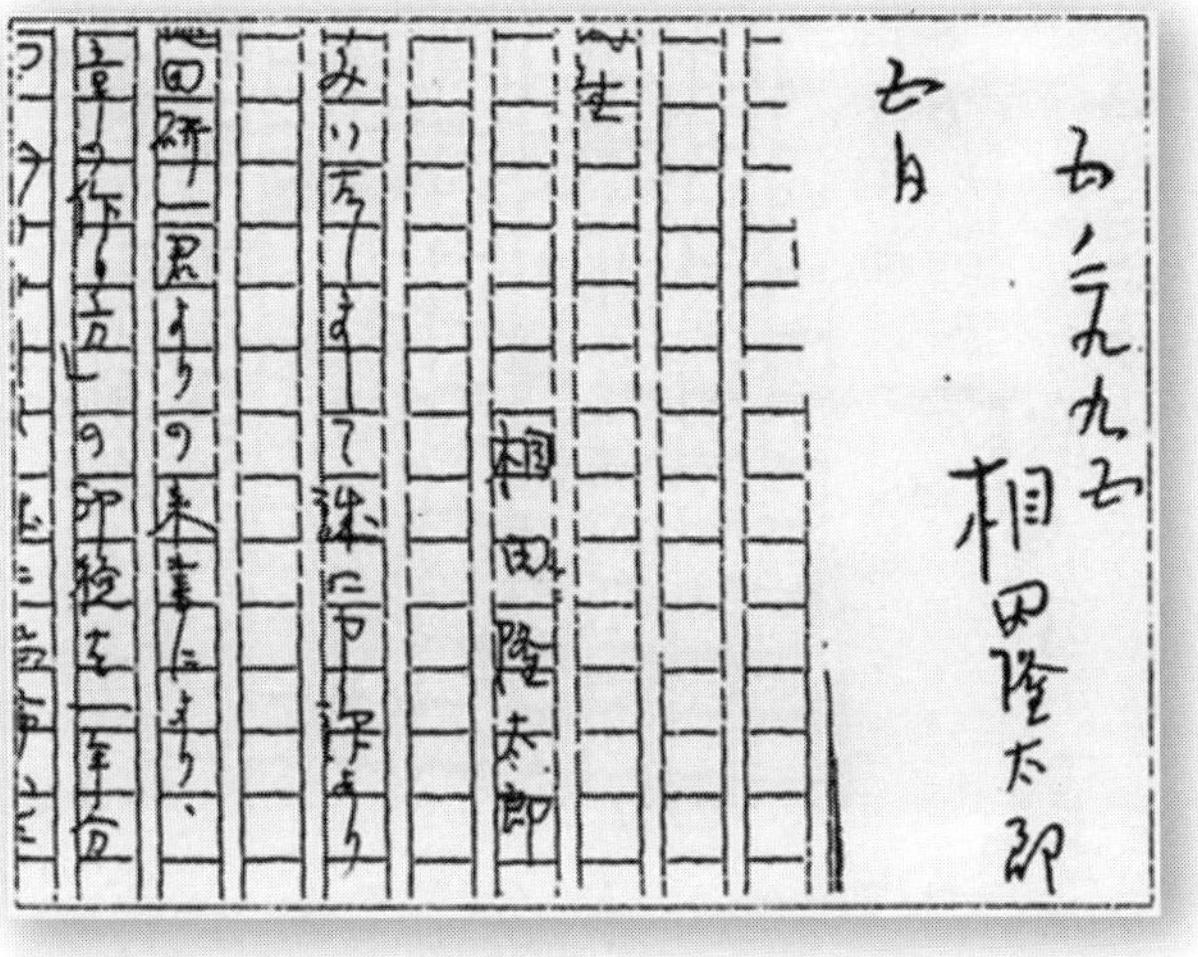

（上）

若き日、私の愛読書の一冊に久米正雄の『破船』があった。またある日、同じ久米の『文章の作り方』（昭12・新潮社）を古本屋で見つけ、買った。『破船』の巻頭には鎌倉八幡宮を友人と歩く印象的な描写があるが、『文章の作り方』も最初の例文は八幡宮内に材を取ったものだった。

それが私は、ある時ある資料から『文章の作り方』は著者名は久米だが、書いたのは全くの別人、という確たる証拠を見つけてしまったのである。一時期、一生懸命この本で文章を勉強した頃もあっただけに、私は何とも味けない思いを禁ずることが出来なかった。

今から七、八年前、古書市場に久米宛の書簡を中心に、久米家の資料が大量に出品されたことがあった。左はその時私が購入した中の一書簡だったのだが、まず差出人・相田隆太郎とある、その文面（昭12・12・6付）を示そう。

《久米正雄先生　　相田隆太郎

御無沙汰のみいたしまして誠に申訳ありません。

さて、先日鑓田研一君よりの来書により、先生が「文章の作り方」の印税を一年分下さる事との由承りまして、誠に恐縮いたしました。

もともと「文章の作り方」の印税は小生が頂くべき性質のものではありません。初めに三百円頂きましたので、小生は加藤さんの「小説の作り方」も同じ三百円で書かせて頂き、その後は一銭も頂いて居ませんので、特に先生の「文章の作り方」だけ余計に頂かうなどとは考へて居りませんでした。

鑓田君が特に小生のためにこん度のやうな配慮をしてくれる気持になつたのは、恐らく今夏以来小生の子供が赤痢で入院し、次いで家内が看護中別の病気で同じ縣病院に入院し、その上小生が背中に瘍が出て手術して経過があまり渉々しくなかつたりしたのを見て、一肌ぬいでくれるつもりになつたのであらうと思ひます。

小生が瘍の手術に（お茶ノ水の三楽病院でしました）上京した時、鑓田君が、印税の事について先生にお願ひして上げやうかと云つてくれましたので、小生も思ひがけない事でしたが、考えて見ると非常に助かる話なので、何分よろしくと頼んだのでありました。但しもと〳〵小生が頂くべき筋合のものでもないのをお願ひするのだから、何分先生の御機嫌を損じないやうに軽く御願ひして見てくれる様に頼んだのでありました。その時小生も同道するのが礼儀ではないでせうかと思つたのでしたが、何分手術後根気がないし、鑓田君は話の後で顔を出した方がよいでせうと云ひましたので、小生は東京で二十日許り静養し、帰郷いたしました。

其の後瘍の後がなか〳〵経過がよくならず、唯今もまだ少し膿が出て居る位で、体重も二貫目減少して元気が出ませんので、鑓田君から半月ばかし前、大体の話がまとまつた事を（一ケ年分、今年の十月から来年九月迄）知らせて頂き乍ら、御礼の手紙が延引いたしまして誠に相済みません。

大体「文章の作り方」は先生の御名前故に売れて居るのであつて、あれが若し小生の名前であつたら、初刷の三千も六ケ敷《ママ》かつたと思ひます。其の後いくら出やうと小生が頂くべき筋合のものとは決して思つて居りません。それなら、鑓田君が云ひ出した時辞退したらよいだらうといはれると困りますが、そこが人間の弱い所で何分の御寛恕の程を御願ひいたします。兎に角鑓田君としては、全く友人としての厚意から「無理な話だが御願ひだけしてみやう」と云つて義侠的に奔走してくれたのでありますす故、何卒同君に対しても御理解御寛恕の程を御願ひ申上ます。

尚色々申上げたい事もありますが、何れ健康恢複の上、一度御礼旁々御伺ひして申訳いたします。

末筆乍ら、奥様にもよろしく御とりなしの程御願ひいたします。

敬具

十二月五日》

内容は読まれた通りであるが、整理して要約すると、

『文章の作り方』は自分が書いたものであるが、売れているのは久米先生の著者名のお陰だ。友人が苦境にある自分を見かねて一年分の印税を下さるとの許しを戴いてしまった」という弁解とお礼なのである。その上、これまた私の文学少年時代の愛読書で、加藤武雄（１８８８〜１９５６）著作として知られていた『小説の作り方』（昭11）までも相田が三百円で受け負った作だと言っているのだ。

では、この二冊の著者・相田隆太郎とは何者だったのか？

実は『文芸年鑑』一九三三年版の三百四十人ほどが選ばれた「文芸家総覧」に、すでに出ている。

東京市世田谷区世田谷五丁目二九九

明治三十一年九月、山梨県北巨摩上手村に生まる。山梨師範学校中途退学。評論、随筆、紹介等がある。

久米に宛てた書簡の、昭和十二年では三十六歳。久米はその八歳上、文中の友人鑓田研一は相田の七歳上であった。

――こうして、この年の押し詰まった十二月下旬、久米からの初の送金が相田にあったらしい。その29日付の相田の礼状は、「本日は『文章の作り方』の印税百二十円御送り下さいまして、誠に有難うございました」に始まり、これで「一家無事に越年する事が出来ます」とあり、末尾には、「別便小包で粗品を御贈りいたしました」とあった。

（次は、戦後のものも含め、あと四通残る相田の書簡から、その後の二人の関係その他を考察してみたい。）

（下）

さて、加藤武雄著『小説の作り方』、そしてここで取り上げている『文章の作り方』の真の著者・相田隆太郎のことだが、もしやと引いた『日本近代文学大事典』（日本近代文学館編）にも載っていることが分かった。

《（1899〜）評論家。山梨県生れ。本名茂隆。山梨師範を結核で中退。大正七、八年のころから昭和四、五年にかけて「新潮」、「文章倶楽部」「文学時代」そのほか新聞などに主として時論的文章を投稿、この間上京して加藤武雄らと知る。『現文壇の郷土的作品を論ず』（「早稲田文学」大

11・8）は大正後期農民文学論の先取り的発言。同じ十一年十二月のシャルル・ルイ・フィリップ記念講演会を機に発足した農民文学会には早くから会員として参加、機関誌『農民』には創刊号（昭2・10）から『農民文学論』以下を載せた。また『我が国現在の童話文学を論ず（童話文学に対する不満と要求）』（「早稲田文学」大13・10）は童話におけるミリタリズム賛美の傾向などを退けて社会的精神や郷土性やを強調したもの、『児童文学大系』第二巻（昭34・4、三一書房）に収められている。『解説テクノクラシイ』（昭8・4　新潮文庫）などもあるが、おもな評論は戦後『農民文学の諸問題』（昭24・4、甲陽書房）に収録。（高橋春雄）》

が、その全文である。事典（縮冊版）の発行は昭和五十九年で、相田は八十五歳で健在だった。では、久米正雄宛相田書簡の最初のものはいつだったのか？　昭和11年2月6日付の次の封書文面が残っている。

《謹啓

「文章の作り方」御承諾下さいまして、誠に有難うございました。これで小生も安心いたしました。厚く御礼申上ます。

尚時ハ向寒の候、御健康を御祈りいたします。取敢へず乱筆乍ら御礼申上ます。

敬具

十二月五日　　相田隆太郎

久米先生》

つまり、正確にはもう一通先便があったのであろう。次に残るのが、同年11月12日付の封書で中は二〇〇字詰十枚余に亘る内容説明である。これを簡略にしたのが単行本の「目次」で、この本が相田によって書かれたことの証左にもなっているものだ。そして各論の最後は「手紙の書き方」の章。上手か下手かはともかく、我々は今、相田の苦しい手紙の実物を見なくてはならないのは皮肉だ。——こうして十二年一月二十日に発行された単行本は、二月二十二日に十版まで売れてしまう。勿論奥付の検印は「久米」で、久米の「年譜」（講談社版『現代日本文学全集』）にも「一月『文章の作り方』刊」と書かれている。そのあとが(上)の手紙だったのだ。本は売れに売れた。久米の人のよさか、それとも実の作者の「手紙」の力か、ここに残る昭和十五年の毛筆書簡では、またまた百四十四円（千二百部）の印税の礼だった。そうして戦後。五円の切手が貼られた年不明（昭24〜25？）の久米宛の相田書簡。

《謹啓

御無沙汰を御詫び申上ます。小生目下生れ故郷でさゝやかな農業をしながら好きな文学書、圍碁などに親しんでゐます。東日新聞社から「文章の作り方」再版したき由申し来り、先生との印税の割合をたづねて参りましたので、従来半づつ頂いてゐたと思ひましたので、そのやうに返事を出して置きましたが、何分よろしく御願ひ申上ます。税金はそれぞれが負担したらよろしいかと存じます。何れ新潮社から先生の方へも御願ひすると思ひます。農村と申しても片田舎のこととて、都会近郊の農村のやうなわけにはいかず、押寄せるインフレに恐慌を来して居ります。

「人間」は愛読してをります。殊に終戦直後の暮れの新聞で「人間」創刊を知った時の喜びは忘れません。「わが鎌倉文庫の記」など貪るやうに愛読しました。あの頃ハ読むものに乏しく、殊に田舎では夜、無聊に困ってをりましたから。

他の雑誌に御書きの「騒客」も、菊池、岩野両氏のを愛読しました。（他のは雑誌が手に入りませんので）藤沢迄は時々行きますので、一度鎌倉の方へも御伺ひしたいと思ってをります。

益々御健康の程を御祈りします。

小生田舎で「中部文学」といふ同人椎誌をやつてゐますが、小生も最早最年長で、寧ろ老人の部になりました。

敬具

相田隆太郎》

久米正雄先生

この時の差出し年を二十四年とすると、久米は五十九歳、相田も五十歳になっていた。相田の手紙にもある如く、久米の終戦直後の活躍は目覚ましく、川端康成、高見順、中山義秀等との鎌倉文庫の設立、私も感銘した『風と月と』等の回想風の創作。しかし昭和十年前後までの大衆小説の量産の印象は強く、文学として認められることは少なかった。そして、好んでか祭り上げられてかの、「鎌倉カーニバル」などでのタレント的な活動。

一方、昭和二十四年の手紙で、「老人の部になりました」と言っていた相田の方だ。すでに事典から「八十五歳で健在」と言ったが、相田はその後も『文芸年鑑』平成8年版まで載り続ける。時に相田は九十五歳。翌年の年鑑では消されているから、相田はこの年に没したのであろう。

ちなみに、新潮社があの時期に出した『文章の作り方』を含む「入門百科叢書」の内では、『挿画の描き方』（岩田専太郎）のみ古書価が高く、あとの『俳句の作り方』（嶋田青峰）『歌の作り方』（金子薫園）『詩と歌謡の作り方』（佐藤惣之助）『女性の文章の作り方』（吉屋信子）『写真の写し方』（吉川延男）『碁の打ち方』『将棋の指し方』そして『小説の作り方』等みな高価ではない。

（一九九九年三月）

三好十郎

（1902〜1956）

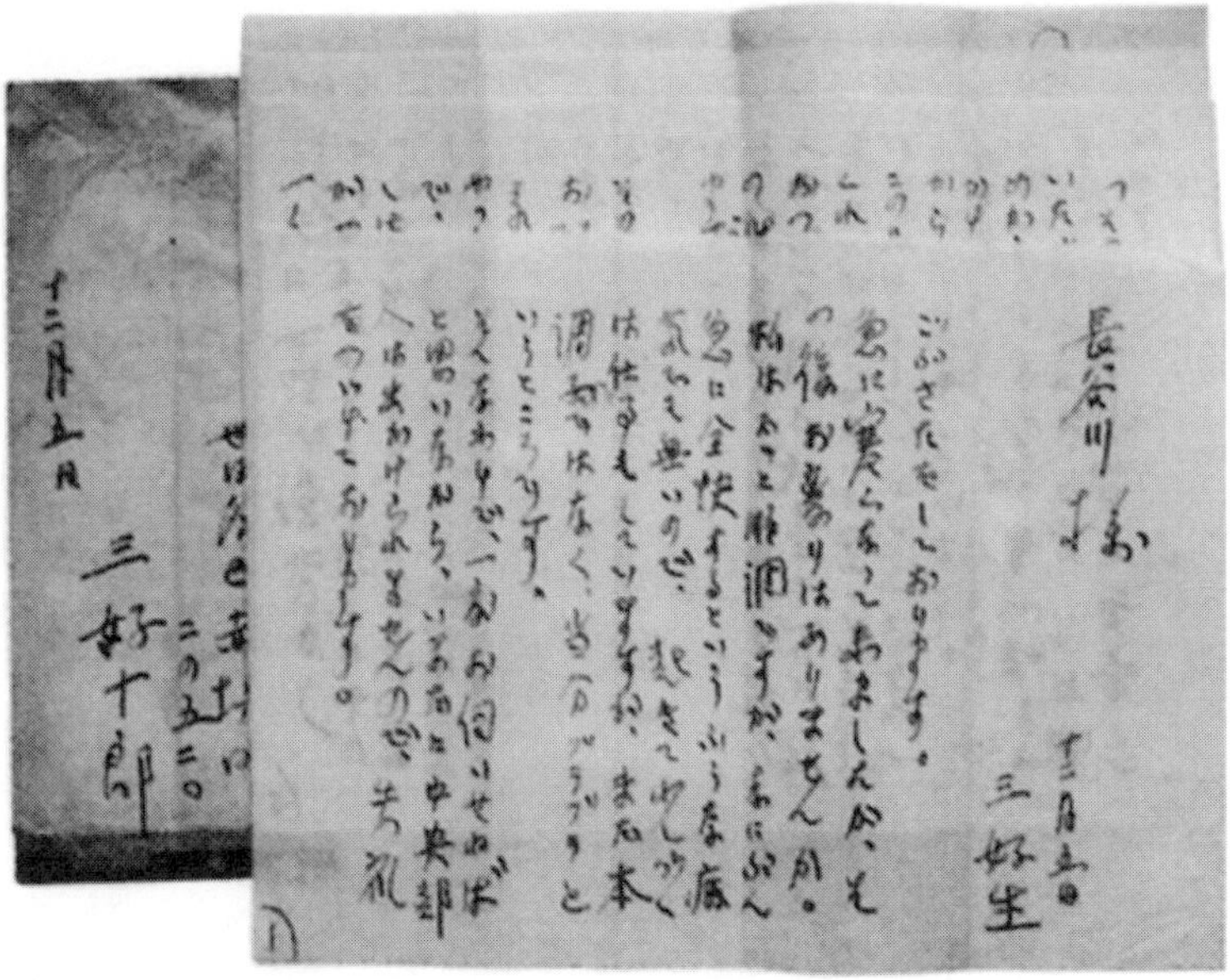

三好十郎書簡　長谷川鉱平宛

三好十郎のものでは、文学少年時代に読んだ文芸評論集『恐怖の季節』を思い出す。今度この書簡を紹介するため、筑摩の『現代日本文学全集「真船・三好・久保・木下集」』の年譜に当たると、私が少年時代に見た映画で、十指に残るほどに印象深かった「戦国群盗伝」(戦後上映された新版物で、戦後製作された杉江敏男監督作品とは別)、「斬られの仙太」の原作者が三好だったことを知った。映画は三、四番館で観るしかなかった貧乏育ち故、若い頃は演劇など見たことがない。それでも三好の『炎の人ゴッホ』の世評や、あの上半分黄色の河出文庫版のこの本は、いろんなところで見て知っていた。

ところで、筑摩の全集に集録された「著者自筆年譜」ほど、他の作家達と違うものはなく、半頁にも満たない略年譜には驚かされる。

これによると三好は明治三十五年、佐賀県生れ、両親を知らず、母方の祖母トシに育てられた、とある。その祖母も十一歳の時病没、以来、親戚よりの補助と各種労働によって得た学費で、大正十二年二十二歳で早稲田を出ている。在学中より詩作を発表、昭和二年処女戯曲「首を切るのは誰だ」を書く。戦後も劇作家、評論家として活躍、――というのである。

このあとにつく「作品年譜」は、昭和四年の新築地劇団の「首を切るのは誰だ」の上演から、戦前十九本の上演が記録され、戦後は無数のラジオドラマも発表しているのが分かる。ところで、この筑摩版全集の発行は昭和三十一年、このあと昭和四十二年に出される『日本現代文学全集』によると、三好は右の「自筆年譜」を書いたと思われる昭和三十年暮には喀血、どうやらこれが更に重くなって、昭和三十三年の死亡となったらしい。そしてこちらの講談社版「村山・三好・真船・

久保集」には、三好の年譜が大武正人によって作成、収載されている。こちらによると、三好は四十四歳で敗戦を迎えている。八月の広島への原子爆弾では、親友丸山定夫を失い、秋には疎開先の新潟から妻と娘を東京へ戻した。

昭和二十一年二月、三好は戯曲研究会を設立、この年『崖』を、翌二十二年に『廃墟』を、二十三年『獅子』を桜井書店から刊行した。この昭和23年12月5日付で、中央公論社「少年少女」＝長谷川鉱平宛に出されたのが、今回紹介する書簡なのである。

《長谷川様

ごぶさたをしております。

急に寒くなつて来ましたが、その後お変りはありませんか。私はズッと順調ですが、なにぶん急に全快するというふうな病気でも無いので、起きて少しづゝは仕事もしていますが、まだ本調子ではなく、当分ブラブラというところです。

そんなわけで、一度お伺いせねばと思いながら、いまだに中央部へ出かけられませんので、失礼をつゞけております。

「その人を知らず」先日発売していたゞきましたが、これについては初めから、あなたに御心配をおかけいたしました。改ためて、心からお礼申し上げます。この上はなるべくたくさん売れてくれゝばありがたいと思つています。おついでの節に、社長さんにも、私の謝意をお伝え置き願います。

十二月五日

三好生

そのことゝ、それから今日は他に一つお願いがあります。

それは、私の所でこの三年ばかりやつていた戯曲研究会の会員で、最近戯曲をそれぞれ発表しはじめて一本立ちになつた者が四五人ありますが、その中の一人に女性で優秀な人があります。秋元松代君と言いまして、もう若い人ではありませんが、雑誌「劇作」に長篇戯曲を二篇、それから時々ラジオの仕事もやつておりまして、評判も良く、私の見る所では将来、女流として立派に一家をなす人だろうと思います。この人が少年少女向きの戯曲を書かせると非常に良いのです。既にいくつか書いて持つてるようです。

それで、あなたの「少年少女」に向つてスイセンいたしたいと私は思いました。本人もそれを希望しているのです。その作品を一度お読み願えないでしようか？

その上で、もしよろしければ、採用していたゞくなり、又、御批判を伺つた上で勉強して行けるようにしてやりたいと願つているのです。

御考慮下さるようお願い申します。

御返事がいたゞければ、本人に私の名刺を持たせ（本来から言えば私が同道すべきですが、前記の通り、私がまだあがれませんので）、同時に既に書いてある作品の一二を持たせて、お訪ねさせるようにいたしたいと思います。

どうぞ新人のために良き機会をお与え下さいますよう、くれぐれもお頼み申します。

御返事を待ちます。

益々寒くなつて参りますから、お風邪など引かれませんよう、お元気で御活躍のほどを祈ります。

いづれ又。》

私はこの手紙を読み、藤村や節、勘助、草平、龍之介と、才能を見出す度に必ずそれぞれのところに報じ続けた漱石の偉さを思い出した。その後は、女流としては珍らしいほど骨太な劇作家に成長、「かさぶた式部考」「常陸坊海尊」が代表作となる秋元松代さんに、この五月二十六日、失礼とは思ったが、『文芸年鑑』で引いて電話を入れてみた。

「確かにその頃、紹介を受けました。また戯曲研究会に参加したのは、三好先生の人格、その生き方に常々感ずるものがあってのことだったのです」と秋元さんは私に言ってくれた。

すでに八十七歳になられるが、三好への敬愛にあふれた美しいお声だった。

（一九九八年八月）

阿部知二

（1903～1973）

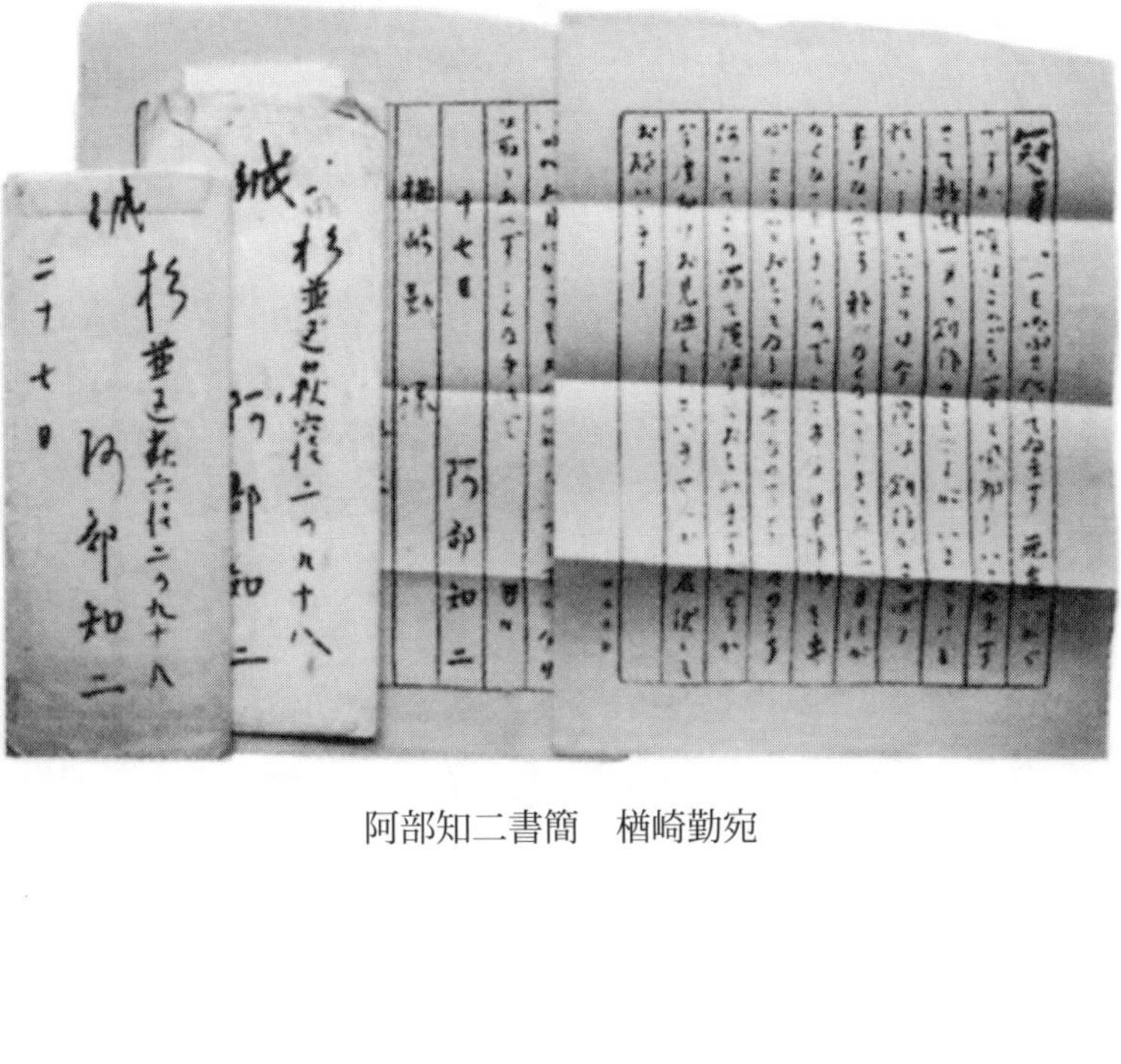

阿部知二書簡　楢崎勤宛

知性の作家・阿部知二の、昭和34年12月15日付の、旧ソ連邦在住レニングラード大学日本語科教授・岸田泰政宛書簡である。なお、この人宛書簡は、私がこの人自身から購入したもので、すでにこの項で、藤枝静男、野間宏、井上光晴等を紹介している。

この年阿部は五十七歳、『日月の窓』を講談社から刊行、ウイニントン『チベット』(岩波新書)を出し、三月、青野季吉と安保改定反対声明を出す。

《拝復　お手紙なつかしく拝見しました。

それにしても、レニーグラードではほんとうにお世話になりました。あの北方の水辺の都は深く心にしみて忘れられず、しじゅうその風光を思いうかべ、またしじゅう人々に向かって語っております。

いまはずいぶん分寒いのでしょうが、お元気のことと思います。

あれから一年半、その間にも歴史はぐんぐん動き進んでいますね。それをみながよく知ってくれるといいのですが、なかなか思うようにもゆきません。ぼくのような怠けものも、あちこちの話に出かけたりしています。今夜も広島、岡山の方に出かけます。四日前、群馬の方から帰ったばかりです、――講演の旅行です。

数ならぬぼくのものを読む学生があるということに、一方ならずおどろきました。何か赤面いたしたい感じです。さて戦後の作品のことですが、できれば二月までお待ち下さいませんか。戦後の長篇一つと短篇数十と入れた、原稿用紙で一、八〇〇枚ほどのものが出来ますから、それをお送りしたいと思います。

文芸年鑑のこと、承知いたしました。旅行から帰るとすぐ送ります。いろいろ不自由もあろうと思います。心かけて何くれとお送りしたりすればいいのですが、生来の怠けもので、心にとがめながら、ついおこたっております。

巌谷君なども元気です。

いま、東京は秋の暮です。庭には山茶花が咲きはじめ、一方、もみじはまだすこし残っているというところです。広島あたりにゆくと、フグを食ったりしているところでしょう。——あまりあなたを懐しがらせてもいけないから、これでやめます。また何か御用があったら、いって下さい。出来ることならばいたします。

いまぼくは河出書房から、桑原武夫や伊藤整君などと編集して、世界文学全集四十八巻を出しかけていますが、第一回赤と黒、第二回罪と罰、第三、四アンナカレーニナですが、あれほどすでに売れているのに、十万をゆうに突破するという勢です。以て日本人の海外文学への熱意、それからロシヤ文学の有力さを御想像下さい。

御健康をいのります。　草々
十一日　阿部知二
岸田泰政様》

右の「レニーグラードではほんとうにお世話になりました」というのは、前年、青野、高見順と、ソヴェト作家同盟のまねきで訪ソの折世話になったことを言ったのである。

そして残された二通目は、八年を経た昭和四十二年時のものである。

《本当にながくごぶさたしました。いつか御伺いした季節になりました。レニングラートは快適で美しいことと思います。御歌は御加入の雑誌がくるので拝見しています。

今年は、と思いましたがどうも少し無理になったようです。来年は、これはまちがいなしに、と考えています。小田切秀雄君が作家大会へゆきます。御地にも寄るかと思います。

さて今日はおわびもおわび、平身低頭です。いつぞやの御言葉「未明童話全集」「児童文学全集」「黒煙」の件です。

あれから私の「明治大学」の文学部卒業生で古本屋をやり、私の家にも出入りする男にいいつけておきましたが、今に至っても何の報告もなく、やっと昨日こちらから電話して催促しますと、「そろったのが見つかりませんので——」という返事です。これは自己のズボラによる怠慢をごまかす逃げ言葉です。このような男を信用し、しかしこの長い間、督促しないでいた私もそれにまさるズボラです。故に平身低頭です。

上笙一郎君（先日、未明に関する著書をあなたへ送った由）は、むかしから私のところへ遊びにくる男なので、昨日それで相談してこれから二人で、この後始末はいたします。本当に悪いことをしました。何ともお恥しいかぎりです。上君の未明研究はみごとなものです。私もひじょうに買っております。

日本の社会も文化も、相変らず大きくゆれています。その中で何とか道をふみはずさないように生きてゆこうとつとめています。

みのべ氏が都知事になったのは、とにかく明かるいことでした。

遠くから日本を眺められると、おそらく私たち内部にいるものが気づかぬような点も、よう見えるのでないかなどと思っています。

来年は必ずと、思っています。今日は、本当におわびを申上ます。

敬具

五月七日

阿部知二

岸田泰政様　机下》

この年阿部は六十五歳。前年、ベトナム戦争反対ストライキにおいて、中野好夫等と声明。四年前岩波書店から刊行の『白い塔』が、ソ連で、ラグーノワ女史の翻訳で出版された。そんなところへ、かねて約束の件で岸田から手紙が来、これはその弁解の手紙だったらしい。前々号まで本誌に「文化学院児童文学史稿」を連載の、上笙一郎氏の名も出ており、世の中は狭いなと、思う。

阿部知二は、この二通目の書簡のあと六年して、昭和四十八年に亡くなっている。

（一九九八年十二月）

山岸外史

（1904〜1977）

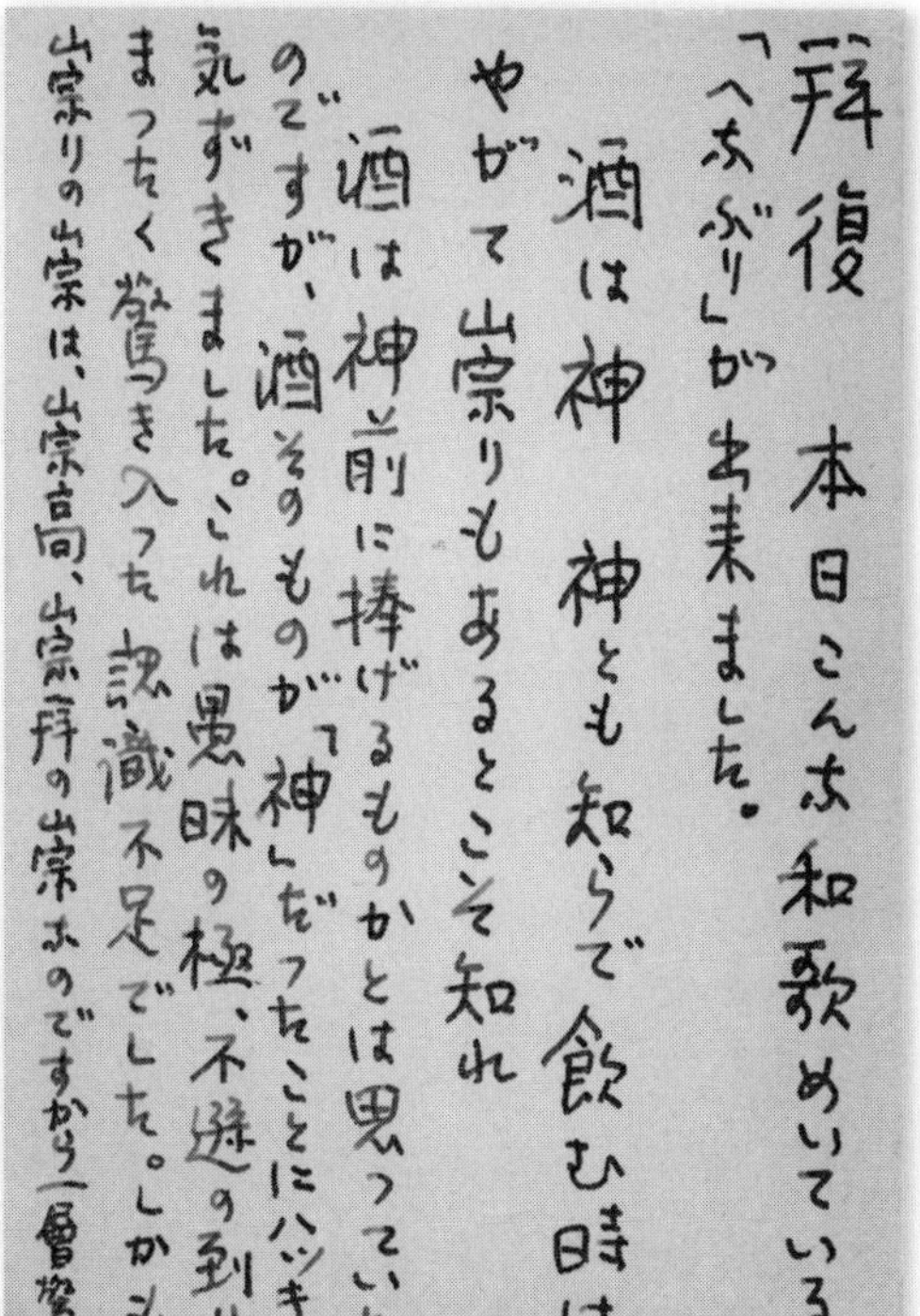
拝復　本日こんな和歌めいている
「へなぶり」が出来ました。
酒は神　神とも知らで飲む時は
やがて崇りもあるとこそ知れ
酒は神前に捧げるものかとは思っていた
のですが、酒そのものが「神」だったことにハッキリ
気ずきました。これは愚昧の極、不遜の到り。
まったく驚き入った認識不足でした。しかも
崇りの崇は、崇高、崇拝の崇なのですから一層驚愕。

山岸外史　人美勝彦宛葉書

(1)

昭和四十七年刊の筑摩版『太宰治全集』十一巻「書簡集」には、この時点の太宰の手紙六百七十八通が収録されている。末尾には受信者の一覧表があり、井伏鱒二、小山清、山岸外史宛の多さが目立つが、中でも山岸宛の百六通というのが群を抜く。山岸は生前の太宰ともっとも近い関係にあった一人なのだ。年齢は山岸が五歳上だが、太宰は昭和二十三年三十九歳で情死、山岸はそれから二十九年生きて、昭和五十二年七十二歳で没した。太宰の死の年十二月、山岸は日本共産党に入党。二十八年日本文学学校の創立に参加、事務局長となる。三十二年「第二次・青い花」を創刊。三十七年『人間太宰治』を筑摩書房より出す。四十二年「四季」に参加。この間多くの太宰に関する文章を書く。山岸の後半生は、ある意味で死してより大きくなって行く太宰の名声のあおりを受けて過ぎたものと言ってよいのかも知れない。

昭和四十一年、山岸が六十二歳の年、一人の同人雑誌作家が近づく。大田区役所近くで小さな小料理屋を営みながら主に評論を得意とし、小説も書いていた人美勝彦である。私は五年前、この人宛の島尾敏雄の手紙を三回に亘り紹介したが、島尾の場合も人美は島尾の人間そのものに近づくことからその「島尾論」を書こうとした。——次の、昭和41年7月11日付の山岸の葉書は、ここに一束ある中の最初で、人美の山岸への近づきの挨拶文に対するものと思われる。

《拝復　たいへん質実で内容のある手紙を頂戴して嬉しく思いました。友あり遠方よりきたる。

また楽しからずやの感がありました。僕と太宰とについて、目下、僕が凹んでいる時間ですから、あまり書くと仰々しくなると思っていますが、あなたのお説。敢えていうならば肯綮にあたると漢語を使いたいところです。どうも「あの男」と僕との差別がなかなかつかず、いまだに自分を愛するように「彼」が好きです。

ところで新日本のことなども全く同感です。あなたのいうことには殆んど同感できます。僕は歴史的自我という言葉で自分を捕えていますが、歴史の流れのなかでひとつの位置を占めている自我はそう簡単に変革できるものではありません。個性というものなどもこの角度から定着できると考えてもいます。そうなのです。所詮は個であり個の充足と完成への方向以外に文学はないと思っています。願わくばその個性を天性といえるところまで深めたいと考えています。高めると書いてもいいかも知れません。最近小さな新聞で刀剱のところを読んでみましたが、新刀が銘刀に及びがたいのはその地金だとあり、僕も大いに頷きました。その地金をどこから掘りだしてきたのかわからず、そこに今日の苦心があると書いてありました。文学においても所詮は地金だと思います。あとは赤く焼いて打って叩いて「姿」をつくることだと思います。「姿」というのは刀剱師の言葉ですがあるいは型といってもいいかも知れません。まづそんなところですがどういうものか。

たしかに行動中は仕事ができませんでした。しかし人間はつねに真理に餓えているものではないでしょうか。真実は人間を招ねく。そこにいつも課題《テーマ》が生まれると思っています。》

こうして人美は、それからもう数通の手紙の交換（山岸のはみな葉書）をし、山岸からはやがて遊びに来るようにと、略図と日時の指定された連絡があった。山岸の住所は世田谷区梅丘で、庭は広かったが小さく古い家だった。すでに人美は、太宰という軟派型の作家には必ず硬派としての支柱が匿されており、それには山岸の影響も大きかったろうという手紙を出しており、山岸夫人はそのことを山岸がよろこんでいたと、そばで口を出した。人美が書きかけの原稿が見える山岸の机上に目をやると、山岸は「書き直しだが今は『或る党員の告白』『わが疎開記』を仕上げようとしてるんです」と言った。酒が出た。夕刻、人美は絵を一枚と著書『人間キリスト記』を貰って帰宅しようとする。が、その人美を山岸が誘って街へ出、飲むほどに山岸が酒乱ぶりを見せ始めた。酔態は極まり、人美は仕方なく夫人に電話をかける。

するとと翌日、今度は山岸夫婦が人美宅を訪う。結果は飲んでの山岸の狼籍だった。やっとタクシーに乗り込ませて帰すと、山岸はすぐ葉書を寄こした。人美もそれに応え、数日後、人美は山岸宅を訪問する。すでに酒肴が整えてあったが、人美は文学上の話題に突入した。人美は、日本浪曼派時代の颯爽とした山岸との対比から、戦後は政治に足を取られ太宰との交遊を記す以外にこれと言った著作のない山岸、政治論をふっかけてもすぐに動脈硬化を起こしたように沈黙してしまう山岸を批判、同席の夫人は「もう幽霊なんです」と弁解した。人美は思わず「幽霊なんかより、今の山岸さんは亡霊ですよ」と毒づいた。……さて、私は人美と酒乱の山岸外史とのこの数日のやりとりを、いかにも見て来たように書いているが、元になっているのは昭和四十二年に出された落合茂主宰の同人誌「文芸復興」に人美が書いた「無頼キリスト」（一一五枚）によっている。この同人誌は、昨年十月に八十八歳で落合が亡くなって一〇〇号で消えたが、この時点の「同人表」には落合を含め埴原一亟、細田源吉、沙和宋一、竹森一男、上野壮夫と並んでいて壮観である。ちなみに、この号を編集した落合の人美宛書簡が残っているので、その要点を紹介したい。

「……こんどの号はいささかも負担になりませんでした。それはやはり全力投球ぶりを示した『無頼キリスト』のせいだと思います。この熱っぽい筆力は久しぶりです。生原稿、初校、再校と三回目を通したわけですが、そのたびに印象が強くなります」云々。

(2)

人美勝彦の小説「無頼キリスト」から、モデルとして描かれた山岸外史の人間性をもう少し紹介しよう。

人美に「亡霊だ」と揶揄された山岸は、翌日殴りこみに等しい酔い方で人美の店を襲った。それも、室内でもベレー帽をかぶったままの取巻まで連れてだ。人美は妻が相手している階下へ降りず、二階の書斎で山岸の代表作『人間キリスト記』（昭13・第一書房）のことを考えていた。かつての僚友・太宰治は美に殉じた。その存命中、山岸と太宰は熱い友情と裏腹に激しい争いを何度となく重ねた。お互いに負けたくなかった。その山岸側の体当り的結晶が『人間キリスト記』だったのでは、と人美は考える。

山岸は『人間キリスト記』に書く。「……イエスは、黙って、ヨハネの前に立った。一言も言わずに、ヨハネの眼の中を、もの憂く見た。ヨハネは脅えなかったけれどもそのもの憂さの中に動いている或る軟かな自由な心の動き方と鋭い光に驚嘆したのである。これはやる男だと思った。」

　そして山岸はその執筆二十年後に『太宰治おぼえがき』を書き、冒頭太宰につき記した。「……太宰と初めて会ったその日以来、急激に交遊が深くなった。一見して旧知のごとし、そんな言葉があるが、一日で深くなったのである。ぼくは太宰に才腕を感じ、また、ほんとに話のできる友人を感じ、この男はやると思った。」

　思えば、太宰に対してヨハネを演じたあの頃の山岸は随分と無理をした哀しいものだったろう。内心では、底光りする太宰の才能のあおりを食らった劣等感にもさいなまれていたかも知れない。

　更に人美は思考をめぐらせて、もしかすると今では山岸自身がキリストを気どっているのではないか、という結論に至る。それも、「無頼派」を美称として文章上使っている山岸としては、今や「無頼キリスト」をもって任じているのではなかろうか、と。

　こうして人美の、現実では少々不自然の、下に山岸達を置いたままの太宰と対比した長い長い「山岸外史論」は続き、ついに「それまでの一切の権威を否定し抵抗し、ついに盗賊らと十字架上に闘争のその生涯を終えたキリストは、不滅の光をわれらに投げ与えているが、山岸はまだ生きて牢獄にも繋がれず、党から除名も受けない。」人美はとうとうユダのような男を従えて酒を食らって騒いでいる山岸に我慢出来なくなる。「あの老いぼれを消すべし！」

　……人美勝彦の、この体当り的モデル小説はけっこう同人雑誌仲間で評判になったようだ。それは多くの他の雑誌同人からの通信が残っていて分かる。では、肝心の山岸はこれを読んだのだろうか。昭和43年1月27日付、つまり作品発表後九ヶ月後の山岸の葉書を写そう。

《拝復　いかなる返事を書くべきものなのか。まったく見当がつかないままに、数日をすごしました。期限のある或る仕事があったせいもあります。あなたの手紙がそのありのままを書いていることに、好感をもったようでもあります。しかし沈黙の扉が堅く閉まっているようで「言葉」がありません。あなたの人間の見方のあまりにも通俗的なことに懲りたのかも知れません。あなたは人間愛を知らない人なのではないでしょうか。そしてあなたは口先の巧い人なのではないでしょうか。しかし人間の「心」を扱う文学は、もっと深部にあるのではないかと思います。》

このあと四月にも山岸の葉書が一通残っているが、「僕も近頃では酒もやめにしていますから、安心しておいで下さい。こちらは飲まずにお相手できます」とあった。

次のは六月二十日付のもので、またまた人美は太宰との比較で山岸を論じ、その質疑なりの葉書を出したものらしい。

《拝復　お葉書拝読。あなたの言うとおりなのです。太宰と僕とのそれらのことを文字どおりに証明してくれる人たちも何人か生きていますが、太宰は或る意味ではユダなのですから、むかしからそれは解っていて、いつも痛烈に僕からやられていたその怨みをかげで晴らしていたといっていいのでしょう。堤君の文章などもその角度からみると、いいのだろうと思っています。(現在の僕は、読まぬがいいと忠告してくれる人の言に従って、まだ読まないでいるのですが)けだしパルタイで苦労したことのあるあなただから、その角度をもっていて、それだけに僕と太宰の眞実の関係を見ぬかんと肉迫しているように僕は受取っているのですが、そんなこと自分では書けませんものね。しかし太宰の僕宛の葉書はやはり十分に資料にはなっている筈だし、僕の「人間太宰」には全くフィクションはないのですから、それでも判って貰えるものと信じます。今日の僕はたしかに太宰ブームの被害者ですが、この死後の復讐に対しても、さらに僕は仕事で復讐することにしています。だいたい太宰の読者が殆んどデフォルメしていて、前進的でないところに太宰の責任があり、そんな太宰文学を放置しているところに僕の責任があると、近頃の僕はしみじみ考えています。実存的・内攻的・自虐的「良心」は外界の敵との対決のなかに解放しなければなりません。そして「人間失格」以後「人間再建」もあるのです。しかしあなたはその辺のことが解ってくれる筈なのですが（その角度があります）しかし時代の太宰論者にはそれさえ見えないのです。まるで解っていません。時代の文学の角度そのままが、目茶苦茶です。》

これで見ると、山岸はついに「無頼キリスト」は読んでいなかったのでは、とも取れるが、本当はどうだったのだろうか。

(3)

前号の最後に紹介した山岸の葉書が、昭和四十三年六月のものだったことは明記したが、同じ六月、山岸は『改訂版・夏目漱石』を清水弘文堂より出した。九月には、山岸は毎日新聞社から出された『写真集・太宰治の生涯』のために「玲瓏帖由来記」を寄せる。

翌昭和44年4月12日投函の六十五歳の山岸の人美勝彦宛葉書。

《拝復　ひさしぶりでお手紙拝受。あなたも変らず、がっちり文学と取り組んでいるので、やはり嬉しく思いました。僕も御同様ですから安心して下さい。仕事、だいぶ遅れているのですが、悠々すすめているつもりです。「党員告白」です。この次元、位置、立場、態度、リズム等になかなか苦しみましたが、いっさいぶっつけることにしてすすめているのです。夏までに脱稿したいとケンメイです。

ところでお申越のもの、つまり預ったもの、むろん保存してあります。全部は読んでいないまま、そのままになったのでしたが、それはそれとして、十八日にきて戴けると都合がいいですが。午後三時位はどうでしょうか。僕も近頃は酒もやめにしていますから、安心しておいで下さい。喫茶店くらいならいってもいいと思います。あなたがビール位飲んでも、こちらは飲まずにお相手できます。》

こうしてまた、人美は山岸外史宅を訪れたのだろうか。

九月十九日付では次の葉書を人美は受け取る。

《拝復　本日こんな和歌めいている「へなぶり」が出来ました。

酒は神　神とも知らで飲む時は

やがて祟りもあるところこそ知れ

酒は神前に捧げるものかとは思っていたのですが、酒そのものが「神」だったことにハッキリ気づきました。これは愚昧の極、不遜の到り。まったく驚き入った認識不足でした。しかも祟りの祟は崇高、崇拝の崇なのですから一層驚愕。》

昭和45年4月17日、山岸は最長の返事を出す。

葉書二枚を利用して細字で書かれたもので、宛名は「杉並区成田東・小針方＝人美苑」で、人美は文学のために居住まで転々としていたのか。

《拝復　どうもなにかが喰い違っているようです。僕もばかだったけれど、たとえば泥酔のとき自分に出てくるものを、そのまま信じたかったのですが、それも「独断」なのであって、人間の「心」は摩可不思議。ヨーロッパ風の実存哲学の合理性だけでも捕捉できないものなのでした。（この確信がついたのは去年の春頃でした）僕も心のヂェスチュア、心のテクニック、心の演技、政治性を極端に嫌って、いわば「神」のような正直さを夢みていたのですが、たとえば自然に花ひらく一輪の「花」さえも、その花容と香りによって虫どもを欺いているように、花さえも（心なき花さえも）心あるかのように、欺きをもっているのです。そしてその自然さえも欺きとみる知性の悲しみ。——君こそむしろ政治に毒された文学青年。僕は（痛烈にいって）君はまだそんな通俗性をもっていると思っています。しかも一方にあるロマンチックな純粋暁望が「存在」を信じきれず、いつも疑惑の心をもって、かなしくも「物」をみているのです。「汝、信仰うすきものよ」僕はそう言いたい。「君はいったい何を信じたいのか」そして「信ずるとは、いったい何か」湯川秀樹さんではないのですが、量子力学にも素粒子があるように心の核（心の原子核は）近代の心理学分析だけでも追いつかないのです。より新しい心理学は、サルトル風の考え方でも捕捉できないのです。ここ十何年も僕は苦しみました。

そしてここにひとつの焦点のあることを発見したつもりでいます。「心とはなんであったのか」「心作用、意識作用とはなにか」

(二)その奥儀？みたいなものは、とうていここでは書きされません。「政治と文学」の反故一万枚を整理したいと僕が考えているのも、そこに実存哲学と唯物弁証論の新しい統一点があると知ったからです。

しかし要するに文学というもの、文章というものにも、技術の面のあること。これも確かです。僕はそれを或る若い俳優と話をしている間にみてとりました。つまり原稿用紙というものは我々の舞台でもあったわけです。（あなたの泥酔キリストはすこし以上にそれをもっていて、その点が僕にとってヒドク不快でした。僕をみている「心眼」がないと思いました。表面だけの僕をみているのは、自分の演技性の過信があったからだと思いました。しかしキリストを愛した僕はもっとはるかにあなたを信用していて純粋でした。――というような時間があったわけです）そして弁証が新しくおこっていったのでした。……しかし演技や技術以上のもの。それなしにどうして「芸術」といわれるものが可能になりましょう。「表現」とはじつに正直な真理の表現ではないでしょうか。それは対物したときの全観認識の投入だと思うからです。（と言うようなこと）

この辺でやめます。
佐藤さんの日には出来るだけ出席したいと思っています。おハガキありがとう。なんでも一挙には解決しませんよ。》

人美はこの葉書に、またまた長文の文章を寄せたのに違いない。
4月30日付の山岸の葉書。

《拝復　お手紙拝読。文章のことはしばらく措くとして、あなたの意見はよく解りました。八十パーセント同意見です。ユックリユックリ仲よくなってゆきましょうすこし返事が遅れました。》

次はこのあと、六年で死を迎える山岸の最後までを辿りたいと思う。

(4)

さて、結びの山岸外史の葉書は昭和四十五年六十六歳の時のものだった。そしてこの年は、山岸はほとんど同人誌に五、六篇の詩や感想を書いただけで終わる。山岸の同年5月12日付の人美勝彦宛葉書。

《拝復　お手紙拝読。どういうことか小生のところは通知がなく（尤も通知があっても会費三千円では、出席する筈もありませんが）そのまま五月となったわけです。その間、酒の失敗二三回。ようやく二三日前から軌道復元。この線路工事が大変なので、当分禁酒しました。それにあれやこれや別の仕事を頼まれたりするので、なかなか一本調子になれず、そこでまた苦心する始末です。なお道は多難にしてはるかなり。悠々と旅をつづける決心も新しく。》

実はこの年、人美のもとには4月8日付で富士正晴から、

《お葉書有難く拝読しました。わたしが地名を調べるのに使っているのは昭和十八年の「市町村名鑑」なので、もうその頃には「不入斗」という地名は消滅していたのですな。日本は地名を簡単に無神経に改悪するのでうんざりします。／林富士馬の小説化とは大仕事ですな。／お報せのお礼のみ一筆》

という葉書も来ているから、先に「島尾論」、そして「文芸復興」に「無頼キリスト」で山岸を描いた人美は、次のターゲットを林富士馬ときめ、取材を始めていたのかも知れない。

翌昭和四十六年一月、人美はまた山岸に手紙を出したらしい。次は1月27日付の山岸の葉書である。

《そう言わないで下さいよ。あの原稿のあとクリスマス、年末、正月で、お客さんが多く、どうしても酒となっただけではなく賀状も書けない始末。それに今年は「姿勢」をつくることにしたので、なかなかの疲れでした。三四日前からようやく例の一冊仕事にむかっているところです

とにかくお互いガンバリましょう。》

次は三月に、人美は山岸に一冊の詩集を送る。3月10日付の山岸の葉書。

《拝啓　詩集「海亀」受け取ったのですが、いささか妙な気持でした。僕も割と詩人に友人があって、むかしの「四季」にも詩論を書いたりしたことがあるからでしょう。今日でも詩集を貰うことがおおいのですが、しかしいずれも直接なのです。間接というのは今回が初めてです。おまけに「感想集」なるものを開いてみると、なんのことはない。だいぶ知り合いも載っているというようなことで、僕の無名ぶりにいまさら感心しました。それに二年半前の上梓。すべてよく解らないことでした。むろんお礼状はだしますが、ひどく実感がわかない気分でありますそれはそれとして僕もようやく厳粛になって仕事に邁進しています。どうやら酒仙になりすぎていたらしいという自覚を深めています。とにかく仕事以外になにもありません。ツマリ取り返してゆくとでもいうのでしょうか。気の毒なことです。しかし大丈夫、抜群の働きをしてみせます》

ところで、この四十六年と翌年が、山岸にとっては終末近い中ではもっとも活躍した時期だったようだ。即ち「中央公論」に「三島由紀夫―死と真実」を寄せ、「政界往来」四、五月号には「第三次世界大戦の設定」を書いている。昭和四十七年には「中央公論」四月号に「文は人なり」を、十二月には「愛犬記」を書いた。しかしこの二年間は二人の間に文通はない。昭和四十八年、山岸は六十九歳。「政界往来」十一、十二月号に「政治と文学」を、「文化評論」十二月号に「肉体労働ということ」を書く。この年、七月に人美からの便りがある。七月十六日付の山岸の葉書。

《拝復　久しぶりの葉書有難う。僕健在で仕事に打ちこんでいます。しかし一滴の酒もやりません。そういう意志堅固の人は十万人に一人の由。医師の言ですけど。しかしさすがに僕も考えましたよ。「先が短い」泥酔キリストでは困りますから。「政治と文学」これが苦しかったからですが、この問題じつは認識論、自我の哲学までやった。とにかく大地の底まで掘りぬいて整理がつきました。あなたなら解ってくれると思います。それで相当に「自由」回復「向うところ敵なし」位で進みつつあります。間君のこと名前は記憶しているのですが、ハガキでも出してみますか。》

そしてもう一通、八月四日付の葉書。

《拝復　たしかに孤独の執筆です。僕にしたところで。しかし仕事以外に「自我の確立」も「発見」も「辨証」もできないのだから仕方ありません。ヘラクレイトス「戦いはすべて母」でやっています。》

二人の文通はこれが最後に近いものとなる。49年1月4日付で、多分人美の年賀状に対するものであろう「真実は生命」と大書して、脇に小さく「墨書などする柄でもありませんがネ。お年賀の意味で」とある。

が、この直後、山岸は腎盂炎となって高熱を発して臥床。回復するかに見えたが相当に悪化し、秋には代々木病院に入院。この年仕事は「文化評論」七月号に「『モナ・リザの微笑』論」を書いただけ。年末、病状ははかばかしくなく、精密検査の結果で前立腺癌が発見される。

翌昭和五十一年、重態からしばしば快方に向かうが、仕事は一日三、四枚の執筆と日記を書く程度だった。その51年1月13日付の賀状が残っており、賀春／昨年は病気入院で失礼しました。／元旦」と印刷され、「なお病気にて賀状延引、お許し下さい」との肉筆が添えられているが、山岸の筆跡ではなかった。

翌五十二年五月七日山岸は「折りからの雷鳴とともに昇天」したと年譜に書かれている。享年七十二歳。


（一九九七年八月）

永松　定

（1904～1985）

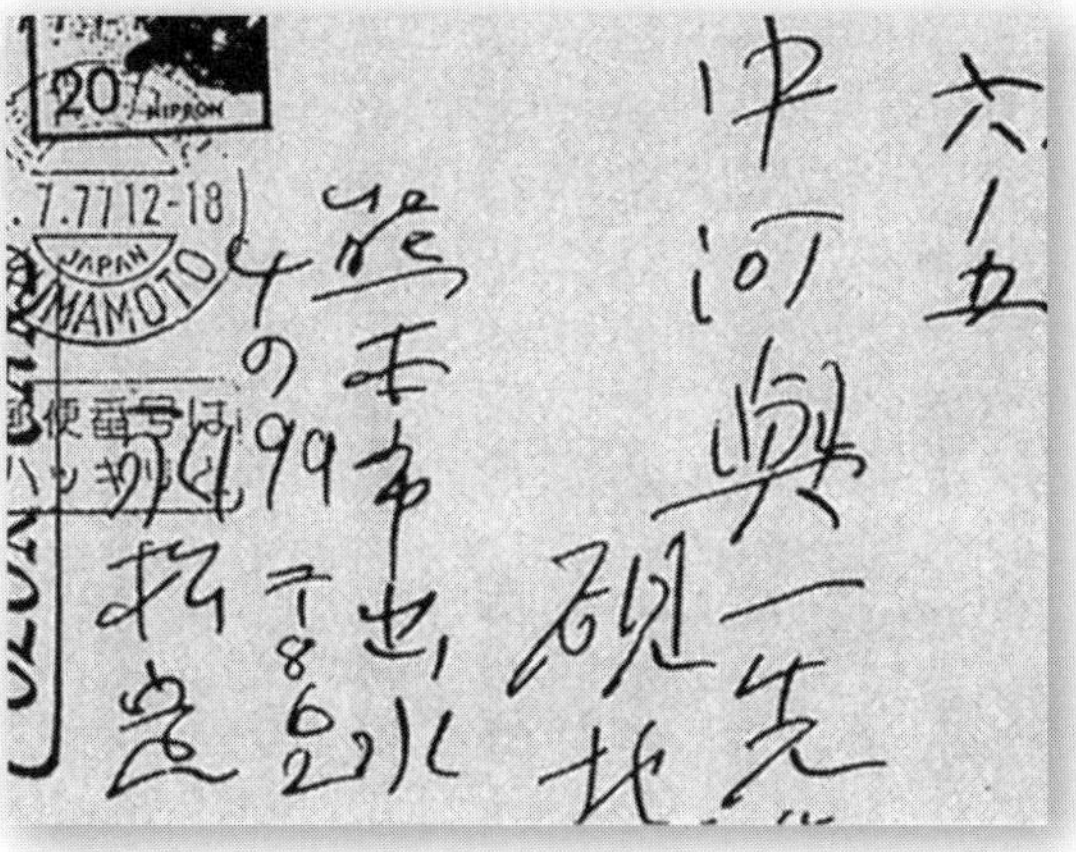

昭和52年8月5日付で、七十三歳の永松定は、七歳年上の中河与一に葉書を出した。

《冠省、今度の旅では先生に多大の御迷惑をおかけしたことを深くお詫び致します。羽田では、こちらから御挨拶、お詫びを申し上げたいと思いながら、やはりお姿を見失い、失礼致しました。今年は肉体的に駄目かと思いますが、もし明年夏ごろ（夏休みのころが、学生らを誘うには好都合）小生も是非一員に加えさせて頂きたくお願い致します》

要するにこれは、中河が誘ったのとは別の旅行をしてしまった詫びの言葉のようだ。そしてこの葉書を受取った中河は、「君の旅行中の歌があったら示せ」と、永松に言って来たのらしい。中河は生涯雑誌発行にこだわった人で、歌の所望も掲載のためだったかも知れない。永松は葉書二枚に①②とナンバーを振って、八月七日付で左記の歌を送った。

《冠省、仰せに従い、ヨーロッパ旅行の歌を数首、抄録致します（御採用は御任意に願います）。

イサール河を前に抱きワイン城
小山を背負い空高く聳え立つ
—ミュンヘンのビアホール
その昔茂吉も来たり坐りけむ
古都ミュンヘンのビアホールの椅子

（注＝茂吉—斎藤茂吉。五百人はゆうに容れるというこの巨大なる地下室のビアホールはかつてヒットラーが旗挙げしたところ。）

—ライン河下り
両岸に古城聳えてライ河の
流れは代赭（たいしゃ）に薄にごりけり
舷低く細長きタンカーあまた行き合いて
そのかみのライン のにぎわい思いしらしむ
—フランクフルトの女
フランクフルトの硝子の向うの美女どもは
人魚めき口は利けども声はきこえず》

……永松定は明治三十七年熊本生れ、第五高等学校から東京大学英文科卒。大学在学中より、上林曉、森本忠等と同人雑誌「風車」を出す。以来多くの同人雑誌に加わり、小説集『万有引力』『田舎ずまひ』を刊行。昭和五年、伊藤整との共訳でジョイスの『ユリシーズ』を、以後ジョイスの『ダブリンの人々』、ゴーマンの『ジョイスの文学』、ハックスレの『恋愛体位法』『D・Hロレンスの手紙』等訳書多数、と言った人だ。

戦後は新設の熊本女子大の英文学教授となる。この時から同地の雑誌「詩と真実」「日本談義」に関係、小説、エッセイ等を頻繁に発表。昭和三十五年『二十歳の日記』を河出書房新社より、昭和四十五年には五月書房から『永松定作品集』を刊行する。

実は私にとって、右の『二十歳の日記』は半生を日記にこだわり続けている私の、恐らく愛読書の五指に数える一冊なのである。元々これは「詩と真実」には「連載小説」とあり、「小説」と謳っている。また単行本の伊藤整の序にも「この日記は昭和初年代の精神史を調べる必要のある人々には具体的な信頼すべき文献として役立つばかりでなく、一般の読者にとっては率直な自伝小説として喜ばれるものと思う」とあるが、実際は日記だ。

ただ、中味としては「二十歳」一年間の記録ではなく、昭和二〜五年の、二十三〜二十六歳の日記である。無論、上林暁や伊藤の出る文学活動も描かれるが、青年特有のいらだたしい野心と恋と欲望が書き殴られている箇所が、私には感動的であった。

「……夜、目がさめると、もう眠れない。女、女、女、女のことばかり目にうかぶ。彼女！ひろげられた肢体、はりのある下腹、陰毛、そして大いなるヘソ。／成功、金をもうけること。／金のこと、金で買う食物のこと、金で買う女のこと。／金のこと、金で買う快楽のこと、金で買う女のこと。／この下宿で唯一の女の下宿人、小さな断髪の女。彼女の赤いスリッパが、下駄のところに脱ぎっぱなしにしてあるかないかが、いつも気になる。／余剰力——女——抱きたい、愛したい、ふみにじりたい。／誰でもわたしのようだろうか？」

これこそ、私の二十前後の言葉でなくて何であろう。永松の日記は更に言う。「己は自分のことしきり考えない。／自分の幸福と平和をそこなわない、ちょうどその範囲で人のことを考える。／自分の幸福と平和をさまたげないかぎり、あらゆる悪は己を苦しめない」

青春期の本質は昭和初年も今も全く変っていないのだ、という変な信頼感さえ湧く思いだ。――さて、永松の中河宛の葉書はもう一通残っていた。先の短歌を示した年からは三年後の、昭和55年9月9日付のもの。

《冠省、御ハガキ有り難く拝受しました。上林が死んでがっかりしました。もう文学関係では福田清人一人ぐらいになってしまいました。上林の女性関係については、石部金吉だと思っていたのに、戦後最近、隠し子が現れたそうで、長男が遺産を分け取りされることを恐れて、頼沼のところに来て、上林にどうか認知しないよう忠告してくれと頼んだということです》

大きな絵葉書の裏に、縦横に書き飛ばすように書かれたこの内容は、すでに文壇通には知られ、伏された事実かどうかは私は知らない。しかし当時これが知られると「病妻物」で売った上林暁側としては困ったのだろうが、すでに老齢に近づきつつある今の私には、正直何かほっとさせられる話である。

ちなみに、上林の死はこの一ト月前。二歳下の永松定の死は、この五年後で、昭和六十年八十一歳の時のことであった。

（一九九七年二月）

佐多稲子

（1904〜1998）

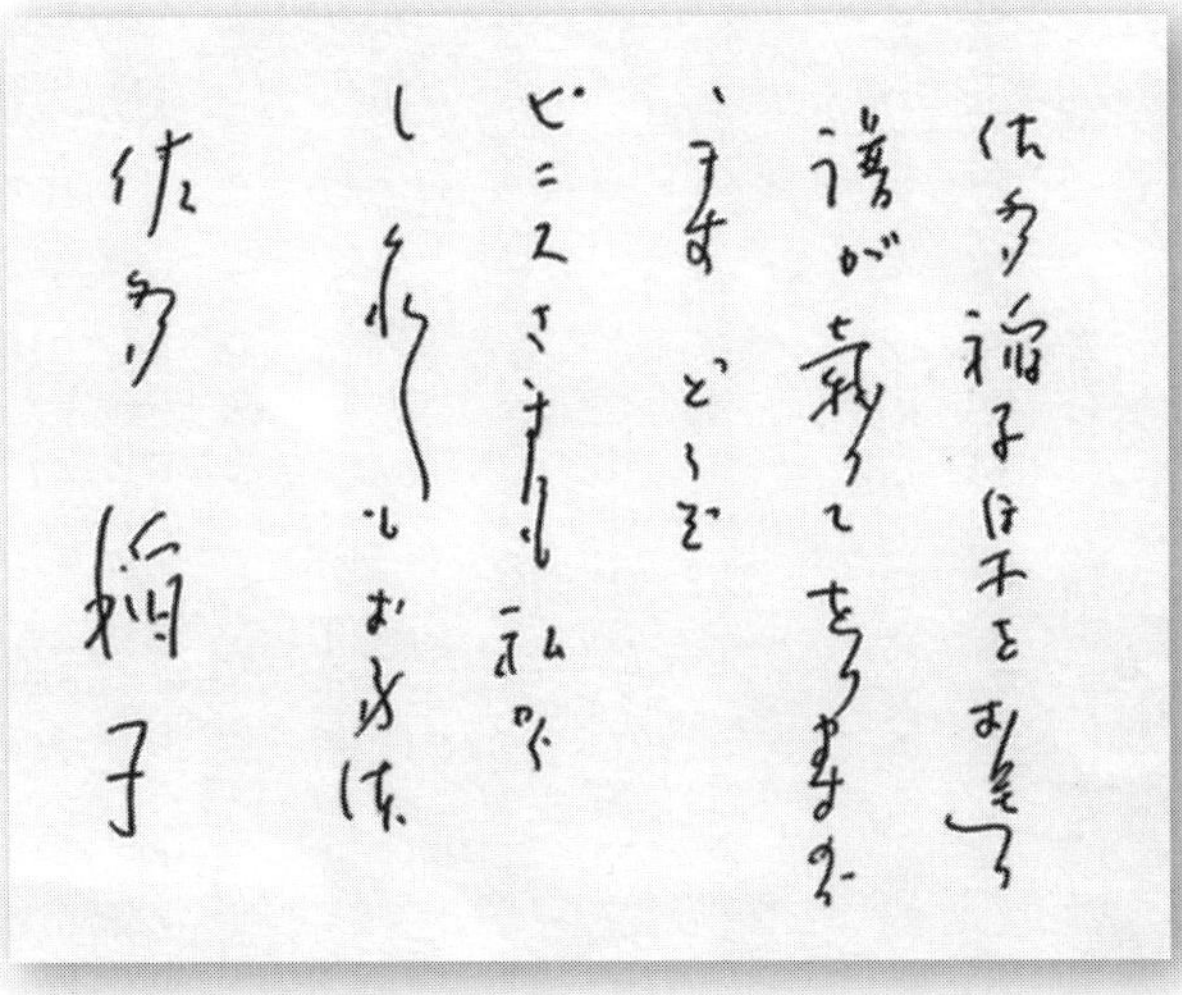

平成十年十月十二日、佐多稲子が九十四歳で亡くなった。それにしても、昭和二十年に離婚した元夫の窪川鶴次郎（一歳上）の方は二十四年も前に没しており、女性は長生きである。

さて、前回は「阿部知二」が、ソ連在住の岸田泰政・日本語教授に宛てた書簡を紹介したが、岸田宛の佐多の書簡二通があったのを思い出した。何しろ、この度の新聞の死亡記事も「プロレタリア文学、波乱の一生・佐多稲子さん死去」が見出しで、作家歴は古く昭和三年の「プロ芸」二月号所載の「キャラメル工場から」からである。

昭和五年には戦旗社から「日本プロレタリア作家叢書8編」として『キャラメル工場から』が出され、続いて三月遅れて改造社版「新鋭文学叢書」の一冊として『研究会挿話』が出る。戦時下は戦地慰問や時局におもねる文章も書く。その強い反省から、戦後は一貫して民主化と婦人の地位向上に務める。そんな佐多に、昭和三十二年岸田から佐多の文学を紹介したい旨の書簡が届いた。左は7月12日付の佐多の一通目の返信である。


《拝啓、お手紙拝見いたしました。そちらで日本文学を御専攻なさいます由、私たちのためにもありがたく存じます。日本の最近の文学についてもおくはしく、殊に私のもの作品名をいろく挙げておいでになりまして恐縮いたしました。翻訳もして頂けますとのこと、嬉しくなります。最初に短篇をといふことですが、別紙のように今度お送りいたします本の中の「現代女流文学全集・佐多稲子集」に処女作「キャラメル工場から」や最近の短篇もいくつか収録されてをります。その中で適当とお思ひになりますものがありますれば、よろしくお願ひいたします。「ズボンを買いに」は「緑の並木道」と同じ素材を扱つてをります。日本では好評を受け、私も好きなものでございます。

最近の短篇集が九月はじめに出版されますので、出来ましたらお送りいたします。西野辰吉さんの「米系日人」をお訳しになりましたさうですが、この作品は私たちも好きな作品でございました。／西野さんは私も親しい人です。他の女流作家の御本のことですが、やはりその方々にお手紙をお出し下されば直接御本人からお送りなさるのではないかとおもひます。／「現代女流文学全集」の佐多稲子集をお送りいたしましたのは、くはしい年譜が載つてをりますので、何かのお役に立つのかと存じます。どうぞ、エフゲーニヤ・ミワイロウナ・ピニスさまにも私からよろしくお伝へ下さいまし。くれぐもお身体おいとひなさいますように。

七月十二日　　　　　　　　　　佐多稲子

岸田泰政様

（別紙）「現代女流文学全集」「くれなゐ」「私の東京地図」「みどりの並木道」「機械のなかの青春」

――以上五冊、航空便でお送りしました。》

――次いで、一ト月と六日して出された第二便を写そう。

《拝啓、その後お障りなくおいでのこと丶存じます。東京も秋ふかくなつてをりますが、そちらではもうお寒いのでせうか。十月二十九日に蔵原惟人さんがモスクワへ立たれまして、一層そちらが近い感じです。

このたび短篇集が出ましたので、十月十八日にあなたとピニスさまに同封飛行便でお送りいたしました。「人形と笛」といふ題名の短篇集です。尚、今日大原富枝さんからお話をうかゞったのですが、先便でお送りした私の本はまだ落手になつてゐないようで、心配になりました。七月十二日に飛行便で発送いたしましたので、とつくにお受とり頂いてゐるものとおもつてをりました。私の方でも調べますが、そちらでもお問合せになつて下さいませ。早く着くようにとおもつて飛行便にいたしましたのに、どうして着いてゐないのかと残念におもつてをります。

私は今夏十二指腸カイヨウで二ケ月ばかり入院いたしまして、ようやく元気になりました。いつぞやのくはしいお返事、ありがたく拝見いたしました。夏休みのことなどおしらせ頂いてをりましたがお元気にお過ごしでございましたでせう。その節のお手紙に、窪川鶴次郎さんの住所のお問合せがありましたので窪川さんに逢ひましたとき、お話いたしました。窪川さんも御自分でお便りするとおつしやつてゐましたが、ついでに私からも住所を左記におしらせいたします。

千葉市小仲台町八五〇の二二〇　窪川鶴次郎

おはづかしながら、私ども終戦の直前に離婚いたしました。同じ新日本文学会員として、始終顔を合せてをります。新日本文学会ではこの二十六日に中野重治さんが中国へ旅立たれました。

そちらでいろ〳〵日本文学の御紹介のお仕事がおすゝみのようで、ありがたく存じます。お体くれぐもおいとひ下さいまし。ピニス様によろしくお伝へ下さい。

十一月一日　　佐多稲子

岸田泰政様》

——佐多はこの年五十四歳。手紙にもある如く、夏に十二指腸潰瘍を病んだばかりか、このあと十一月には肝臓ジストマで順天堂病院へ入院、翌三十三年一月に退院するのである。

ともあれ、半生をプロレタリア作家として捧げた身には、まだまだその聖地だったソビエトでの己れの作品翻訳の機会は大きな喜びではなかったろうか。このあと佐多は、長い長い四十年を過ごすのである。なお、一便に出て来る長嶋書房の『佐多稲子集』、二便にある『人形と笛』の「ネワ河畔、泰政」の文字の入る、佐多の署名本二冊は、その後岸田が帰国時に持ち帰り、この書簡と共に私が購入、今も手元にある。

（一九九九年一月）

宮口しづえ

（1907～1994）

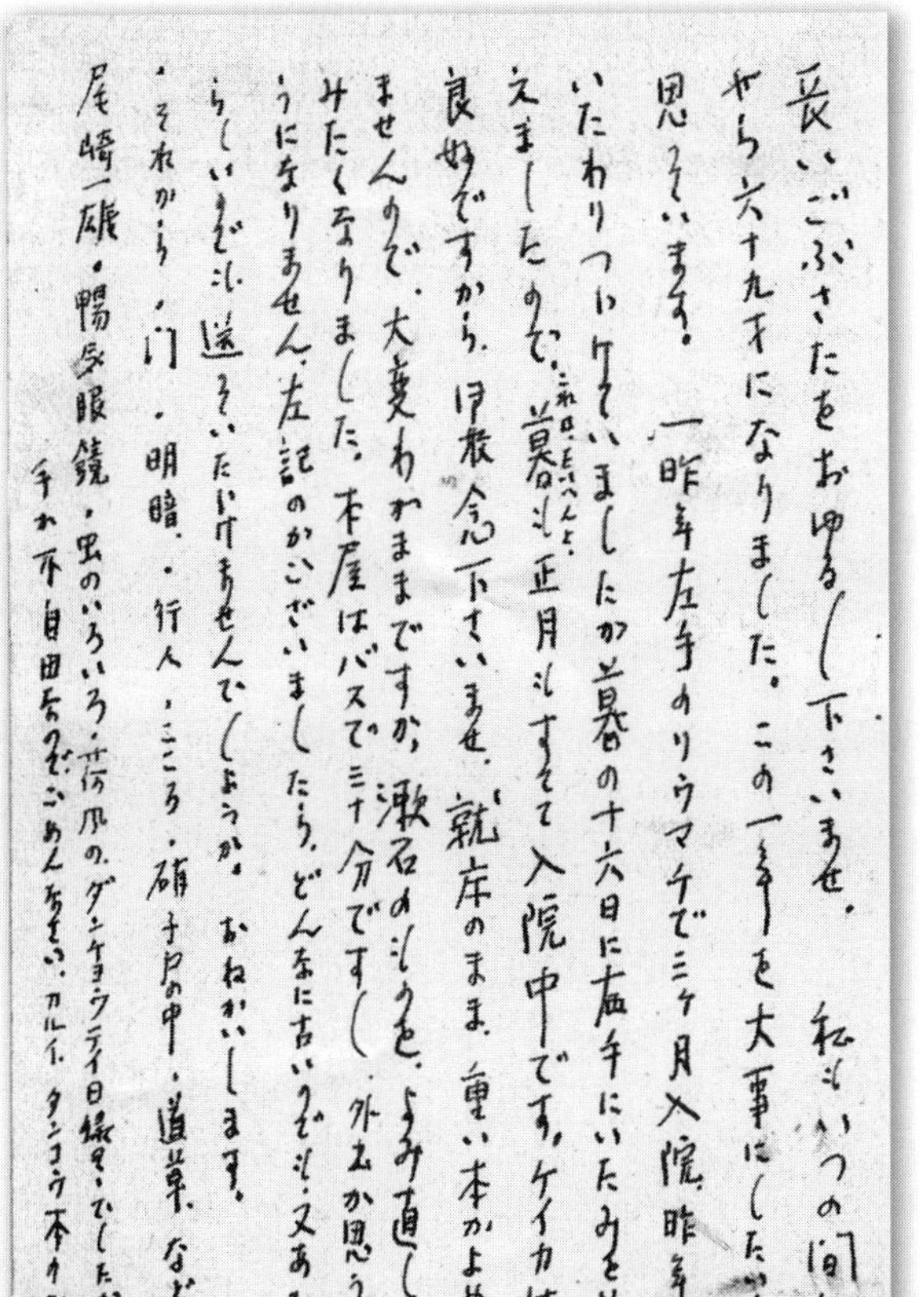
長いごぶさたをおゆるし下さいませ。　私もいつの間に
やら六十九才になりました。この一年を大事にしたいと
思っています。　一昨年左手のリウマチで三ヶ月入院、昨年は
いたわりつづけていましたが暮の十六日に右手にいたみを覚
えましたので、暮も正月もすべて入院中です。ケイカは
良好ですから、御放念下さいませ。就床のまま、重い本がよめ
ませんので、大変わがままですが、漱石のものを、よみ直して
みたくなりました。本屋はバスで三十分です。外出が思うよ
うになりません。左記のがございましたら、どんなに古いのでも、又あた
らしいのでも送っていただけませんでしょうか。　おねがいします。
・それから　・門　・明暗　・行人　・こころ　・硝子戸の中　・道草　などです。
尾崎一雄　・暢気眼鏡　・虫のいろいろ・荻原の、ダンケヨウテイ日録、でしたか。
手が不自由なのでごめんなさい。カルイ　タンコウ本がいいです。

宮口しづえ　青木正美宛葉書

(1)

平成六年七月六日の朝日新聞朝刊に、私は小さな死亡記事を見つけた。

宮口しづえさん（みやぐち しづえ＝童話作家、信州児童文学会名誉会長）五日午前六時、脳こうそくのため、長野県木曽郡山口村の自宅で死去、八十六歳。葬儀・告別式は七日午後一時から同村神坂五一八一の自宅で。喪主は長男茂樹（しげき）氏。五十七年、「ミノスケのスキー帽」で日本児童文学者協会新人賞を受賞。「宮口しづえ童話全集」「ゲンと不動明王」などの作品がある。

私はこの人から、合計十数通の書簡葉書を貰っていることを思い出した。昭和五十二年に出版社から私に送られて来た宮口しづえ著『木曽の街道端から』に挟まって、このほどその大部分が出て来た。昭和46年5月30日付の葉書が最初の来信だった。

《長い御手紙を書きたいものが胸にあふれています。今畳屋さんや、石やさんが入っていますので、御手紙やら作品集をいただいた御礼のみさっそく申し上げます。〝年頭の迷い〟つづけて作品集をよませていただいています。何かこう切なくなって、その切なさが胸からこぼれます。やっぱし、はじめてお会いしただけですのに、もっともっとお話したいものが幾日も幾日もつづきました。これだけのものをお書きになっていらっしゃる方だったとしみじみ思いました。〝藤村〟につなが

る、得がたいお友達として、今後も是非おたずね下さい。一昨日筑摩書房から、少年読みものとして、〝私と藤村〟を書いてほしいと社の方が見えました。少しおちつきましたら又書きます。御礼のみ。○朝晩さむくて、まだ炬燵机です。今日も雨がしぶっています。〝日記以前の記〟実に克明です。書き綴っている姿が目に浮かびます。光ったところ、たくさんあります》

という文面である。……私はこの十一日前、宮口さんと一日昼と夜二度にわたって藤村について語る機会を持っていたのである。

そもそもは、下町古本業界の店主旅行だった。五月十八日が出発日で、一行は約三十人、行先は鉄道で長野へ出、バスで善光寺・川中島古戦場・戸隠高原と見て、上山田温泉で一泊というもの。私は三十八歳、毎日が働きづめという頃だった。私は衝動的に、この旅行を利用して藤村の故郷・馬籠へ行って見ようと思った。十九日、一人篠ノ井駅から木曽福島——南木曽と乗り継ぎ、最後はバスで馬籠へ着いた。もう暮れ方の六時頃で、ともかく今夜の宿を探そうと、丁度歩いて来て目についた藤村記念館前の、関連の土産売場で尋ねることにした。私は藤村の長男の経営になる「四方木屋」に泊まりたいと希望したが、もうそこは一杯で、民宿なら空きがあるでしょうと言い、その一覧表をくれた。私はそこに「下井筒屋（鈴木儀助）」とあるのを見つけ、迷わずその宿を教えて貰った。幸い空部屋があり、私は一泊八百円のその民宿の人となった。下にも二部屋ほどあるらしかったが、案内されたのは二階六畳ほどの部屋で、襖の向こうは大学生二人が客だった。やがて儀助夫人が夕食を知らせに来、

「今日はみんな男さんだで、儀助が一緒にどうぞと言ってます」と言った。

まだ囲炉裏に炬燵で、客は他に、青年にも見える浅黒く日焼けした精悍な顔つきの男がいた。儀助夫婦は五十代後半で、朴訥な農民という感じだった。初対面ではあったが、私は本の上で儀助さんを知っていた。いや、あの藤村記念館建設の手となり足となった一人が儀助さんだったことが詳しく記されている、菊池重三郎の『木曽馬籠―島崎藤村のふるさと』（昭33・小山書店刊）を、私はこの旅行に持参さえしていた。食後私は、儀助さんから谷口吉郎設計になる記念館建設の頃の話を肉声で聞くことが出来た。大学生達はほとんど興味を示さなかったが、日焼けした男の方はにこにこと笑みをたたえ、落ちついた態度で儀助さんと私との会話に聞き耳を立てている風だった。

やがて晩酌が進んだ儀助さんはそこを去ったが、すぐ向こうでぐうぐうと大きなイビキが聞こえ始めた。客四人が残ったが、雑談の中で私はこの日焼けした男のことも、私は本などの上で知っていたのだと分かった。この三年前までの四年間、ベトナム戦争にフリーカメラマンとして従軍していた石川文洋氏だったのだ。氏はこの年三十三歳、朝日の写真部に勤務していたのである。

「あの頃、ベトナム兵がベトコンの首を持ち歩く場面の放送をテレビで見ましたが……」と私が言うと、

「あれは僕が撮ったんです。でも三本用意して、あれだけで放送中止になってしまいましたが……」と石川氏。

これには学生二人も興味を示し、私達は主に石川氏の高校卒業後の世界一周無銭旅行の話など聞いて、その夜遅くまですごした。

翌朝は八時頃起床。学生二人と朝食の膳に座ると、奥さんが、「昨日の石川さんは、みなさんに

よろしくと言って車で発ちました。今朝は早く起きて、まだ薄暗い頃からカメラを持って坂道を走り廻ってましたよ」と言った。

私は奥さんに、もう一泊して、今日は出来たら島崎楠雄氏にお会いしたいと思っているんです、と言った。記念館前の売場の人がよく知ってるから打合せなさるといい、でも、私としては是非、荒町の童話作家・宮口しづえ先生に会って行くことをすすめます、と奥さんは言った。

私は早速売場の主人に相談に行った。電話してくれて、午後来てくれれば楠雄氏が会ってくれるって言ってます、と言う。記念館で時間をすごし午後に出かけて見ると、楠雄氏はしかし留守であった。私は儀助夫人が紹介してくれた宮口しづえさんを訪ねることにした。

(2)

私は下井筒屋へ寄り、

「宮口しづえさんを先に訪ねて来ます。楠雄氏の方、もし連絡がありましたら宮口さん宅へ電話して下さい」と儀助夫人に言った。

宮口さん宅は、馬籠の坂を二十分ほどだらだらと下った、荒町という村のお宮の隣りだった。いや、宮口さんの家はその宮司も兼ねているらしかった。

「ごめん下さい」

すると三十歳前後の女性が出て来た。

「青木です。鈴木儀助さんの御紹介でお邪魔したのですが……」

「はい、伺ってます、どうぞ」と、古く何もかもまっ黒な家の奥の方へ案内された。

部屋にはもう六月も近いというのに炬燵が生けられ、その床の間をうしろにした場所に坐らされた。裏は開け放たれて、草木や畠や、うしろには青々とした山並みが見えた。そこへ小柄な六十すぎのメガネの老婦人が入って来た。まず私のところからはずっと離れた位置で手を突き、いらっしゃいませ、と言う。私もかしこまって、

「始めまして。……と言います、無名の者ですがよろしく」と言った。

「宮口です。無名はお互いですよ。どちらからですか」

「東京からです」

「お仕事は」

「実は、古本屋をしてます。先生のことは、友達が塩尻にいまして、馬籠へ行った時は是非宮口先生を訪ねるとよいと聞いてました。幸い本の上で知りました鈴木儀助さんの所に泊りましたら、御夫婦共先生をよく御存知というので御紹介を頂いたわけです。ともかく、十七、八から藤村が好きになりまして……」

「それはそれは。よい御商売の方とお知り合いになれて幸せです。……私も藤村を敬愛してます。私もこれで、今までいくつもの難関を越えて来ましたが、その度に藤村の書いたものを読み、その文章を思い出してここまで生きて来ました。私は小諸に生まれたんですが、小さい頃から童話『ふるさと』などを愛読していました。それから昭和二年に松本女子師範を卒業しまして、この神坂小学校の教師になりました。昭和九年に、縁あってこの家の宮口菊雄と結婚しました。私は二度目の

嫁で、すでに二人の子がおり、先程のは××の方で今教師をしている息子の嫁で、一日おきくらいに来て、こうして私の面倒を見てくれているわけです。主人もここの村社の神職のかたわら教師だったのですが、病弱で、昭和二十一年に亡くなりました。

舅の方は長生きで、昭和四十年に九十五歳で亡くなるわけですが、これは明治三年生れでして、藤村より二歳上です。藤村の父正樹翁の教えを受けた、唯一の生存者でした。今になるともっと昔の話をいろいろと聞き書きでもしておくべきだったと悔いてますが……厳格な明治人という典型でしてね。その厳しさによく泣かされましたが、今はそれが懐しいいし、実際自分の実になってますね。……劇団民芸で『夜明け前』を映画にした時には、色々と正樹翁について関係者が聞きに来ました。こけら落としというのを、この村の学校でやったのですが、その映写を誰よりも楽しみにしていたのに、いざその日が来たら行くのはいやだって言うんです。『お師匠さんが縛られ、座敷牢に入れられるのを見るなんていやだ。お前見て来い』って。帰ると、どんな風に出来てたかって言うんで、長男の宗太が『お父さん、子が親を縛るというのは無い筈ですが、御病気ですから堪忍して下さい』って半蔵の前にひざまずいて言って縄をかけ、座敷牢へ連れて行かれましたと言ったんです。

『そうか、手をついて堪忍して下さいって言ったのか、そんなら仕方のないことだろうな』って言って、舅はやっと納得して機嫌を直しましたよ。

この村は十七軒あるんですが、年に一軒ずつ茅葺をするんです。私にみんなが放って落とす藁を、舅は『こう拾い、こうまとめて縛れ』って、手を取って教えました。もう今の嫁にそれを言っても無駄だと思いますね、第一やらないですよ」

私はすぐに宮口さんの話に引き込まれていた。話はやがて、二人の共通の興味である藤村の話題へと移った。

　血につながるふるさと
　心につながるふるさと
　言葉につながるふるさと

右は藤村記念館入口の白壁に掲げられてある言葉だった。

「あれ、ごらんになりましたか」と宮口さん。

「はい、余りにも有名な言葉ですのですぐに分かりました。まだ中には入ってませんが、もう一泊しますので、明日ゆっくり見学します」と私は答えた。

「あの三行、実は私が藤村先生の言葉をメモしておいたものなのです」

「初耳です、どういうことでしょう」

「昭和三年、二十歳の時でした。先ほども言いましたが、この村の小学校にいましたね。そこへ藤村が見えるって知らせがあった時の驚きったらありませんでした。当時学校に女の教師は二人しかおらず、当日私がお茶を出す係を命ぜられたんです。その前日にはお茶を出す練習までしてお待ちしました。学校は近在の人達も駆けつけ、沢山の聴衆で一杯になりました。さて、無事にお茶出しも済み、私も聴衆の中に混れ、お話を聞きました。その時の藤村の言葉が、あの三行だったんです。私、必死に書きとめました。講演は、その三行を補足するようなごく短いものでしたね。……戦後昭和二十七、八年頃ですが、私楠雄さん宅にあった『新潮版・藤村全集』の手伝いを二年ほどしたのです。その時に、何げなく編集部の人々にこんなメモが残ってます、ってお見せしたのがあの三行でした」

「失礼ですが、大変なお手柄だったじゃないですか」と私は宮口さんに言った。

(3)

するとと宮口さんは言った。

「このことをお話するようになったのは、臼井吉見先生がある文章の中でこの言葉の紹介者として私の名を公表したからです。そのことのあるまでの二十年間というもの、私は秘して人に語ったことはありませんでした。これを自分から言ってしまったら、何か大切なものが心の中から消えてしまうようでね……」

「いや初耳でした。本当によいお話です」と私。

「ところで、静子さんのお話をしましょう。そうです、藤村の二度目の奥さんのことです」

と、宮口さんは言葉を続けた。

「東京の伊東一夫先生にお会いしに上京した折、是非大磯へ出て会って行きなさいと言われ、思い切って伺ったのです。静子未亡人はもう八十すぎになっておられて、出戻られた実妹の方がお世話をしていました。喜んで下さってね、藤村が『夜明け前』を書かれた時の苦労話などをして下さいました。静子さんはいかにして藤村がこの仕事に打ち込めることが出来るかと、どんなにか苦労されたらしいのです。執筆中はもう、もの音一つさせることが出来なかったとか。また筆が行きづまった時の藤村は、それはもう怖いくらいで、立って海岸へ出て行くのを追おうとすると、『うるさい！』って手を叩くんですって。それを静子夫人は、子供のあとを見守るようにしてかくれてついて行き、やっと気分を直したのを見計らって寄りそうようにして連れ帰るんだそうです。

青木さんはどう思われてるか知りませんが、今静子さんの生活は余り楽ではないんですよ。藤村の印税は、みな息子さんの楠雄さんの方へ入る仕組みになってるらしいのです。……楠雄さんは、この辺一帯でも年間所得ナンバーワンですのにね。実はね、青木さん。私はこの年になって、藤村にはすっかりだまされてたな、って思わせられたことがあるんですよ」

「はあ？」

「静子さんが先年、藤村の手紙を集めた『愛の手紙』というのを出されましたよね。あれを読んでましたところ、先ほどお話した昭和三年の、あの私が小学校で感激して聞いた講演と同じ日に、その藤村はもう××温泉の方に静子さんを待たせてあったんですからね。私は『藤村全集』のお手伝いをして、年譜作りにも加わっていたんで分かるんですが、そうしてみると藤村が孤閨を守ったというのはフランス滞在中と、こま子さんと二度目に別れたあとの、わずか三年くらいなのです。厳しい顔で言葉少なく講演していたあの藤村がですね。中には目を真っ赤にして、感激で涙さえ浮かべてその藤村の話を聞いていた人々もあったほどのその同じ時刻に、もう××には静子さんを待たせてあったんですものね。『この〝愛の手紙〟には参った』って、先日テレビの木曽路をテーマにした仕事で一緒だった、臼井吉見先生も言ってましたが、私もこういうものは自分だけで秘して貰いたかったと思うんですが……しかし静子さんに言わせると、この本の発行は暮して行くお金のためだったらしいのですよ」

「なるほど。どうして夫人に全く印税が入らないかは分かりませんが、複雑なものなんですね……」

――この時、宮口しづえ宅の電話のベルが鳴った。嫁さんがそれへ出て、

「はい、来ておられますで……はい、はい……はい」と答えている。

鈴木儀助さんからだな、と思う。案の定、島崎楠雄氏がわざわざ下井筒屋へ寄ってくれたと言うのであった。

「楠雄さんは忙しい人だで、早く行ってあげなさい」と宮口さん。

私は、実はこうこうで、先生の方へ先に来てしまったんです、と言った。すると宮口さんは、

「よければ青木さん、夜もう一度来て頂けませんか」

と言ってくれた。

「本当にそう言って下さるんですか?」

「本当ですとも」

「じゃあ、遠慮なく来させて貰います。六時が夕飯ですので、七時迄に必ずお邪魔させて頂きます」

こう約束して、私は宮口宅を出た。外は晴れて暑かったが、高地のせいか風がひんやりとして快よかった。駈け足で荒町を下り、途中段々畠の陰へ入って小便をした。下井筒屋へ駈けつけると、

楠雄氏は自宅の四方木屋で待つと言っていたという。汗をふきふき四方木屋へ着く。息も荒く声をかけると、若い娘が顔を出した。名を言うと、

「お待ち下さい」と去った。

楠雄氏が現われた。少なくとも一室へ上げてくれるのかと思ったが、それはなく、入口近くのテーブルの前に案内され、向かい合った。その老人が楠雄氏ということはたしかだったが、その余りにも小さな顔と、小柄なのに驚いた。人は悪くなさそうである。しかしその目はどこか商人のそれを感じさせ、早く相手が用を済ませて帰ってくれればいいと言っているような目だった。

「始めまして。――と申します。古本屋を業としておりますが、個人的に藤村が好きで、若い頃から初版本や書かれたものなどを蒐集してます」と私は言った。

「そうですか。何か聞かれることでもあったらどうぞ」と楠雄氏。

子息には違いないが、しかし藤村とは異質のものを持って生まれているように思われる何かがあった。落ちつきや威厳のようなものがまるでなかった。しかし、その血筋という事実を前にして、私の胸は高鳴り続け、上りっぱなしの状態になった。

(4)

「あのう、藤村の――つまり島崎さんのお父上の体格というか、大きい人ではなかったって聞いてますが」と私は楠雄氏に言った。

「そうです、比較的小柄でしたね」

「島崎さんがとても似ておられるとか？」と私はお世辞を言うことから始めた。

「そう言われる方がいます。父は実際はもう少しがっちりしてましたがね、こう、肩巾などね」

「何か島崎さんの書かれたものも、最近は藤村に似て来られたって評判ですが」

「そうですか。別に私としては似せて書いてるわけではないのですよ」

「これはもう、お血筋なんでしょうね」

「そうでしょうか……」

話が途切れてしまいそうだ。上がっているのが、急いでやって来て胸がはずんでいるのと相俟って、容易に直らない。しかし、さすがに先程からのお世辞たらたらの自分には愛想が尽き始めた。

私は持参した資料の一点、戦後記念館が出来た頃のある人の「島崎藤村生地・馬籠宿視察記」一冊を見せた。楠雄氏はパラパラとその冊子をめくったが、すぐに興味なさそうにこちらに返した。それは加賀紫水という俳人の作った、昭和二十四年と三十年の二回に亘ってここを訪れた人の、旅行記と諸文献の貼込みで出来た、どう見ても一分や二分手にあってよい資料と、私には思えたのだったが……。私は次の、藤村が明治四十一年に、小説『春』を朝日新聞社に一日々々送り続けた、その封筒三枚をそこに出した。楠雄氏が手にしたそれへ…………と、いわれを説明したが、

「そうでしたか」とこれさえもさして興味なさそうな楠雄氏。私は聞いた。

「藤村の筆跡ですよね？」

「そうらしいですね」

「失礼ですが、記念館へ差し上げますのでお受け取り下さい」

「そうですか」と受け取って、氏はそれをテーブルの向うの方へ無造作に置いた。

その瞬間私には悔いが走った。私は、封筒はあの宮口しづえさんに差し上げた方がよかった、と思った。しかし内心とは別にそれからも、まだ何々の原稿を持ってます、やがてはそれも公けの場所へ……などと私は心にもないことを言ってみたりした。楠雄氏は、そうですか、そうですね、と言って聞いているだけ。ともかくもっと誉めなくては、とまた思い直し、記念館の資料の豊富さを持ち上げ、さして厳重には管理もされていないことの驚きを言葉にした。楠雄氏は初めてにっこりし、

「ここへ来る人には、そんな悪い人は一人もいませんから……まだ紙片一枚盗まれたことがないんです」と言った。

私は続いて、今でも明治期の著書を含め初版本は見かけないことはないが、あのように袋付まで館にあるとは思いませんでした、と言った。そうです、あんなにキレイなカバー付というのは日本でも三人しか持っていないらしいですよ、と楠雄氏。私は『家』と『破戒』の原稿の在りかを問うた。

「『家』は、東京のある方が持っているのが分かってますし、『破戒』は信州にあります」

「『藤村全集』には日記がないのですが、これは書かなかったってことでしょうか」

「日記は見たことがありません」

「ところで、島崎楠雄さんは二十歳頃からこちらへ帰郷されたのですね」

「はい、百姓などやってました。でも私がこちらへ帰って地域の人々と交ってなければ、恐らく記念館は建たなかったでしょう」

「それはもう……唐突にお聞きしますが、筑摩の全集の『研究編』というのはもう出来るのですか？」

「もう印刷に出したって聞いていますよ」

「私も待ちかねてる一人なんです。楠雄さんの御子息の活躍を、過日週刊誌で見ましたが、画家をされてるとか？」

「樹夫は武蔵美大を出まして、今グラフィックデザイナーとしてがんばってます。二番目の緑二はやはり絵の学校を出て、今は馬籠に戻って民芸品の店を経営してます。この緑二の画いた絵葉書も置いてありますので、あとで見てって下さいな。もう一人息子がいるんですが、これはいわゆる万能選手で……大学では××クラブの部長として働き、一度日本一になりましたよ。××会社には最高の成績で入社して、今はそこへ勤めております」

こう語る楠雄氏はさすがにうれしそうで、私は自分でもやっと会話の調子が出て来たと思う。……と急に、「実は、これからまた人に会う約束がありますので……」と楠雄氏が言う。

さすがにがっかりしたが、私は、

「どうも、お忙しい時間をありがとうございました」と言う外はなかった。

帰り道の感慨は、失望に近かった。ともあれ、藤村の血と最も近い人にお会い出来たことは確かなのだ、これで満足すべきなのだと私は思った。

宿へ帰ると、儀助夫人がお茶を入れてくれた。その上り際の居間で夫人と話していると、若い娘が二人、戸口に立った。宿場めぐりの娘達らしく、一人はメガネの色白、一人は色の浅黒い美しい目鼻立ちの娘だった。二人はにこにこと夫人に向かい、「泊めてくれます？」と言った。夫人は、「二階がいい？　下がいい？」と聞く。

二人を二階へ案内して戻って来た夫人に、「私も少し書きものをしますので、夕食まで二階にいます。夕食後に今夜もう一度宮口先生をお訪ねする約束をしました」と私は言った。娘達の部屋の前を通りながら、

「隣らしいので、よろしく」と言うと

「今日《こんにち》は。よろしくお願いします」と娘達は美しく合唱するように言った。

(5)

この項、童話作家・宮口しづえさんとの、さして深くもない文通があったことを、私は昨年七月六日の死で思い出し、その来信を紹介しようと始めたものだった。訪問は結局たった一日のものだったが、その時のメモから次々と島崎藤村についての宮口さんとの対話を綴ることになってしまった。そして私はこの夜もう一度宮口さんを訪ね、対話は深夜にまで及んだのである。残されたメモは膨大で、それをこれ以上再構成していてはきりがないので、この項は今回で終えたい。この年の私は三十八歳、今年は四月で六十二歳を迎える。思えば私の訪問時、宮口さんの年齢は今試算してみたらほぼ近い六十三歳だった。しかし二十六年前に三十八歳の私が目の前にした宮口さんは、正真正銘の老婆だった。まだまだ「老人」の自覚は少ない私だけれど、すでに若い人の眼からは相当な老人と見られているのではないかと思われ、感慨無量なものがある……。

さて、この夜私は宮口さんから、戦後新潮社版『藤村全集』の編集にも参加した経験や、その後の馬籠での楠雄氏を中心とする島崎家の成金ぶりを先ず聞いたのである。が、これなど、戦後未だ早い頃の活字がもてはやされその版権の全てを受け継ぐ文豪の子孫の、ごく当り前の生態だったのであろう。しかし返す返すも惜しいのは、私が藤村の名作のモデル達ととうとう会わずにしまった一事である。例えば『家』の小泉三吉＝藤村は、明治三十九年夏の夜、妻が遠い北海道の実家への旅に出たあとの、手伝いに来た姪の「お俊」を連れて雑木林を歩いていた時のことを、この作品中に書いている。「不思議な力は、不図、姪の手を執らせた。それを彼は奈何することも出来なかった。」またもう一人の姪は『新生』の「節子」である。「極く小さな声で、彼女が母になったことを岸本に告げた」のは大正二年正月、節子二十一歳、岸本＝藤村四十二歳の時である。周知の如くこの新生事件が原因で藤村は三年間フランスへ逃れるのだ。

――つまりこの夜、宮口さんはこの「お俊」「節子」のモデル＝こま子・いさ子（共に本名）との最近の親しいつき合いを私に話し、私に是非紹介したいと、とくにいさ子＝西丸小園についてはその住所まで書いて渡してくれたのである。真摯な藤村研究をよそおった私への、宮口さんの好意だったのに、帰京後の私はどうしたか？再びいつもの齷齪とした古本屋稼業に戻り、いつかその住所のメモさえなくしてしまったのである。

結局宮口さんとの手紙のやりとりも、通り一遍のものとなってしまう。昭和50年1月26日付の宮口さんの次の葉書は、信州行の四年後のものである。

《長いごぶさたをおゆるし下さいませ。私もいつの間にやら六十九才になりました。この一年を大

事にしたいと思っています。一昨年左手リウマチで三ケ月入院、昨年はいたわりつづけていましたが暮の十六日に右手にいたみを覚えましたので、これはたいへんと、暮も正月もすてて入院中です。ケイカは良好ですから、御放念下さいませ。就床のまま、重い本がよめませんので、大変わがままですが、漱石のものを、よみ直してみたくなりました。本屋はバスで三十分ですし、外出が思うようになりません。左記のがございましたら、どんな古いのでも、又あたらしいのでも、送っていただけませんでしょうか。おねがいします。

「それから」「門」「明暗」「行人」「こころ」「硝子戸の中」「道草」など。尾崎一雄「暢気眼鏡」「虫のいろいろ」、荷風の「断腸亭日乗」(でしたか)、手が不自由なのでごめんなさい、カルイ、文庫本のがいいです。》

早速私は、宮口さんに送本したもののようだ。2月3日付の葉書。

《只今、十二時二十分、微熱が出て、ねていました。

御本のつつみ、枕頭でながめ、今起きて、ほどきました。御心の程、只深く深く感謝します。本をよむ以外、何のなぐさめもなく、十一月一日〝箱火ばちのおじいさん〟の野間賞受賞に上京、パレス・ホテルのパーティへ出て、只只おどろきました。知る人も少なく、着飾ったお花畑のような中に、坪田先生の側に、枯れ野花のようにしてすわっていました。本当に心から御温情を胸に、このてがみを書きました。

二月一日　　宮口しづえ》

右の「野間賞」云々というのは、宮口さんの「野間児童文芸賞推奨作品賞」受賞のことである。そして左の葉書（それも印刷文で、署名以外は代筆）が、宮口さんから私への最後の通信であった。

《御年賀の御挨拶失礼申しあげておゆるし下さい。それでも立春までにはと筆をとりました。実は私、一昨年の十月ごろから身体に不調を覚え、名古屋医大に通院致し四月ごろは元気をとりもどし、少しづつ机仕事も出来るようになりましたが、五月半に家の近所で思わぬ事故にあい右あしを骨折しました。十月末ころから杖をたよりに街道端の方まで出かけられるまでになりましたが、寒さに向って、就床の状態でおります。

そんな中で七十二才をむかえ、感慨深いものを覚えました。幸に長男嫁と暮らし世話になっております。尚年の暮に筑摩書房の方が見えられて〝宮口しづえ童話全集〟六月出版予定の話を持ってきて下さいました。心なえていましたのでうれしうございました。

現在は手元の原稿に手を加えております。

近況をおしらせ致し御温情を胸にしたためました。

昭和五十四年一月》

結局宮口さんは、このあとほとんど作品が書けない十四年間を生きることとなる。

（一九九五年二月）

井上友一郎

（1909～1997）

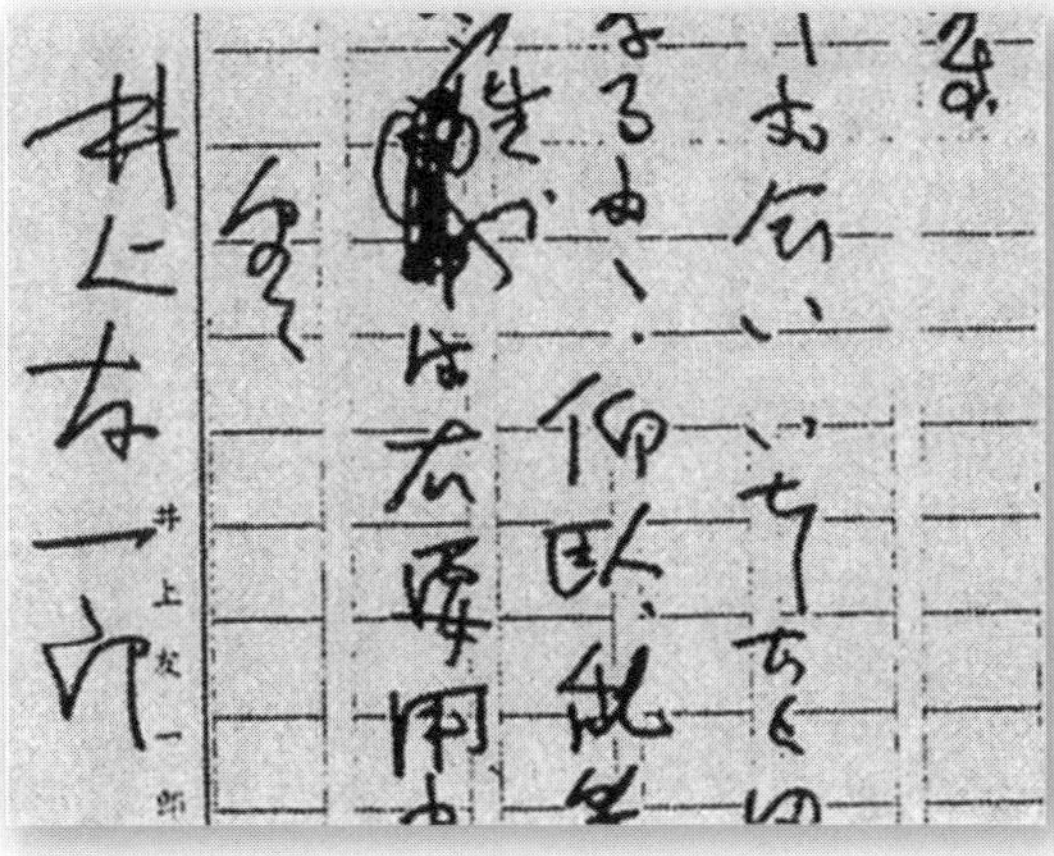

井上友一郎《いのうえともいちろう》＝作家）一日午後一時四十分、心不全のため、東京都千代田区の病院で死去、八十八歳。葬儀・告別式の日取りは未定。喪主は長女真帆子（まほこ）さん。自宅は杉並区久我山2の10の4。
大阪府出身。早大在学中の三十一年に発表した「森林公園」が川端康成に認められ、従軍記者を経て流行作家に。四十九年の「絶壁」は、北原武夫や宇野千代をモデルにしたとして物議をかもした。〈七月二日朝日〉

この日私は、毎日、読売を買って見たが、もっとも詳しい記事は毎日新聞で、約三倍の字数が使われ肖影もあった。そして早大仏文時代の同人誌「桜」を、田村泰次郎、坂口安吾らと出したことも経歴にあった。が、《一九六九年から昨年まで茨城県の霞台カントリークラブの社長も務めた》とは、私は知らなかった。

……私はある因縁から、私宛の井上友一郎書簡を持っているので、今回はこの話をしたい。平成5年11月5日付のものである。

《前略　九月ごろから御手紙や電話など頂き乍ら、小生、体調すぐれず、入退院をくり返していますので、御返事まことに延引いたしましたこと、くれぐも御海容下さい。小生の体調不良の他、本年愚妻が病死いたし、法要やら墓地人手、納骨などにも、あれこれと心を労しまして、何ともおちつかぬ状態がこゝしばらくつゞいております。

さて、河田誠一のことですが、貴殿に必要と思われること、何項目にわかれても結構ですから、くわしく御提示下さい。出来る限り、細密に御説明、御知らせいたします。いづれ、近々、一度ゆっくりお会いいたしたく思いますが、本日は気になるまゝ、仰臥、乱筆、取りあえず一筆いたしました。先づは右要用まで。

十一月四日　　　　井上友一郎

青木正美様》

四年前のこの年、私は『古本探偵追跡簿』(平6・マルジュ社刊)をまとめていたのだが、全三話中「夭折詩人・河田誠一追跡」なる文章を入れるべく努力していた。河田は四国の香川県三豊郡仁尾町出身で、すでに四半世紀も前の古本市場で、その遺稿等各種資料を私は求めてあった。私はその詩稿がたまらなく好きになり、思い出したようにそれを眺め、調べたりしていた。ある時、私は詩人のたった一冊の著書『河田誠一詩集』を見つけ、買った。河田は昭和九年に結核で亡くなり、それから六年して昭和十五年に昭森社から出されている。百部限定と言われ、当時の文壇、新聞社などに六十冊位配られ、遺族が残した数冊の他が販売されたと言われる。詩集末尾には、後年大成する田村泰次郎、井上友一郎による跋文があった。三十二歳の井上は書いていた。

《河田が亡くなつて、もう七年になる。／私は当時の悲しみを思ひだしても、いまだに胸が痛くなるのである。／子供の時から色々な友人はゐたけれども、河田と私との交遊は、単に親しく交つてゐたといふ以上に、生涯の仕事を通じての友達だつた。つまり私から云はせると河田と深く交れば交る程、それだけ仕事の上でも勉強になる、といふ風な具合であつた。いい友達とは、いつの場合でも、これだと思ふ。これでなければウソだと思ふ。／私にとつては、さういふ値打のある友達を失ふことが、世の常の無常感とは一応別に、どんな損失であつたかは、おそらく他の人にはよく分るまい。私の悲しみといふものが、いつまで経つても、深く且つ新しいのは、さういふ気持からも来ると思ふ。／けれども、河田との交遊の何年間かは、私自身の生涯には、まことに美しい記憶である。有難すぎる記憶である。それは、かつて存在した事実であり、そして私自身の生涯の記憶のなかに、消えることなく生きてゐる事実である。私は、この事実を限りなく愛したい。／河田が美しい心を持つた詩人だつたといふことは、もう私はここに書くまい。それはこの遺稿集が充分語つてくれることと思ふ。ただ残された私たちが無力で、この遺稿集を世に出すことが遅れたのを、一途に申しわけなく思つている。／けれども、河田の美しい魂のうたごえは、かういふ詩集の公にされない前から、常に私自身の心の耳に、絶えることなく響いてゐたことを付け加へよう。／私にとつて、それは再び喪ふことのない、無上の糧である。》

私は『古本探偵追跡簿』の最後の仕上げとして、河田の故郷へその事蹟調査を決心した平成五年夏、永く心にかかっていた右の井上の文章を又々思い出したのである。私は井上に宛て手紙を出し、電話もした。返事は一向になかった。私は五十何年も昔の文章にその変らぬ友情を信じた自分の馬鹿さかげんと、井上の不人情を恨んだ。……それが、いよいよ三日後に四国行となった十一月五日、もう予想外になった井上の、最初に紹介の書簡が舞い込んだのである。私は早速箇條書きにした質問書を郵送し、四国へ旅立った。が、それ以後は何故か、いつまで待っても井上の返事はなかった。私はその経過だけを正直に記し、本をまとめた。当然その本もお送りはしたけれど、井上の返事はついに戻らなかった。

私は晩年の井上の心境について思いやった。井上は戦後の筑摩版『現代日本文学全集』では永井龍男、織田作之助、井上靖と四人で一巻を飾り、その姉妹全集『新選日本文学全集』では一冊を与えられるほど高い評価を受けていた。それが、昭和四十年代からはゴルフ場の社長という実業家に転身していたのだ。私へのあの手紙一通が、井上の若き日の親友・河田誠一への、精一杯の友情だったのでは、と私は思う外なかったのである。

（一九九八年十二月）

江口榛一

（1914〜1979）

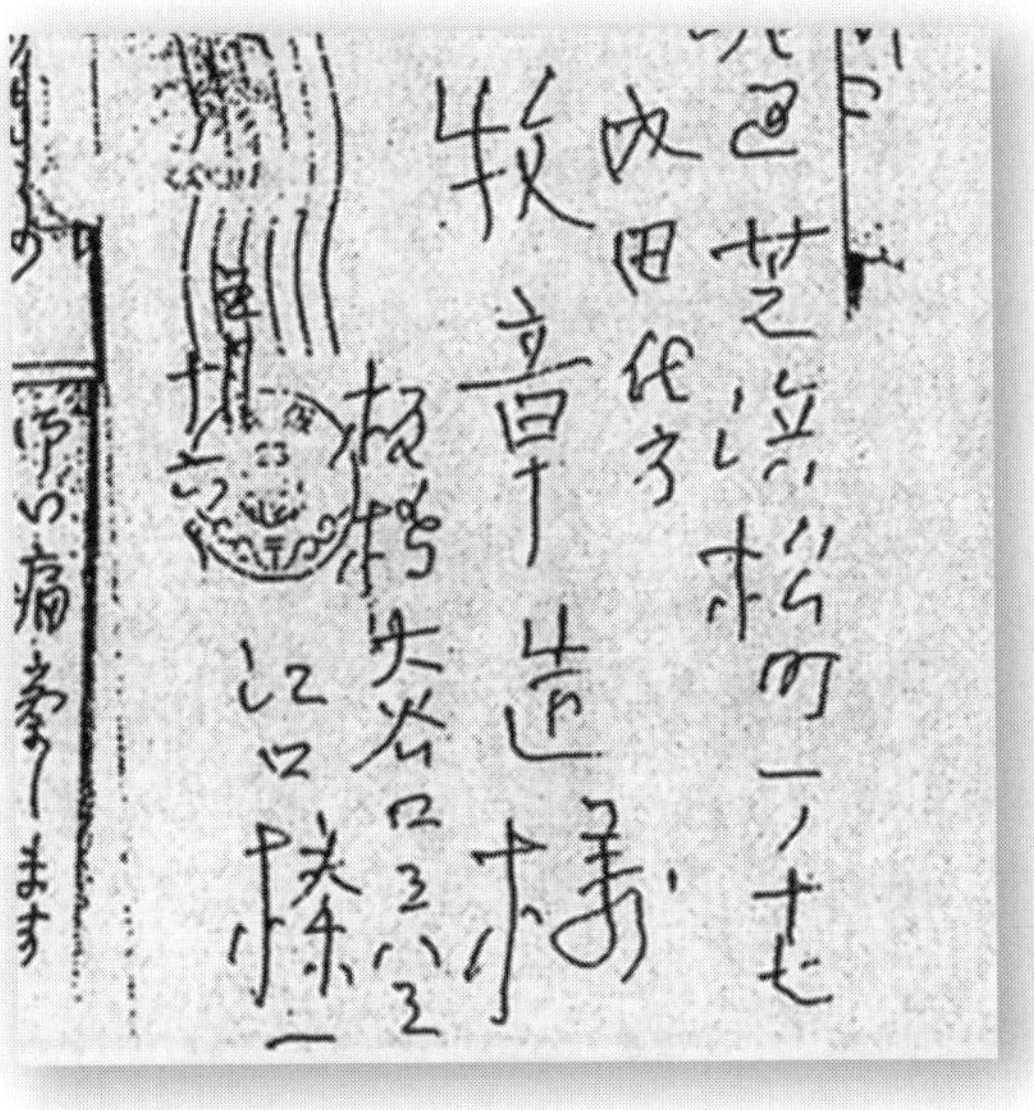

（上）

同じ自死に至った作家と言っても、太宰治と江口榛一とでは天と地ほどの人気の差がある。私が次にこの作家を取り上げようとしていた三月末の、最低入札額一万円の明治古典会優良書市に、短冊二枚つきの『地の塩の箱』（昭34・くろしお出版刊）が出品されていた。が、とうとう入札者はなく、いかにも江口に気の毒で、私は最後にそれに入札し、一万円で買った。気の毒ついでに言うが、これがもし太宰のものと仮定したら、まず短冊二枚は五十万くらいまでの札は入るだろう、本だけでも今や十万円ということはないであろう！　しかし二人は自死したこと以外にも破滅型作家ということでも共通している。いや、そのメチャクチャぶりは江口の方が数等上かもしれない。

ともあれ、理解の手引として『日本近代文学大事典』から、江口の項を写すことから始めたいと思う。

江口榛一（えぐちしんいち）大正3・3・24〜（1914〜）詩人。大分県耶馬渓の生れ。本名新一。明治大学文芸科に入り山本有三の感化をうける。昭和一二年大学卒業後、渡満し新聞記者をする。ハルビンで歌集『三寒集』（昭一五・一二私家版）を刊行。「文学界」「新潮」に短歌や詩を掲載。復員後赤坂書店に勤務。戦争詩を多作した反省から聖書とリルケに心酔。聖書に啓示されて詩作活動に没頭。現代詩、文芸時代、九州文学同人となり、いちじ「果樹園」を主宰。共産党に入党するがのち離党。二五年自作少年詩解説『あかつきの星』刊行。三〇年受洗するが教会の活動にあきたらず翌年キリスト教の個人的実践として地の塩の箱運動を提唱、一号を路傍にかける。三二年一月自叙伝『背徳者』（実業之日本社）を、三四年七月ルポルタージュ『地の塩の箱』（くろしお出版）を刊行。七月

詩集『荒野への招待』（昭森社）を出し、キリスト教思想を基調にした人生凝視の詩を発表。翌三五年には詩集『故山雪』（昭三五・一二　世界文庫地の塩連盟）を刊行。最近のエッセイに『幸福論ノート』（昭四五・九　読売新聞社）『地の塩の箱』（昭四九・一〇　新潮社）がある。

（佐藤房儀）

江口は昭和五十四年に自殺するが、更にこれに加えるものありとすれば、昭和二十九年「新潮」（五月号）に発表した小説「近所合壁」によって芥川賞候補になったことであろう。

さて、紹介しようとする手紙だが、江口が「果樹園」（小高根二郎主宰のものとは別）を出していた昭和二十二〜二十五年くらいまでの詩人・牧章造宛、及び全く別の「日本文庫」松沢光平、それに関連の富田常雄宛のものを予定している。

まず牧との関係だが「拝復御壮健の由、慶賀にたえません。こないだ「蠟人形」で貴作拝見、久しぶりの事でなつかしく……」というのが、ここに五十枚ほどある葉書の最初のものと思われる。共に満洲時代を持っているから、それ以来ということか。次いで、

近代詩討論会
七月六日（日）午後一時
ネスパにて　費四十円
右御案内申上げます。御出席下さらば幸甚です
一日会同人　江口榛一　菊田義孝

林富士馬　重森完途
牧　章造　小山正孝
十史一之　鈴木　享
荒居　稔　大木　実

とあり、欄外に「右如案内状出しております。御諒承下さい。江口」とある。名を借りたということか。次いで「近代詩討論会」の回を重ねる毎の案内、吉田一穂等の一流詩人の講演もある。「近代詩講演と朗読の会」では吉田、山本、藤原、木原、江口、大江、井上、壺井が講演、草野、大木（惇）、大木（実）、平木、井手が朗読予定とある。やがて「果樹園の集ひ」「果樹園懇話会」の案内も来る。無論ギッシリと文章が書かれたものも多い。

《……玉稿は拝見しました。みなよい詩と存じますが形式があんな風なので一般の雑誌には売れそうもありません。それ故貴兄の道は貧困にめげずグチを言わず言わば千家元麿流に徹底した清貧の道を歩むか、又は自己放棄して大衆そのものとなるか（つまり大衆にしたしみ深い形式をとること）二者択一以外にありません。どちらに進むかはあなたの自由ですが、いずれにしろ決意を要することです》（23・1・14）

まるでこれは、牧章造にかこつけて己れに言っている文面である。江口は、どうやら小説に転向を計り始めたようだ。

《……拙作につき、はげましのお便りありがとう。先日伊藤氏（青木註・伊藤桂一か？）**来訪され兄の話をききましたが、僕は兄ら夫妻を偉いと思います。しっかりやって下さい。僕はいま小説に身を投じはじめたので、心身共に窮迫、今や「必死」以外の方法がなくなりました。捨身の敢行あるのみです。兄も快作を書いて下さい》**（23・12・16）

やがて江口は、牧にまで小説を書くことをすすめてしまう。

《その後もお変りありませんか。こちらに来て、いつもよく貴兄のことを考えます。百二十枚の作品はどうしましたか。きっと注目すべき作品であろうと期待しています。長いですから「早稲田文学」か「三田文学」あたりに頼んだらどうかしらと思いますが、どこか出すところきまりましたか。小生この頃、つくずく考えることですが貴兄の如く勤めの傍らやってゆくことが悠々としていて一番よいような気がします。売文生活は辛く悲しく、いい仕事できません。僕もどこか勤めようかしらと思いますが、どこかありませんかネ》（24・1・23）

これは大分県下が差出地になっている。

（中）

前回紹介の最後の葉書と多少前後するが、江口は牧章造宛の封書では葉書で言えない内容も書いている。

《昨夜は折角お出下さつたのに、出かけていて失礼しました。（略）**伊藤氏**（青木註・伊藤桂一らしい）

の「現代詩」に出ている散文詩は素晴しいですネ。ちよつと比類がないほど美事ではありませんか。然し同誌の他の叙事詩というものはつまりませんネ。みな詩人の自慰的行為にすぎません。あんなものを書いていて小説に桔抗もへちまもありません。私たちはもつと高いところに看眼してやつてゆきましよう。／私はこの頃寂しく孤独でなりません。泣き出したいほどです。家計はひつぱくするし、私の恋愛事件で家内はいつも悲嘆していますし、かと言つて恋人と別れる事も出来ずどうしてよいかわかりません。こんな気持はもう小説に書くほかなく「若草」と「文芸時代」の十一月にそれぞれ五十枚くらいのを書きました。（略）》（23・10・11）

この恋愛事件云々は、『背徳者』によると昭和二十一、二年の頃雑誌編集長をやり、その秘書に入った娘に手をつけてしまったというもの。この十日後、江口は牧に最長の手紙を書いている。

《お手紙ありがとうムいました。突然無頼漢の如き小生の訪れをお怒りもなく、却つて喜んで頂き恐縮しました。実はあの日寂寥にたえかね巷にさすらい出たのですがお宅で歓待を受け、どうにか心を和ませて帰ることが出来たのでした。／僕は人間が変つてしまつたようです。嘗ての勇気も誇りも失い、俗物となり遊野郎となつてしまいました。「生れて来てすみません」とでも言うよりほかない現状です。そのことは今度の「若草」と「文芸時代」の小説を読んで下さればわかります。僕がいかに下劣で悪がしこい人間であるかがわかります。而も下手な小説なので知人に読まれるのは恥しく辛いことです、然しこれはやはり知人や友人に読んでもらい僕がむちうたれるべきであります。／僕はすくわれない人間です。そして偽善者です。兄や伊藤君こそ詩人の名にふさわしい人で、僕など普通以下の俗物です。ドストエフスキー伝中の人物ではありませんが僕こそ人の靴にでも接吻して丁度よい人間です。／一昨夜、草野心平氏が泊りに来ました。兄や伊藤氏のことが話に出、氏はしきりに御両所の作品をほめていました。伊藤氏には一度手紙もらつたことがあり、返事を出しそびれて失礼したと伝えてくれとのことでした。氏とその晩語り合つたことですが、この頃詩人の人物がみな小粒になつたのはなぜだろうかと爾来考えております。（略）／僕らはなぜもつと立派に、そして毅然となることが出来ないのでしよう。詩人と言えば馬鹿の代名詞みたいな地位から、早く脱却したいものです。小さな詩壇的なことや、仲間同志の噂話にしか値いせぬことが詩人の問題になるような愚劣なことはありません。僕は兄らがひたすら純一に且つ複雑に、大きくすこやかならんことのみを希つております。おそらく僕らは苦難の一生を辿るでしようか、いかなる嵐にもたえて、このかけがえのない自分を守りとうして、生長せしめねばなりません。そういうことを考えると僕は絶望してしまうのです。そして忽ち自分が色あせ、みじめなものに見えて来ます。こんな僕にとつていま、ただひとつの救済は小説を書くことです。小説こそ今の僕にとつて唯一の考える場所であり表現そのものです。生そのものです。／だからと言つて、兄たちに小説を書くようにおすすめしている僕は、或いはまちがつているかも知れません。昨日草野心平氏と一緒に浦安の宿に行き、氏の編纂にかかる『宮沢賢治研究』という厚い本を貰つて来ましたが、それを読んでいると、詩人こそ最大限最高の人格であるという気がします。そしてゆめゆめ小説書きなどになるものではないという考えが浮かんできました。然し一度僕のように俗化した人間にとつて、再び浮び上る道はもはや小説以外にありません。／伊藤氏や兄は稀な幸福な人格なのかも知れませんね。僕もできれば早々詩や童話ばかり書いておればすむような人間になりたいと思います。（以下略）》（23・10・20）

次に、この二年後の印刷文の葉書を示そう。

《御清適のことと拝察します。／さてこの度私共相談の末「江口榛一第一詩集刊行会」を発起しました。御承知の如く江口君は詩人としてすでに定評あり、その清純高雅な詩風は夙に識者の注目するところですが、惜しいかな君、詩業二十年にして未だ詩集を公刊しておりません。君の詩をまとめて読みたいとは私共のかねてからの願いであり、と同時にこの際詩集の上梓は君の将来を決する上にも大なるものがあろうと思いますので、左記によりぜひ御賛同お申込みを頂きたく、ここにお願いに及ぶ次第です。

一九五〇年七月一日

浅見　淵　梅崎春生　上林　暁

外村　繁　舟橋聖一

江口榛一　第一詩集刊行会清規

一、応募者を以て会員とす（会費一口千円）

一、会員には江口榛一詩集「山嶺の歌」を呈す

一、詩集は三百部限定版としておそくも九月末までに刊行

一、献呈本には著者の献詞を付す
一、会計監査には浅見淵、舟橋聖一があたる》

「こんな試みは文壇はじまって以来」と舟橋聖一も言ったというこの先輩達の好意に、江口は「将来を決する」ことが出来ただろうか？ 江口は自ら『背徳者』に書いている。

「……基金はひと口千円だった。そしてなかには幾口も応じてくださったかたもあったのだけれども、来るはし来るはしから飲んでしまい……」

（下）

さて、(上)(中)と牧章造宛の手紙を紹介して来たのだが、残された最後のものらしき葉書を示し、先に進もう。

《ずい分お会いしませんでしたが、本朝おはがき頂き旧交なつかしく思い出しました。拙作おほめに預かり恐縮の至りですが、あれ以後思想的に行きづまり小説書けないで弱っております。近々著書二、三冊出るようになっていますが金をもらえぬため生活は依然として困窮をきわめています。お宅は如何にや。とまれ一度ゆっくり語りたいものですネ》（26年頃・消印不明）

以後、二人は交際が絶えたのかもしれない。江口の松沢、富田宛書簡に移るが、残念ながら封筒の消印がどれも年号が不明なのだ。推定するところ昭和二十四、五年のものである。「日本文庫」松沢光平宛の一通を示そう。

《先日は失礼しました。／さて小生ここのところ連日の酒で無一文となり加うるに子供が新入学しますし大慌て且つ困窮しておりますので、先日の稿料を抵当に富田氏から五千五百円借りて下さいませんか。（略）今月はずい分仕事したのですが、どこもなかなかおいそれと金を出してくれぬのでほとほと困っている次第です。／右おねがいまで。

三月二十九日　　江口榛一》

想像するに、雑誌「日本文庫」の編集人が松沢で、富田はそのオーナーか何かになっていたのだろうか。次の富田常雄宛書簡にもまた江口の失態ぶりが出て来る。

《原稿用紙で失礼いたします。／昨夜ひさし振りで拝眉いよいよ御健勝の御様子を拝し慶賀にたえませんでした。さて昨夜一寸おわび申上げました如くいつぞやは酔余とは申せお仕事中に突然参上、無躾なことをおねがいしましてまことに失礼いたしました。／爾来思い出しますごとに衷心慚愧、自分の未熟にほとほと愛想をつかしております。一度お詫びに伺おうと思いながら、すでに一年近くなってしまいました。ここに改めて深くおわび申上げる次第であります、何卒お赦し下さいまし。なお、お詫びに伺いかねましたのは、あの後いろんな人から、あなたが大変怒っていらっしゃるということをききましたり、又松沢光平氏が方々で、「江口榛一が富田さんをゆすって困る、酒をのませろ、女郎買いに行く金をくれろと言って――」などいう噂さをきくものですから、いよいよお伺いしにくくなってしまったわけであります。／昨夜偶然お目にかかれましたのは神のみちびきの如く思えましてまして早速お詫び申上げ、永い間の重荷をすこしおろしたような気がし、ここに初めて手紙さしあげる勇気も湧いた次第です。それから昨夜船山馨君とも話し合ったことですが、明大の卒業生で小説を書いているものが沢山おります。然しなかなかみんなどういうわけか芽が出ませんので、あなたは明治の大先輩でありますしぜひぜひよろしくおねがいしたいと存じます。みないたらぬ者ばかりで、きっと御不満でございましょうが後進と思召してせめて時々怒ってやって下さるだけでもありがたいと存じます。（以下10行略）》

江口はこの手紙のすぐあと、松沢にも長文の手紙を出した。まず富田におわびの手紙を出したこと、どうか貴下からもよろしく口添えをお願いしたいと書き、次のように続けている。

《……ところで富田さんを「ゆすっ」た時の実状を一寸申上げますと、あの夜外村繁さんと他にもう一人の詩人と三人で飲んで帰り、どうにも飲みたくなり、新宿の「魔子」の店で借りて飲もうと決心、然し煙草まで借りるのもどうかと思い　「そうだ富田さんに甘えて煙草をひと箱頂戴しよう」と考え、その若い詩人と一緒に訪れたのです。そしてその由申上げますと快く煙草を下さったのみか二百円まで添えて下さったのです……（以下略）》

江口はこのあと北海道を放浪したり高校に職を得たりしたが、昭和二十八年千葉へ移って、今度は掘っ立て小屋で乞食同然の生活を送る。この生活を書いたのが「近所合壁」である。三十年、千葉キリスト教会で受洗。翌年、五年前に脱党した日本共産党に復党、十一ヶ月でまた脱党。この三十一年九月、四十二歳の江口は昔読んだ「スイスかどこかの国に、道ばたに金を入れた箱があって、行きずりの人でもだれでも困っている者ならそれを自由に使っていい」という話から思いつき、「地の塩の箱」第一号を千葉職安近くの羽衣橋のたもとの広告柱に取り付ける。十一月、国鉄千葉駅に第二号を設置。十二月、妻康子も受洗。昭和三十三年四月、機関誌「地の塩の箱」創刊号八千部を印刷。七月末現在の箱数一五八。以来昭和三十年代、三回まで全国大会が開かれ、三十九年「箱」の五〇〇号が大阪に出来る。四十二年、「ベトナム反戦・和平祈願断食」六日間。四十六年、次女ゆかりが自殺、妻康子、子宮癌にて死去。

四十八年、折からのインフレに抵抗、「地の塩の箱」（八頁）の定価を十円に値下げ。四十九年、ますます高まる物価高に抗議、「地の塩の箱」を一円に下げる。十月にはついに定価を一銭にし、翌十一月一厘に。五十年一月一毛、二月一糸、三月一忽、四月一徹、五月一繊、六月一沙、七月一塵、八月一渺、九月一莫、十月一弾指、十一月一清浄、十二月一無。五十一年定価一光。が、二月には郵政省郵便課より第三種取消の勧告で定価をもとの百五十円に戻す。昭和五十四年、江口は「発狂か自殺」以外に道がないところまで窮迫、「地の塩の箱」（№217）三、四月号の「編集後記」に「砕けし心と永遠の生」を書き、四月十八日午前十一時頃自殺をとげた。

……数十億の金塊、証券の隠匿を白日下にさらし今も生き続ける同年生れの政治家とは、天と地ほどに対極にあった人の死であった。

（一九九四年六月）

十返　肇

（1914〜1963）

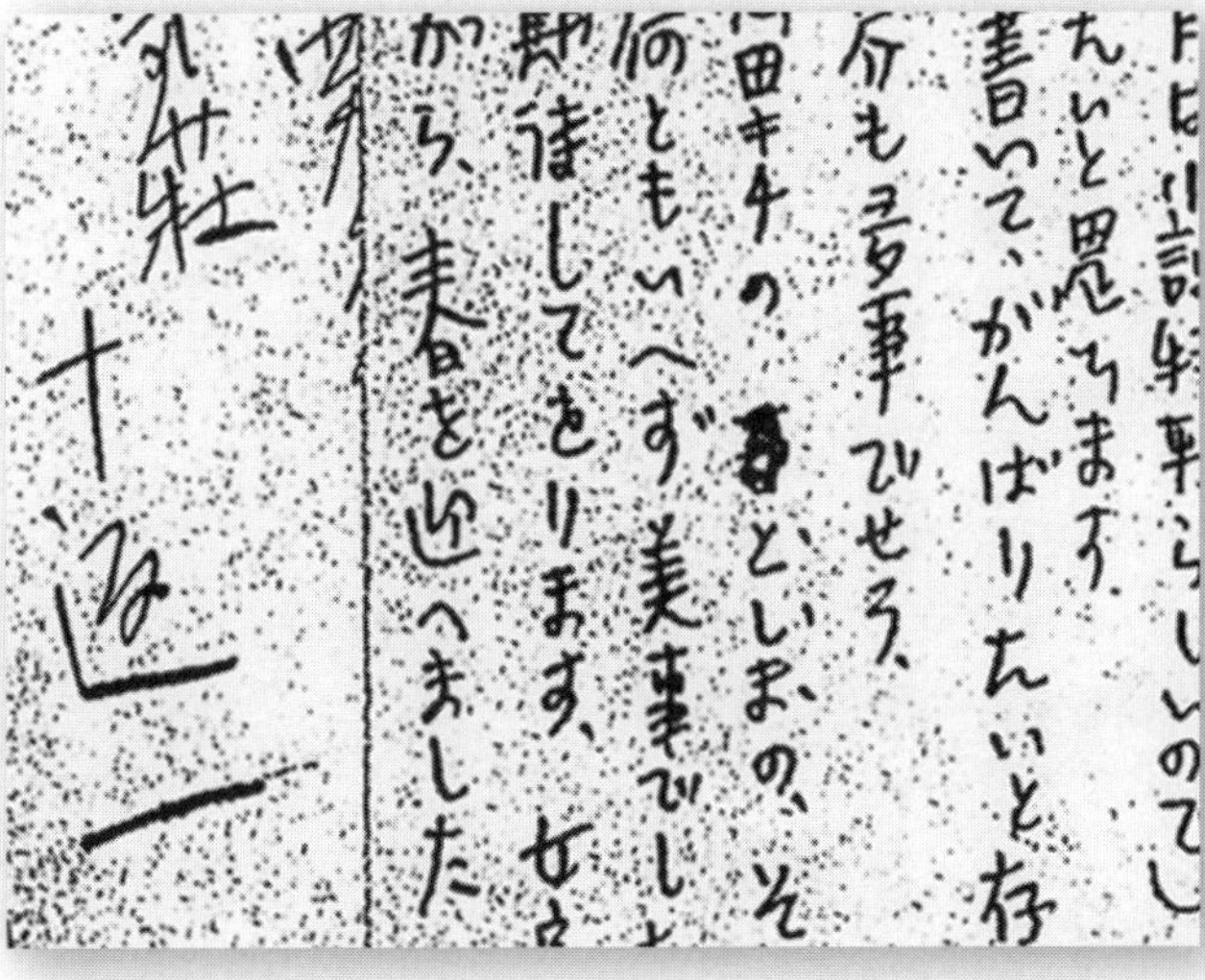
たいと思ひます
書いて、がんばりたいと存
外も大事でせう、
田キ子の春といふもの、そ
何ともいへず美しいでし
期待しております、女
から、春を迎へました
十返一

十返肇（とがえりはじめ）１９１４〜１９６３）は、初め本名の「一《はじめ》」で出発、「十返舎一九の子孫ですか？」などと言われた。戦後は「肇」と改名、今度は「民主主義の時代に肇国の肇とは反動的だ」と言われた。十返は即座に「河上肇の肇だよ」と返したとか。その十返肇の中河与一（１８９７〜１９９４）宛葉書・書簡を紹介するが、中河は十返にとっては恩人の一人だったようだ。中学の時に愛読した「新科学的文芸」は一度も書かぬうちに終刊となったが、同じ中河主宰の「翰林」には同人となって文芸時評を書き始めている。昭和八年、十返は十九歳であった。すぐ「レツェンゾ」「行動」などからの原稿依頼もある。一方「翰林」は「言霊」「文芸世紀」と改題され、十返は文芸時評を書き続けた。最初の葉書はそんな中の昭和11年1月2日付のものである。

《先日は失礼しました。今日新聞《ヨミウリ》ありがたう存じます。最近、もと大朝にゐた鶴本五之介氏より、何か大朝へ書いてみないかといふ御話あり、「偶然論」を書きました。（「日本浪曼派」は、二月は小説特輯らしいので）パンフレットには、それをのせたいと思ひます。今年は、うんと「翰林」にも書いて、がんばりたいと存じております。いろいろ文学界も多事でせう。「愛恋無限」、元旦の、仙田キチの、としまの、それでゐて、あやしいフンイキ、何ともいへず美事でした。この作品の成功を信じ、期待してをります。女房のからだもよく、貧しいながら、春を迎へました。》

右の小説は四十歳の中河が、朝日新聞に昭和十年十二月十一日より十一年四月二十日まで連載した中河の代表作のことで、精神的な愛の永遠性をテーマにしている。のち、中河はこの作品で第一回北村透谷賞を受けた。

次の葉書は、同年2月10日付。

《御無沙汰して失礼いたしました。毎月十日の編集会議のことですが、青樹賢太郎君は、病気になり、駒井君は、十日夜は会があるとの由ゆえ、一日延期して、十一日の夜といふことに致します故、あしからず御諒承下さい。今、駒井君が見へましたので、——その後、健康は、如何でございますか。御案じ申してゐます。「愛恋無限」も残り少なくなりましたが、愈々、最後の緊張した場景になり、終るのが惜しいやうに思つて貪つて読んでゐます。》

そして次の文章は4月21日付の書簡である。

《「愛恋無限」、今日で終りましたが、僕は終へ行くづつ《ママ》、面白く存じました。競馬場前後から、一段と冴へたと思ひます。今日の最後も、昨日、「手紙が来た」といふところで、一寸おもしろく感じました。瀬戸内海の場面は、実さいに見ない人にも見てゐるやうに、映じたと思ひます。たゞ、兼子（母）があれでは、すこし淋しすぎやしないかしら。外山支配人と、ほんの一寸でも愛情的なものを、汲みあふところが欲しかつたやうです。いづれ、御面談の上。——なお「文学界」しばらく拝借させて戴きます。

十返一

中河先生》

――さて、戦後の中河の不振にくらべ、十返の目覚ましい活躍時代が来る。昭和二十年、十返は画家・風間完の妹千鶴子と再婚（?）。丹羽文雄の「文学者」同人となる。昭和二十八年同誌に「贋の季節」（のち講談社刊）を連載、一躍流行児となった。『文壇と文学』『現代文学白書』『五十人の作家』（昭30・講談社）と矢つぎ早に本が出る。この『五十人の作家』で中河与一が選ばれなかったことで、十返は中河の詰問の手紙を受けたらしい。左はその十返の返事（昭30／7・26付）で、戦前戦後の二人の落差を見る思いがする内容だった。

《中河与一様

御手紙拝誦いたしました。実は、或いは、此のように仰言られることになるのではないかと思っていました。あの五十人は、実は講談社側の選定によるもので、ほかにも同様のことを二、三の作家からいわれて、本当に困りました。出版社としては、どうしてもジャーナリスチックな選択をするので、随分迷いました。それで、御不快に思われると存じたので、本をお送りしなかつた次第につき、あまり小生を責めないで下さるよう御願い致します。

小生とても、誰よりも先生に愛着を感じ、親しい気持を寄せていることに変りはございません。「新論」にお書きになつた由、ぜひ拝読させて頂きたく存じますが、正直のところ、あの雑誌には感心いたしません。あのような雑誌は頗る危険なものと考えています。「日本浪曼派」もカケ声ばかりで一向に出ないようです。

佐藤春夫氏の「晶子曼陀羅」の会のあとで、宿の飲み屋で、先生や福田清人、田辺茂一、芳賀檀などの間で、小生の話が出て、ひどく罵倒されていたことを、あとで、ひとから聞きましたが、芳賀君の僕への反論なども、僕には馬鹿らしい気がしてなりませんでした。僕はいつまでも先生の御恩は忘れませんし、先生に親愛の情は失つていないつもりでおりますゆえ、何卆誤解なきようお願いします。いずれお逢いして、お話致したく存じます。出来れば「新論」などにお書きにならないことを、古い弟子の一人として希望させていたゞきたく存じます。生意気な云い方ですが、先生にとつてプラスになるような舞台ではないのではないでしょうか。もちろん、作品さえよければよいという訳ですが、――いろいろ失礼申し上げましたが、正直なところを述べせて頂きました。あしからずお許し下さい。

十返　肇

中河与一様》

（一九九八年十月）

島尾敏雄

（1917〜1986）

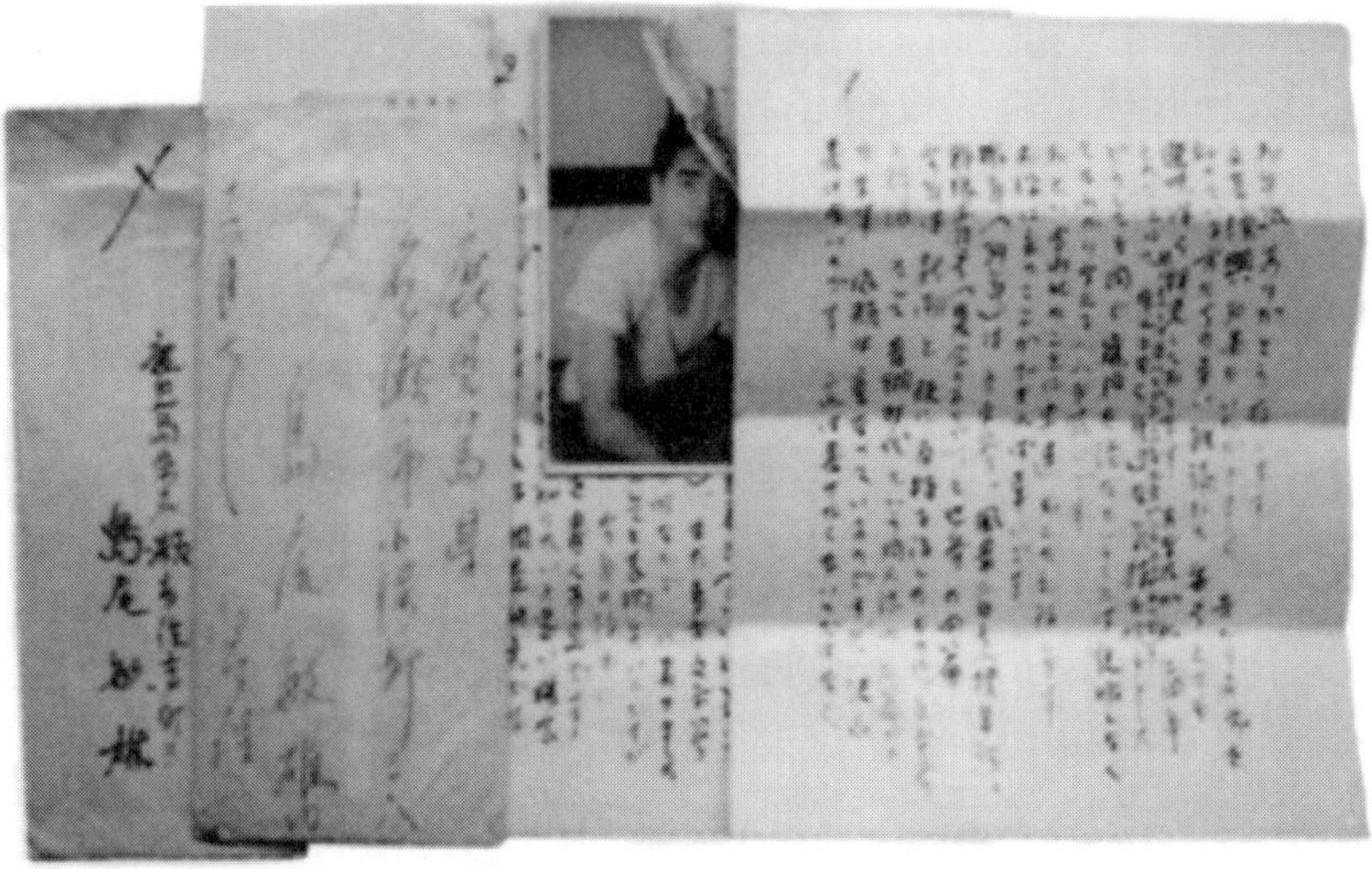

島尾敏雄・美保書簡　人美勝彦宛

（上）

五、六年前の古書市場で、ある同人雑誌作家の受信類一函を買ったのである。所属した雑誌仲間の手紙が主で、和田芳恵、細田源吉、桜田常久、寒川光太郎、添田知道、富士正晴、佐和宋一などがあったが、商品としてふめるものとしては島尾敏雄の書簡4・葉書17通があった。その後島尾のものは半分（書簡2・葉書7を残し）商売用にしてしまった。

受信者は人美勝彦（本名・周藤勝彦）で、島尾の最初の手紙に「私と同年とのことで」とあり大正六年生れ、その死亡年は分からない。今私の許に残る島尾からの最後の受信消印は、昭和五十三年（63歳時）のものである。人美は小説も書いたがその本領は評論、それも作家論で、島尾への接近も「島尾敏雄論」を書くためのもので、人美はいくつかの質問を書いて己れの文章が載る同人誌と共に島尾へ送ったのである。『日のちぢまり』（同年新潮社刊）時代の島尾からは、昭和40年7月5日付で返事が来た。

《お手紙、ありがとう存じます。

「文芸復興」30集もいただきました。昔から名前を知っている方たちの多い雑誌にて、毎号とても興味深く拝見しております。あなたが私と同年とのことにて（緑川さんとは昔ハルビンで一度お会いしたことがあります）、なんとなく身近な気持を抱きました。どうしても同じ歳月を経たということは、説明しなくてもわかり合えるへんな感じです。

おとい合わせのことに、早速おこたえ致します、お役に立つことができれば幸いです。

①昨年（39年）は、「文学界」「風景」三月号（捜妻記）、「群像」三月号（集会のあとで）と「世界」の四篇。今年は「新潮」と既に原稿を渡したものに、「文学界」と「群像」そして「青銅時代」という同人誌の三篇があります。依頼は重なっているのですが、沢山書けないのです。これは書きたくないのではなく、昼間の勤務のかねあいで時間のないこともわざわいしているのですが、今私は文筆だけの生活をする気になれません。今の状態で時間をつかまえ、なるべく充実した仕事（小説を書く）をやって行きたいと思っています。

②プエルト・リコのことは、38年の何月号でしたかの「世界」に「カン・ファン・アンテイグオにて」を書き（これは短篇集「出発は遂に訪れず」に収録）、また多分「文学界」八月号に出る小説「市壁の町なかで」に書きました。沖縄、奄美のことは小説としても表現したいのですが、今のところ熟しておりません。今年の後半に奄美の報告を書く予定です。これらの島々のことは、くわしく知りたいと思い機会ある毎に廻っていますが、それは調査研究ではありません。非常に気ままな体験を積み重ねたいと思っているだけです。

奄美の環境は、たとえば私が小説を書くためにはマイナスに作用はしないと思います。かえってプラスの何かがあります。ただそれを作品化する段階で、私のエネルギーの欠乏ということがあるだけです。東京には二、三年に一度ぐらいは行ってみたいと思います。

結局どこに住んでもいいのですが、今のところ私はもっと南島のこころ（?）を知りたいと思っています。書くものに対する制約（外部からの）は今の私にはありません。自分の心の中だけの問題です。妻もの、島ものという発想は私も好みません。今までもこだわらずに書いてきました。あなたのおっしゃるように、自由な発動にまかせてきました。ただ発想のこわばりにおそわれないとは言えませんので、そのおそろしさといつも直面しています。怯懦や老化の現象などとからみ合って。

名瀬の人口は、行政区画としての全域は御指摘のように四万五千位です。私は港のある市街地だけを対象にして言いました。なんだか切口上みたいな返事で恐縮ですが、おゆるし下さい。明日から大和村へ四泊ほどの予定で講演旅行に出ます。例の読書のすすめのようなはなしもふくめ、一般的に私の奄美観のようなことを村の人たちにかたりかけ、きいてもらうためです。もちろんこれは、私自身村々からいろいろなことを教わってくるための旅行です。

御健筆を祈りつつ。

七月五日　　島尾敏雄

人美勝彦様》

——島尾はこの二年前アメリカ国務省の招きでアメリカを歩き、この年の秋には第一回日ソ文学シンポジウムに参加し、ソ連各地とポーランドを旅行することになる。ところで、島尾の二通目の手紙を写すにはもう紙数がないので、このあとは人美が参加した同人誌「文学街」「文芸復興」についていて少し触れておこう。

書庫を探すと、右の雑誌共各二冊ずつがあった。「文学街」の一冊は昭和三十六年十二月号で、同人で、次の年芥川賞をとる川村晃が編集後記を書いている。「周知のとおり今やインスタント文化は花ざかりである。人間は水のように低いところにむかって流れたがる。テレビは洪水となってどこの茶の間にもはいり込んだ。／テレビを見ていればなんとなく一日が過ぎてゆく。家庭もそれなりに円満である。テレビのプログラムのために新聞が存在する——そんなふうな具合になりかねない世相である。」

三十三年後の社会を言い当てて見事な、川村晃の文章である。ただ、この年の名簿に人美の名前はない。「文学街」のもう一冊（42／4月号）には同人として人美もおさまっているが、逆に「売れた」川村晃の名は消えている。すでに人美は昭和四十一年十一月に「太宰と山岸外史」を発表して好評だったようだ。

一方人美は、この頃島尾の手紙にもある通り、落合茂の主宰する「文芸復興」の同人としても活躍していた。

（中）

人美勝彦が入った同人誌「文芸復興」の主宰者・落合茂氏とは、私は今年五月にお会いし、氏のことはこの十月号の「日本古書通信」誌上にも短文を書いている。すでに八十六歳になっているがお元気で、九十五集まで来ている「文芸復興」を編集中であった。私は別の用事で伺ったのだが、人美についても聞いてみた。

「『新潮』の同人推せん作に選ばれたこともありますが、経済的には恵まれませんでしたね。従ってあっちこっち、同人雑誌を出たり入ったりしてましたよ。金がなくなるとやめ、作品が出来るとまた入って来たりね……」と落合氏。

そんな風にして、「文学街」に「太宰と山岸外史」を発表したあと人美はこの頃、戦時中に芥川賞候補三回という経歴を持ち、「文芸復興」に身を寄せていた「埴原一亟」論を同誌上に書いた。そしてその掲載誌と共に、またまた島尾への手紙を書いたらしい。次に紹介するのは、昭和42年2月17日付の島尾の葉書である。

《お手紙いただきました。

先般ちょっと上京しました。その折お会いしてと考えておりましたが、うまくひまがつくれませんでした。前のお手紙への返事はなかなか文字ではお伝えしにくくお会いして、と思っていたのですが果たせませんでした。

「埴原一亟論」拝読しました。しかし太宰論の方がおもしろかったのです。埴原論がおもしろいことを願っているような読み方をしたのですが。

罪の償いということは、本当に私には言いあらわせません。償いはしたいのですが、うまく償いにならず、神経病的なところにはいっていくおそれもあります。やはり当面の、そしてこれからさきのぼくのひとつのこころみ(こころみられ)です。文学とどうつながるのかはわかりません。今わたしはそこのところはどうでもいいような気がしています。しかしぼくのしごとは文学だと思っているのですが。

カトリック信仰のことは、森川達也、松原新一の三人で神戸で対談をしましたときに、いろいろきかれて答えました。これは「審美」六号に出ると思います。これもたいへんなこころみられ。しかしいろいろつじつまは合わぬながら、カトリックの書物を読むのがおもしろい状況にあります。異端のあたりの神学的解釈、よくわからないがおもしろいです。いつかお会いしてはなしあえることを期待しています。》

人美は次に、おそらく「太宰と山岸外史」の時の取材を元にしたものであろう小説「無頼キリスト」を書く。私のところにある「文芸復興」二冊のうちの一冊（昭42／4月号）にこれは載っていて、四百字百十五枚の力作である。これは太宰治という超人気作家と、一時はもっとも近くにあった人として知られる、晩年の山岸外史の酒びたりの無頼ぶりを描いて、今読んでも中々の作品である。編集した時点での落合茂氏の手紙が残されている。

《〝文芸復興〟一〇四ページになりました。これで二十八日には配布できると思います。あの印刷屋はむこうのペースにあわせなければならないしんどさがありますが、こんどの号はいささかも負担になりませんでした。それはやはり全力投球ぶりを示した『無頼キリスト』のせいだと思います。この熱っぽい筆力は久しぶりです。生原稿、初校、再校と三回目を通したわけですが、そのたびに印象が強くなります。〝何か噴いている感じ〟は、『無頼キリスト』にはたしかに感じられます》

人美は早速、島尾にもこの掲載号を送ったようである。昭和42年5月15日付の島尾の書簡。

《度々お手紙ありがとうございます。御夫妻の御写真も、「無頼キリスト」も拝見しました。二人の文筆家の交渉の様子が彷彿とあらわれていて思わず読み終えました。しかし相手の文筆家を、もし無名の立場に置いて攻めておれば、作品がもっと自立し得たように感じました。やはり、なにか急な心情が先走って、描写に省略があったように思えるのです。勝手な感想をおゆるし下さい。でもこれは、私をあなたの作品に近づけてくれました。

東北旅行をなさるとのことでうらやましいです。実は私はほんとうの東北（つまり奥の方）を知らず、いつか行ってみたいなどと思っていたからです。三陸、秋田、津軽の方を歩いてみたいなどまえから考えていました。相馬にも十年以上も帰っておりません。どうぞよい御旅行を！

私の次の東京旅行はまだ予測できませんが、今度はおうかがいしたいと思っています。

大船さんのものは、まえのロシアのはなしを読みました。では東北旅行のよい御収穫を期待しつつ。写真でお目にかかりました奥様によろしく。

五月十五日　島尾敏雄

人美勝彦様》

人美は今度は、島尾の来訪を懇望したらしい。42年7月7日の島尾の葉書。

《お手紙とおはがき、ありがとう存じました。

実は六月末、東京に行きました。妻と子供を伴っており、日程がつまり、お伺いする心づもりでしたが果たせず心残りのまま帰島しました（いただいた地図まで用意していたのですが）。しかし機会は突然また訪れて来そうですので、やがてお会いできることと存じます。東北旅行はまえにも書きましたが、一度是非実行したいと思っていますので（東北人の東北知らずですから。写真は虫眼鏡で見ました）あなたの旅行はうらやましい限りです。奥野健男も「東北文学案内旅行」（小説現代八月号）などという文章を書いて私をうらやましがらせてくれました。「群像」の八月号に……（以下略）》

（下）

その後、人美の懇願を受け、島尾の人美宅来訪となったものらしい。人美はこの頃、大田区中央の大田区役所近くで、小さな飲食店を営んでいた。この日、「文芸復興」の落合茂氏も一緒に島尾を迎えたようだ。昭和42年8月31日付の島尾の葉書。

《おはがきありがとうございます。また先日は二度にわたって御厚情、あつく御礼申します。（◎奥様にどうかよろしく。）写真で想像していましたがあなたよりやせておられ、なんだかほっとしました。いわゆる東京人でなく、地方としての東京のひとという印象を受けました。東京の地のひとを新たにして下さって（さて、どんな認識でしたでしょう？）私もお訪ねした甲斐がございました。お店のまぐろのさしみ、それから何とかいうつまみのもの、みなおいしくて思わずすっかりいただいてしまいました。

私とあなただけしゃべって、落合さんは退屈なさったのではなかったでしょうか。あれから十五日の午前中に短篇完成し、その夜、八・一五集会のあと、十六日離京しました。》

十二月、人美は再び来訪を乞う手紙を名瀬市へ出す。すると留守宅の島尾夫人・美保からの電報が人美宅に届く。

シマオハ　ソビエトカラ　九ヒ　バイカルゴウデ　ヨコハマニツクヨテイデス　レンラクサキハ　オクノタケオカタデス　シマオミホ

続いて、電報を出した同じ日（昭和42／12・8日）に書いた美保夫人の手紙。

《人美勝彦様　御令室様

御初にて御文させて戴きます。先達つては島尾が御伺い致しまして大変にお世話様に相成りました。厚く御礼申上げます。度々島尾宛に御文戴きまして真に有難う存じます。

島尾が旅行中でございますので、御返事をさし上げますのが遅く相成つて居ります事、御わび申し上げます。本日御便り戴きましたので電報にて、取り敢えず島尾帰国予定の日を御知らせ申し上げました。電報などさし上げます事は誠に失礼とは存じましたれど、不躾をも省みずの所業御ゆるし遊ばされて下さいますよう、御わび申上げます。この拙文が御手許へ御伺い致します頃は、多分にお宅様へ島尾がお伺い申上げて居ります事でございましょう等々お偲び申上げ乍ら認めさせて戴いて居ります。

東京はもう御寒い日々とかお伺い致して居りますが、此処奄美の島では未だに真昼日の光りは強く肌にまぶしくようやくに落陽に耀く海の果てを南する候鳥に、秋の気配を思ほゆる今日此頃でございます。その遙かな南の島より、只々御二方様の御健やかに御過し遊ばされますように、神の祝福豊かにと御祈り申し上げ乍ら、擱筆させて頂きます。

十二月七日

可しこ
島尾敏雄内
美保》

それから七ヶ月した、昭和43年7月17日付の島尾の葉書。


《度々お便りありがとうございます。

お嬢さんとの御生活はなにかと御不自由でしょう。しかし頑張つて下さい。私の方は長男が家で受験勉強中、長女は今ひとりで鹿児島に出ています。一種の治療を受けさせていますが、ちよつと希望がわいていています。お約束した原稿なかなか手がつかずにいますが早く果たしたい念願です。「伊東静雄」は短いものながら、「季刊芸術」の五号（前の号）に発表しました。今は「東欧旅行記」に専念（？）です。／いずれ又東京でお目にかかれるでしょう。》

お互いに、家庭内にはいろいろの悩みをかかえていることを語り合っているのだが、どうやら島尾の方は、すでに仕方のないつき合いと思い始めているようなニュアンスも感じられる。

次の島尾の葉書は消印が不明瞭だが、年譜の昭和四十四年の項に、二月に自転車事故を起こすとあり、どうやら四十四年三月に出したものらしい。

《おはがきいただきながら返事おくれました。実は一か月前、交通事故（自動車を避けようとして自転車もろとも川の中に転落して）にて入院中なのです。あと二か月位しないと退院できません。いつも気になりつつ、あなたへの返信を書くための時間をつかまえられぬまま日を過ごしていたのですが、又右のような事情でおくれてしまいます、おゆるし下さい。

しかし、あなたの設問への返事はお答えするつもりでおりますから、どうかもうしばらく日を与えて下さい。》

また三年たった、島尾の昭和47年12月26日付の葉書。

《お手紙ありがとう存じます。

先般出京の折は、とうとうお会い出来ずに帰ってきました。おゆるし下さい。つい仕事が重なり、帰宅がおくれてあわてて帰つて来ました。／気鬱がさっぱりと消えてくれないので、とてもうつとうしいのです。いろいろ克服のために工夫をしているのですがうまく行きません。／あなたから、再びエンジンがかかりはじめたか？ と言っていただき、ほんとうにそうなりたいと切に思います。／今度冥草舎というところから『記夢志』という本が出ますが、之は冥草舎から送らせます。たぶん来春早々のころになります。》

このあとは、島尾の宛名書きは肉筆、文面印刷による左の年賀状が一枚残るだけである。

謹賀新年

昭和五十三年　元旦

〒253　茅ケ崎市東海岸五丁目一四番二〇号

島尾敏雄
ミホ
伸三
マヤ

（一九九四年十月）

大川内令子

（1947? ～19??）

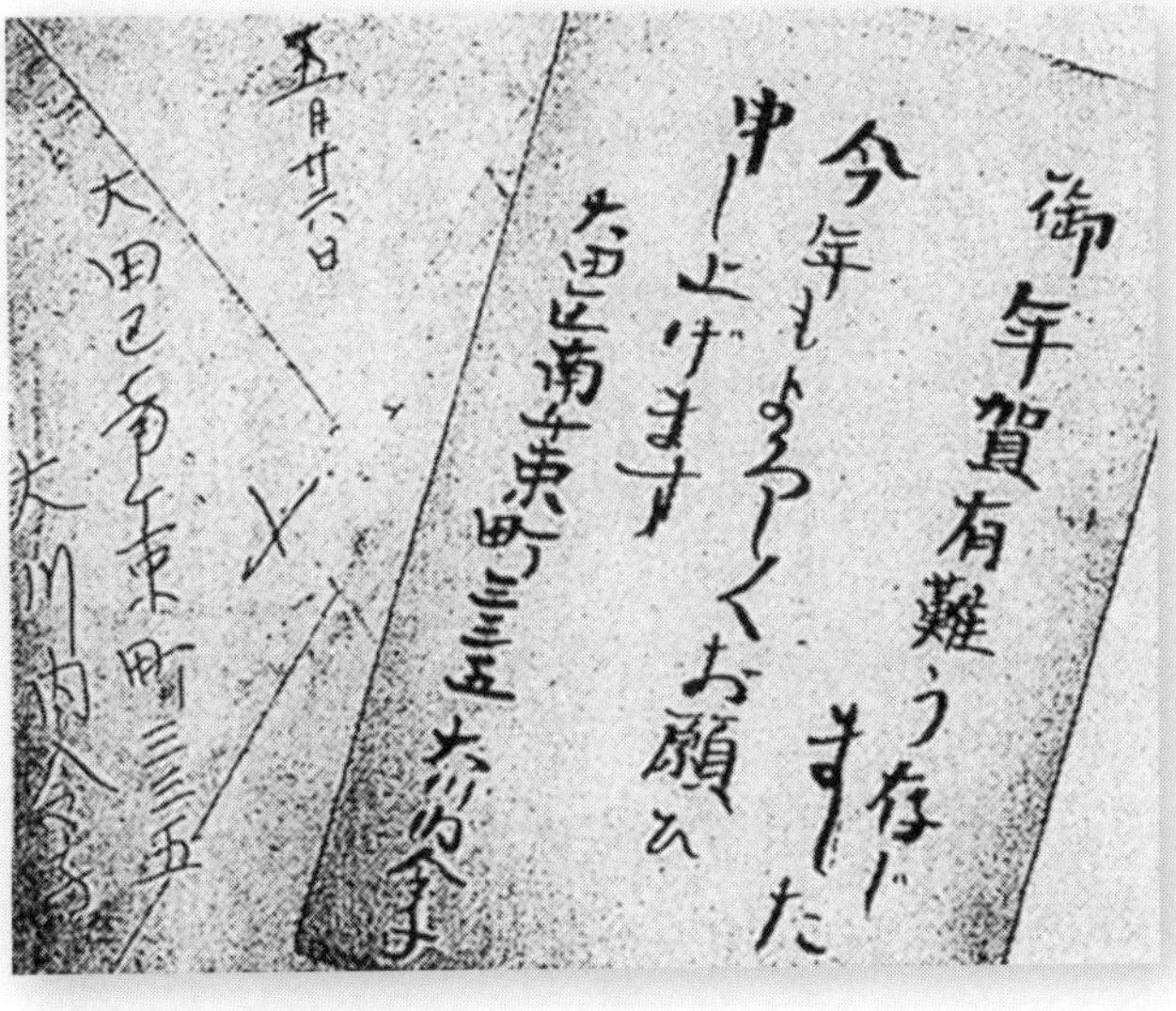
御年賀有難うございました
今年もよろしくお願ひ
申し上げます
大田区南千束町三三五 大川内令子

五月廿六日
大田区南千束町三三五
大川内令子

（上）


≪先日はわざわざお電話をありがたう存じました。

久し振りでお声が伺えてほんたうにお懐しく存じました。李泰来さまが朝鮮にお帰りになつてから頼り《ママ》少く、それでも柴田さまにいろいろな御本等を拝借しながら、稚々《ママ》とした勉強を致して居ります。むかふみずに書いて居りました時とちがひ、少しでも文学や詩のことが判りはじめて参りますと、おじけがついて、とても私にはついてゆけないような気が致します。余りにも峻厳な仕事なので……。

でもわたしはわたしなりに、拙いながらも自分を伸ばしてゆけばいいのだと、自分の世界での精魂を傾け盡して居ります。先日御親切に仰言つて下さいました原稿、自分の拙さが判れば判る程気おくれて、とても発表は出来ないとおもひましたが、牧さまのような方に見ていただくだけでもいいと考え柴田さまに二篇お預けし、またそのあとのを少しお送り致します。何卒くれぐれもよろしく御みちびき戴きたう存じます。

先日李さま御上京の際、最近の詩稿をお見せしましたら「僕の居た時よりも悪くなつた」と云はれ、本当に悲しくなりました。／一生懸命に勉強してもかえつて悪くなるといふのは、わたくしが技巧とか、技術とかことばにはじめて意識的に瞳をみひらき捕らはれはじめたせいなのでございませんか？

もつともつと技術やことばをマスターしてから、本当にいい詩を書きたいと存じて居ります。今は捕はれるばかりで、ひきづられるばかりで、たいさう苦しいおもひを致して居ります。おいそがしいところを長々と書きつらねおゆるしくださいませ。またお言葉に甘えて、拙い詩稿をお送り致し本当に申訳ございません。お目にかかつて、作品をお目にかけたり、有効なお話をお聞きしたりする機会をこころまちにしつつ、くれぐれも御身御大切に御健闘遊ばしますようお祈り致します。

かしこ

大川内令子

牧章造様》

右は、昭和23年4月8日付の、詩人・牧章造宛書簡で、若い女性のものである。どうやら詩人志望らしいが、この名が女流詩人として残ることはついになかった。

ただ、全く無名かと言うとそうではないし、ある詩の老大家が亡くなったすぐあとは結構話題になり、昭和五十六年には東陽一監督、関根恵子主演の映画「ラブレター」のモデルともなった。その原作となったのが、この女性の話を江森陽弘が聞書きした『金子光晴のラブレター』（昭51・ペップ出版）だった。

もう二通、4月15日付と、4月27日付の葉書を写そう。

《早速にお端書有難う存じました。ほんとうによいお言葉を戴きうれしう存じました。私はたいさう眩感されやすい気質を持つて居りますため、詩の世界に入りいきなりまぶしい技術を見せつけられ、呆然といたしました。／けれど自己の沈潜した世界、うちからもえてたかまつてゆく世界のほかに何もないのだといふことをふたたび強く自覚いたしました。
ほんとうに忠実に勉強して参ります。何卒ときどき迷い易い拙い私の修業を今後末長くいろいろ御指導くださいますようお願い致します。先は御礼まで。

かしこ》

《四月二十二日付のお端書と二十五日付の封書有難う存じました。放送の原稿、私にはとても書けないような気が致しますけれど、兎に角出来るだけ一生懸命に書いて御批評を戴くだけでも結構と存じます。／五月二日の切符有難う存じました。よろこんでお伺ひ致します。このごろは詩や、文学の世界に対する自分の無知が恐しくつて、自由にのびのびと書けないような気が致します。また私には他人のお書きになつたものを理解する力が全くございません。時々柴田様のお宅にお伺ひして、あの方の詩稿を見せて戴いても、私には判りませんといふ言葉きり云えない自分を本当に悲しく存じます。もつともつと皆様に教えて戴き、視野を広くしなければと思ひます。このあひだはじめて中原中也、八木重吉、大手拓次をよみました。先は御礼まで。》

実はこの頃のことを、令子は「聞書き」で言っている。「あの頃―昭和二十二、三年の、日本の混乱の中で、私は自分の生き方を模索していました。二十二歳の私は、弟と二人で荒涼とした東京の焼け跡の中に生きていたのです」「私は文学少女をきどつて、詩人の仲間に入らせてもらっていました」

令子は元海軍中将・大川内伝七の娘として生まれたが、戦後は権威、権力に抵抗する人間に憧れ、その象徴として金子光晴を思い続けていたと言う。そんなある日、令子は詩の集いで「Sさん」に声をかけられる。

「キミ、いつだつたか、金子光晴先生に会いたいつて言つてたね」とS。

この「S」が、先に紹介の三通の内二通に出てくる「柴田」かどうかは分からないが、年代からもその可能性は充分であろう。ともかくこの誘いに、「会いたいわ。世界中で一番……」と答えたことになつている。また「聞き書き」では令子は、いかにも会いたい人は金子光晴一人、という風にしてあるが、ほとんど三十年後の、それも金子とすごしたことをテーマにした本への談話だからで、当時の真相としては牧宛書簡の方が正しいかも知れない。令子は初めは牧を始め複数の師を求め、分野も放送用の詩からやがて小説まで習作するようになる。また右数通の中にある「五月二日の切符」は詩の会の誘いで、令子はここで「柴田」から金子宅への誘いを受けたのでは、と思われるのだ。

——このあとの五通で、二十二、三歳の大川内令子が、五十四、五歳の金子に会い、やがて女にさせられて行く辺りの軌跡が辿れればと、思っている。

（下）

前回私は、あとの五通で、二十二、三歳の大川内令子が、五十四、五歳の詩人・金子光晴に女にさせられるまでを探りたい、と書いた。

しかし、令子の牧章造葉書が、その後また十枚ほど新しく出て来てしまったのである。昭和二十三年のものばかりで、これによると令子は、前回記した朝鮮の詩人や、柴田元男や牧の外にも、江口榛一や庄司某などにも教えを乞い、訪問したりもしている。やがて牧を通じ、北川冬彦の主宰誌「時間」にも入会する。その上牧や伊藤桂一の刺戟で令子は、創作にも励むようになった。

この年内のある時期に起きたのが、金子光晴との邂逅だったと思われる(令子の聞書き『金子光晴のラブレター』にも年月日ナシ)。「S」に紹介されて、二回目で令子は「愛の告白」を受ける。「僕と森三千代は、仕事の関係ですでに離婚しとるんじゃ」と詩人。

四回目、詩人は処女の令子を「旅館」に誘った。令子の、後半の証言はこうなる。

「……旅館の玄関で二、三分私たちは待たされ、その間、金子は『旅館屋さーん』と五、六回呼んでいました。やっと女中さんらしい方が出て来ました。うさんくさそうなまなざしで見たあと、「おやすみですね」といい、先に立って歩き始めました。(中略)『おやおやウサギさんや。お前はハタチを越してるのに、なんじゃこれは。子どもだね、まったく……』「子どもなんかじゃありません。私……」「怒ったか? ハッハハハ……。精神と肉体のバランスがとれてないとこが、また一段といい。ウサギさん、わかったかな」「……」何処が子どもなのか私にはわからない。五十数歳の男からみれば、それは子どもでしょうよ。金子光晴は、こうして、足の指の一本一本から全身にわたって愛撫してくださいました。こわれやすい花びらの植木を、そっと手入れするような、あの仕草だった。ときどき、青くさいような金子光晴の、お口のニオイがしたな、と思っていると、ペロリと私の鼻の先をなめてしまうんです。長いような、あとで思うと短いような時間でした」

さて、……すると次に写す牧章造宛の、令子の8月26日付の書簡は、このことの前だったのか、あとだったのだろうか？


《今日は有難う存じました。

夜、李さんがいらつしやつて〝影〟といふ作品を何處かへ発表なさるといつて、持つていつておしまひになりました。

このごろ、発表する程には自己の作品がすぐれてないといふことに気がつき、人目にふれるといふことは羞恥の感が先に立ちます。

今日同封致します原稿は、詩ではございません。ただ何故官能の世界に停迷《ママ》するかといふことに説明を綴り、牧さまや、私の詩に興味を感じていて下さる方に判つて戴きたいからでございます。ある精神過程の通過から、実際上には堕落し得ない私も観念のうえで頽廃しなければなりません。ただかうしたゆき方が多くの人々から品性を疑はれるような結果になると存じて居りますが、私は名譽をぎせいにしても芸術のうえに妥協することはいとはしく存じます。

観念的な人間の私には、実際上の堕落は、堕落より先に逃避するだらうと存じます。けれど官能の世界は、ひとつの試みにすぎません。ひとつのデッサンの試みです。筆遣ひを習ふ画工のように、釘のうち方を習ふ大工のように。あれは私の瞬間の表情であつて、ただその瞬間の表情を捕らえようとする技巧の錬磨にすぎません。

複雑な内容をすべて盛らうとするのには、技術の拙劣さを余りにも強く感じます。一生懸命勉強致します。ほんとうにいろいろ有難う存じました。牧さまのお仲間の方々に助けて戴き、自分を成長させていくことが、わたしに一番ふさわしいように存じます。これからもいろいろおねがひ致します。

伊藤さまによろしく。

かしこ

大川内令子》

牧　章造様

しかし、ここに残る、昭和25年8月12日付の令子の最後の牧章造宛書簡となるともう、明らかに別人とも言ってよい金子の影響歴然たる人格が書かせているように見える。

《お約束の次の週も過ぎてしまいました。本当に、何とも申訳ございません。貴方の「文学界」（青木註・牧の詩掲載号）は、作家の某氏が、私の処から借りてゆき、私が取りにゆきましたら、某氏から次の某氏に手渡って、行方が知れません。書店と古本屋を探しましたが、売れ残りもありませんので、途方に暮れました。某氏が近日中に「文学界」の編集部から貰って来て下さるそうです。お詫びに伺おうかと思いましたが、その勇気も消えてしまいました。何卒、今しばらく御猶予下さることをお許し戴きとう存じます。小説、お書きになつていらつしやるでしようか。私は克苦勉励、暑さもペンを握りつゞけて居ました。今の文壇にどういうものが通用しているか、その作家たちが何を考えているか、此頃ようやく解つて来ました。私は絶対戦うつもりです。彼等が互いに慣れ合つている文学常識に根底から刃向かうつもりです。

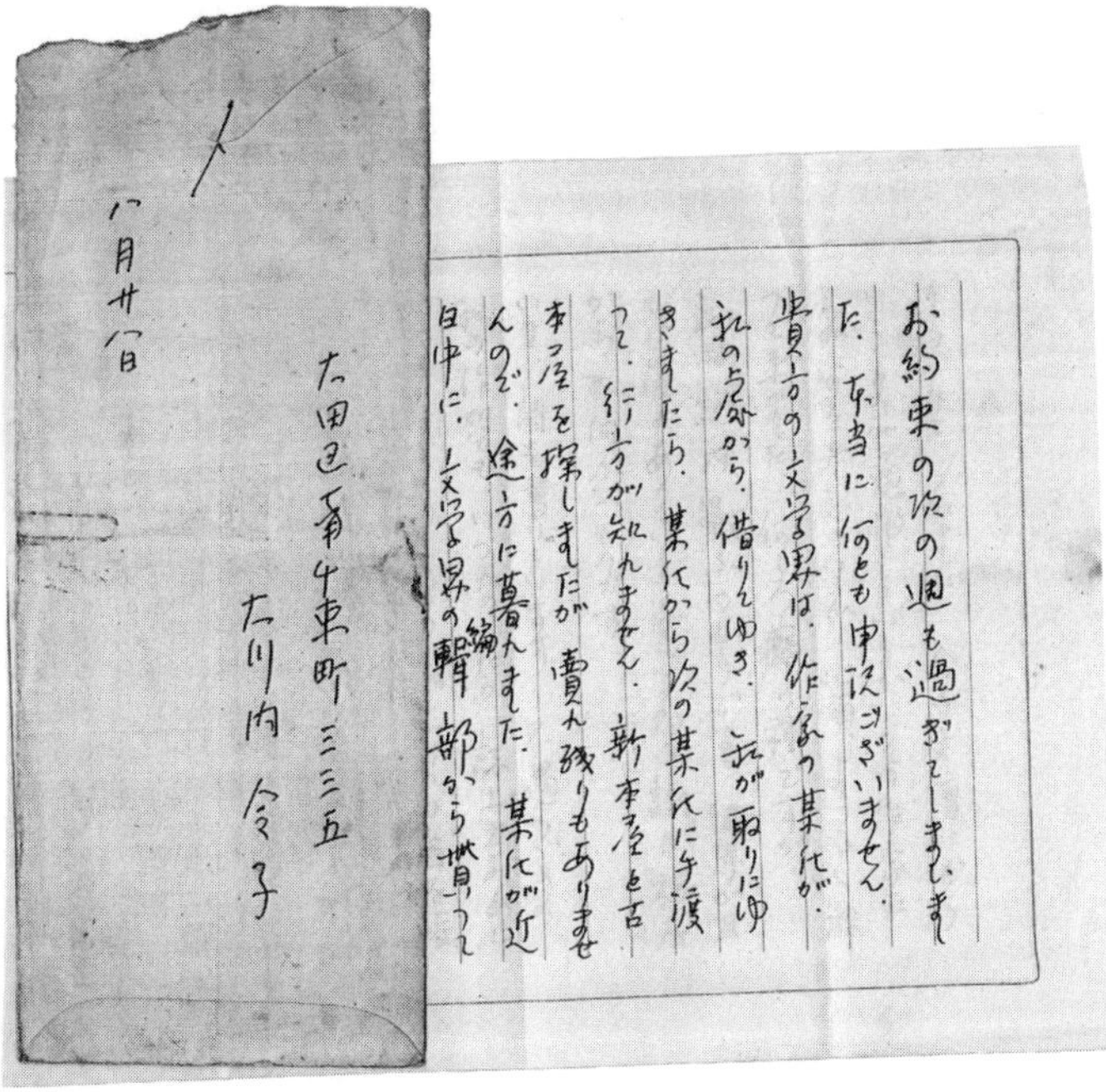

いま、詩を書いています。不遇つゞきの私の労作も、いずれの日にか誌上でおめにかかることもありましょう。でなければ首を絞めてしまいます。

では、残暑の折くれぐれも御身御大切に。

先ずは御詫びまで。

かしこ

牧章造様

大川内令子》

そしておそらく、最初「文学界」を借りて行った「作家の某氏」とは、間違いなく金子光晴その人のように、私には思えてしまうのであるが、事実はどうだったのであろうか……？

関口良雄

（1918〜1977）

（上）

関口良雄は古本屋・山王書房として生涯を送ったが、没後の遇され方はむしろ文士並と言っても過言ではない。

生前は『上林暁文学書目』（昭38）、『尾崎一雄文学書目』（昭39）を編集、自費出版した。昭和四十五年には、尾崎一雄、上林暁、木山捷平、山高のぼる及び関口（銀杏子）で、五人句集『群島』を刊行、また文章を古書組合の機関誌「古書月報」や同人雑誌「銅鑼」等へ書き、俳句を新聞投句欄や句誌に寄せた。

そして没後、同業で友人でもあった岩森亀一氏の三茶書房から、文集『昔日の客』（昭53）と句集『銀杏子句集』（昭56）が出された。書目二冊は無論のこと、『群島』『昔日の客』まで、すでに古書価はみな高い。

また、書目を作るほどに惚れ込んだ二作家を始め、交渉のあった文学者名をあげると、浅見淵、小田切進、加藤楸邨、添田知道、野呂邦暢、萩原葉子、結城信一等五、六十名にもなってしまう。右以外でとくに親しく接した作家としては、尾崎士郎があり、その死（昭39）まで続いた。ちなみに関口は士郎からも「書目」編集を頼まれたのだが、さすがにその膨大な著書量から断わる外なかったと言われる。

没後の関口が「文士並」と言ったのは、その後多くの有名無名の人達がその奇行、逸話を愛し、関口の人間像を書き続けているからである。かく言う私も三年前の『古本屋奇人伝』（東京堂出版）

に入れたし、現在も〝東京南部文学ネットワーク誌〟「わが町あれこれ」では、前述の『昔日の客』から文章を選び、関口の文章を連載している。没後古本屋も廃業してすでに二十年、単に古本屋としてならもう話題にもならないであろう。

……さて、その関口が未だに人々の思い出の中に生き続ける理由の一つは、天性のものである美しい筆跡の手紙を惜しげもなく人々に出し続けたことにある。ほとんど直接のおつき合いがなかった私の手元にさえ、書簡一、葉書数通が残されている位だ。

ここでは詩人・牧章造宛を紹介するのだが、私はこれを昔求めた牧宛の雑多な書簡類の中から見つけた。ただ、何故か残されたのは昭和四十三年分だけで、

《謹賀新年
早春の　伊那路の空を　忘れめや
昭和四十三年　元旦》

という年賀状から始まっている。この年関口は五十歳、山王書房は諸種の事情から衰退期にあった。牧は五十二歳、三月にS状結腸癌で手術。結果的には四十五年十月に癌の進行で死する運命にあった。五月八日付の葉書。

《久しく御無沙汰しました。先達、お電話しましたら、病気されてゐるとのこと驚きました。働き過ぎたのではないですか。早く全快されます様、念じております。私も、此の二、三年色々な

ことがありました。去る四月廿五日で開店満十五年を迎えました。木の芽も盛んに吹き出したのに、私はさつぱり芽が出ません。何時もスレスレのところで古本屋をやつてゐます。ただ目立つた事は子供が大きくなつた事です。呉々も御自愛専一に。》

そしてこの葉書のあと、関口は牧の病状を所沢へ見舞ったものらしい。六月三日付の書簡。

《この頃は久々にお逢ひ出来、嬉しく思ひました。大病をされた直後ですから痩せられたのは仕方ありませんが、お顔の色がとても良いので、よかつたと思ひました。

だんだんに元通りの健康体に戻られることでせう。以前から一度参上をと思つてゐたのですが、やつと望みを達しました。裏の広大な雑木林はすつかり女房も私も気に入りました。林の中から頂いて来た名の知らない花、部屋の中や店先に飾りました。とても元気です。この花はホトトギスの花によく似ております。まだ四、五日は持ちさうです。いろいろとおもてなし頂き有難う御座いました。牧さん、後で疲れ過ぎたのではないかと心配しております。暑い夏が来ます、呉々も御自愛専一に、そして秋風が吹く頃まですつかり良くなつて下さい。

私も雑木林の秋色を楽しみにしております。拙作一句、

えごの花
　人に知られず　咲きにけり
末筆乍ら御令室様に呉々もよろしく。そして安里チャン、クルミチャンにも。
六月三日　　　　　　　　　　　　　　　　関口良雄
牧　章造様》

次の日に出した関口の葉書。

《五月雨に　蕪村の句集売れにけり　　　　銀杏子
旧作です。御実らんを。時々拙句をお届けします。かけ出しのくせに、俳号をギンナン子とつけました。》

一日おいて出した関口の葉書。

《柿若葉　水車の音よ遠き日よ　　　　銀杏子
信州、飯田市の町はづれで、私の父は小さな米屋をやってゐました。私が七歳の時、米屋は潰れました。裏には水車小屋があり、私が植えた柿の木には今でも柿がなります。》

この日、どうやら先日の見舞いの日に撮った写真が、牧から届いたらしい。追いかけるようにこの午後投函の葉書が左記である。

《写真、沢山ありがとう御座いました。皆素晴らしく撮れており、よい記念写真となりました。大病をした牧さんの方が、私よりガッチリしてゐるので、私もいささか淋しくなりました。生涯痩浪人で過ごすことになりさうです。大正時代のハガキを使って御礼まで。》

（下）

後半は、7月10日付の葉書から紹介しよう。

《大分お元気になられた様ですね。字で判ります。元気な頃の字と同じになりました。廿六日に大森にお出での折は是非お立ち寄り下さい。私も楽しみにしております。牧さんの詩集、そのままになつておりますが、その時お渡しいたしませう。一日に軽井沢に行き、大きな地震にビツクリしました。

鳥も来て　ついばむ朝の苺摘む

（軽井沢の朝）》

関口の次の葉書は7月23日付のもの。

《暑中お見舞ひ申上げます。

暑いけれど夏は好きです。古本に時折りハタキをかけ、打水をし、出来るだけ風通しをよくし、

誰も来ない夏枯れの店先で足を投げ出して居眠りをしております。そして想ひは遠く伊那谷にとぶのです。少年の頃は、赤石山に湧く入道雲をあかず眺めたものです。そして大きくなつて東京に出たら偉い人にならうと思ひました。あの時から三十余年、いろいろな事があつて古本屋に落着きました。

昭和四十四年　盛夏》

次の葉書は8月13日付である。

《鳴かせおけ　蟬の命の短かきを　　銀杏子

お元気で、北海道の旅を終へられたとのこと、何よりでした。

益々の回復を祈つております。》

ところがこの三日後、右の葉書を牧章造に出した関口の身に、彼が古本市場へ出入りし始めた頃、同じ文学書を扱っていることで親しくなった渋谷道玄坂の中村書店・中村三千夫の急死という出来事が襲った。何しろ、麦書房、三茶書房などと研究会まで作って励んだ仲間で、詩歌古書を扱っては鶉屋書店と共にこの頃都内の代表的書店であった。

先に牧へ「鳴かせおけ……」の句を送ったことを思い出したのだろう、関口は9月2日付で左の葉書を出す。

《友達の本屋、中村氏の骨を幡ヶ谷火葬場に拾ひました。折から油蟬のウルサイ程の鳴声に、「鳴かせておけ……」とは云えなくなつたのです。そこで、
黙れ蟬　友の屍を焼くところ
銀杏子》

その後二人は、電話での会話を交したらしい。関口のところへは、二度目の脳出血の発作後は、ほとんど判読に困難な文字を書くようになった上林暁からの葉書が舞い込むようになっていた。左はその一通について触れた牧宛の葉書だ。なお、この頃すでに口も不自由になっていた上林だが、関口は上林の言わんとするところが即座に理解出来た一人だったと言われる。

一、夏ゆきて　手習ひの左手つかれけり
一、秋霖の夜や　家を守る病みながら
上林　暁

《電話で申上げました上林さんの句、判読しながら書いてみました。
呉々もお体を大切に、

この日、関口はもう一枚俳句一句の葉書を出す。

《秋草の　ふるへて雨に打たれおり
銀杏子》

とんで、12月11日付の書簡。

《「空想部落」がいまだ届かない由、一体どこをどううろついてゐるのかと心配しております。万一行方不明のときには私用の一冊をお送りします故、今少しお待ち下さい。頂いた「山の樹」、店番をしながら少しづつ楽しく読んでおります。牧さんの文章は詩誌に発表時に読みましたが、かうして通読してみますと以前にもまして感銘深きものがあります。

つながり乞食は私も度々見てよく印象に残つております。

牧さんの云はれる様に男の顔には威厳がありました。

年の瀬は忙しく、本を読む人も少ないのか店は閑散、

極月や　古書買ふ人の　まばらなる

と云つた次第です。先づは呉々も御自愛専一に。　春待月十日　草々

関口良雄

牧章造様》

その後、『空想部落』の一件も片づいたのが、12月20日付の葉書。

《十五年夢幻の如く流れたり

空想部落に古書ひさぎつつ

開店以来十五年、その年もいまや暮れなんとしてゐます。尾崎先生のことを思ひ、時に涙を流すこともあります。》

残された関口の手紙は以上で全部である。これ以外の手紙は一括の中になく、その後の二人の交友について知ることは出来ない。(上)で記した如く、牧は昭和四十五年、癌の再発により五十四歳で没した。

牧の詩歴は古く、二十二歳で菱山修三に師事、翌昭和十四年「山の樹」の同人会に初めて出席する。この年勤務先の大連支店に赴任、昭和十六年には「満洲詩人」に参加、長谷川四郎、藤原定、逸見猶吉を知る。十七年帰京、中桐雅夫、堀田善衛等と詩誌「早蕨」を計画、十八年創刊する。晩年は戦後復刊の「山の樹」につくした。この雑誌が没後、昭和四十六年三月に「牧章造追悼号」を出す。これへは安西均、金子光晴、更科源蔵、伊藤桂一も追悼文を寄せた。

一方関口良雄は、この手紙の翌々年、自ら飲酒の害を自覚、断酒会に入る。昭和四十六年より二年間、東京古書組合・南部支部より選出されて組合理事を歴任する。しかし店は、昭和三十年代まであんなに良書に満ちていたことが嘘のような、不本意な棚揃えになった。

昭和五十二年、関口は奇しくも、牧が亡くなったとほぼ同じ結腸癌に倒れる。葬儀には尾崎一雄、士郎未亡人、紅野敏郎等沢山の参列者であふれた。

(一九九六年八月)

井上光晴

（1926〜1992）

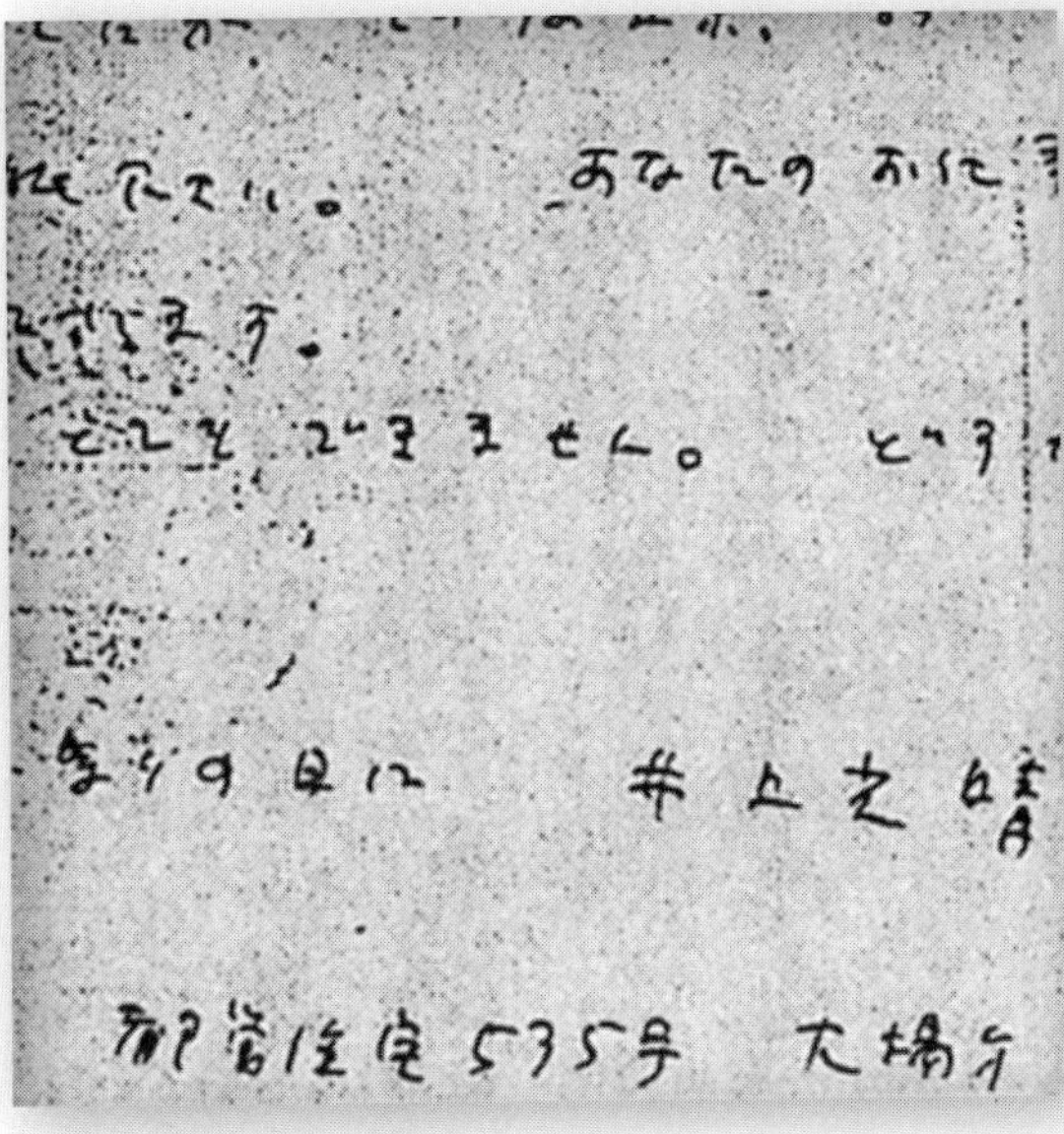

大江健三郎のノーベル賞受賞は、私達古本屋にとっても喜ぶべき出来事ではあった。大江が言ってくれたように、井伏鱒二も大岡昇平も安部公房も、ゆうに世界的に見ても読むにたえ得る文学だったのかもしれず、他にも野間宏、堀田善衛、そして遠藤周作などもこれに加えてもいいのかもしれない。そしていま一人、このところ別の現象で人気(?)の出ている、井上光晴もまた、この系列の末くらいに加えてもよいのではないだろうか。

去る九月二十五日、私は友人と渋谷「ユーロスペース2」へ『ゆきゆきて、神軍』の原一男監督が作った映画『全身小説家』を観に出かけたのである。近所と言ってよい区内青戸の、近著に『大東亜戦争と日本映画』『探書遍歴』などがある詩人・櫻本富雄氏と、私はこの朝電話で雑談したまたま、井上光晴の晩年を実写したと言われる『全身小説家』のことに及ぶと、「今日行こうよ」ということになった。

三時に日暮里待ち合せ、山手線で渋谷へ出る。駅から二分とあったが、七、八分かけて探し出した。そこは小さなビルの二階にあり、映画館というのが分かるのは階段を上ってからのことで、一時間前というのに貰った整理券は七~八十番目であった。二人は近くの喫茶店で時間まで待った。座席はすぐに埋まり、立見席にも人が立つほどだった。

ともかく、映画は面白かった。上映時間二時間三十七分というが、あっという間だった。井上という人間像が何とも言えず魅力的だったのである。そして後半の、井上没後に従来の履歴をあばいて行く構成が何とも痛快だった。

製作ノートの谷川雁の発言がもっとも私には印象的で、「彼は戦争中から戦後にかけて崎戸という世界。それからまた太平洋戦争から朝鮮戦争にかけての佐世保という軍港。そういう所にいたから、佐世保でバレそうになれば崎戸に行けばいいし、崎戸でバレそうになれば佐世保にくればいい。そういう形のところで彼がやったものというのは、それは実は、本当はこの世とあの世の接点みたいな、そういうものをね。それは戦争であったり原爆であったり、炭坑の地獄であったり、いろんなことだったわけですけど……」などと、愛憎こめているのである。そのくせ、見終わって井上像が不快なものと変ったかというとそうではない。これまで『書かれざる一章』と詩編くらいしか読んでいなかった私が、今一度何か作品を読んでみたいと思わせられてしまっていた。

……さて、これから紹介する井上の手紙は、旧ソ連時代にレニングラード大学で日本語教授をしていた岸田泰政氏に宛てた作家達の書簡中にあったものだ。封箋一枚に、映画でも見せた独特の細字で横書きに書かれている昭和32年7月7日付のもので、井上はこの年三十一歳、前年池田郁子と結婚、上京している。

――手紙を写そう。

《回送されてきたお手紙、非常におくれて今月うけとりました。私の小説に対して、おこころのこもった言葉をいただき、本当にうれしく思います。私の経歴については別送いたしました小説集「書かれざる一章」のソデをどうか御参照下さい。他に小説集「トロッコと海鳥」詩集「すばらしき人間群」があります。二部づつお送りいたしました。（約一ケ月半位かかるそうです。）なお私の経歴の中にある日本共産党の問題に御不審を抱きになると思いますが、それがどのような意味

をもっているかは、私の作品の全部を通読していただくと、よくわかっていただけると思います。現在党員ではありませんが、すべてのたたかいを通じて、もちろん私は激しく革命民主陣営の側にたつています。もし私の全作品があなたの手を通じてソヴェートのみなさんに紹介していただけるなら、私のよろこびはこれにすぎるものはありません。戦後十二年、日本の革命運動は想像を絶するほど複雑な歩みをたどつてきました。

いまこそ努力して着実なたたかいをすすめたいと考えています。どうかお手紙下さい。もしそちらで手に入り難い資料がありましたら遠慮なくおつたえ下さい。必ずご便宜をおはかりいたします。「極東諸国作家集」が刊行されましたら、どうかお送り下さい。なおあなたの詩を（幾篇でも結構ですから、）どうかお送り下さい。私は現在〈現代詩〉の編集委員をしていますので紹介したいと思います。

東京では目下、モスクワ平和発行の旅券獲得のためのたたかいで、五百名が毎日外務省に波状デモをかけています。

私は去年の五月までアメリカの基地である九州、佐世保市にいましたが、その後上京、約一年になります。

ホン訳に関するさまざまのことについては、どうかそのつどお手紙下さい。あなたのお仕事に対して心からの敬意を表します。どうか呉々もお体を大切に。すばらしいお仕事を期待しています。

航空便で本をおくると早くつきますが、一〇〇〇円以上かかるので、とてもできません。どうかよろしくお願いいたします。一九五七年七月七日　七夕祭りの日に

岸田泰政さま　　　　　　　　　　　　　　　　　　　　井上光晴

（住所）東京都南多摩郡七生村
　都営住宅五三五号　大場方》

私は、まだ読んでいない『地の群れ』を読むため、全集「われらの文学」＝「井上光晴」を開いた。解説は奇しくも大江健三郎で、

「……現にかれより苛酷な体験をあじわってきた労働者たち、旧右翼、もと共産党員は数多いだろう。しかし、かれらにとって時代がいったんすぎさればすべては《幻影だらけの事実》なのだ。」しかし井上はそこにいくらフィクションを入れようと、「おれはこのように現実を体験したのだ、と書くことができる作家なのだ。」と井上論をしめくくっていた。

（一九九五年一月）

あとがき

七十歳代までは古書売買の傍ら二冊ずつ書いて余裕だったが、八十代に入るとそれも夢のようです。よく見る新聞の死亡記事でも、年少の方々の中に、〝老衰〟と書かれるお人さえあります。

実は八十歳を越えた頃から、人生の総決算として三冊の本を計画しました。二月に出た『古書と生きた人生曼陀羅図』はその一冊で、本書は『肉筆で読む作家の手紙』（二〇一六年・本の雑誌社）出版直後にはもう書き始めていたのです。その事情を説明しますと、第四部「作家26人」は元は〝53人〟だったのです。そこから残されたのが26人だった。出版社とすれば頁のこともあり仕方がなかったのである。「自費出版〝続〟としてでも出しておきたい」とすでに企画したのが本書だった。そして人生の残務整理をし始めて出て来たのが高村光太郎以下の書簡葉書など10人分で、ここからが大変だった。すでに書庫の整理が進んでおり資料も一々図書館に当たらねばならず、筆が進まず、今になってしまった。

ともあれ、ここはまずこれらを古書市場に出品してくれたご同業諸氏に感謝です。そして何より、筆者を感動させ、沢山の秘話や物語りさえ想像させて下さった、特に多くの受信者だった若き日の久米正雄、ソビエトで日本語教師として活躍の岸田泰政、詩人・牧章造、「下界」等同人雑誌で活躍の人見勝彦（本名・周藤勝彦）諸氏の霊に感謝です。本書が万一明治・大正・昭和の近代文学史にいくつかの明かり（真実）を灯すことが出来たとしたらこれほどの幸せはありません。

また度々の出版をお願いした日本古書通信社に、構成から校正までの労をたまわった樽見博さん、本書まで、もう幾冊もの印字を担当して下さっている花井雅信さん、上毛印刷の大澤丈太さんに、それぞれ厚くお礼申し上げます。

さて末筆ですが、最初言った〝総決算三冊のもう一冊のことです。出来れば次の本で、無論生きてあればですが、すっかり遠くなってしまった昭和ヒトケタの遺す「私の昭和史」のようなものをまとめたいと思っております。

二〇二〇年八月三〇日

青木正美

著者略歴

青木正美（あおき・まさみ）

一九三三年東京に生まれる。五〇年都立上野高校中退。五三年葛飾区堀切に古本屋を開業。商売のかたわら、近代作家の原稿・書簡、無名人の自筆日記などの蒐集に励む。八六年同業三人で季刊誌「古本屋」を創刊、五年間で一〇冊を出し終刊する。また、文筆活動にも取り組み、著書に「昭和少年懐古」「古本屋三十年」「青春さまよい日記」「古本屋奇人伝」「古本探偵追跡簿」「知られざる晩年の島崎藤村」「近代作家自筆原稿集」「古書肆・弘文荘訪問記」「『悪い仲間』考」「古本屋群雄伝」「場末の子」など多数を著している。

二〇二〇年十月三十日　初版　第一刷

定価二、五〇〇円＋税

作家の手紙は秘話の森
――古書市場発掘の肉筆37通

著者　青木正美

発行者　八木壮一

印刷所　上毛印刷株式会社

発行所　日本古書通信社
〒101-0052　東京都千代田区神田小川町三―八　駿河台ヤギビル５Ｆ
電話　〇三(三二九二)〇五〇八

ISBN978-4-88914-065-1　C0095　Printed in Japan

青木正美著作目録

日曜の憂鬱―青木正美作品集　一九六七年　（タイプ印刷での自費出版）　A5判　一七四頁

東京郊外昭和少年懐古　一九七七年　自刊（絶版）　函付　B6判　三一六頁

東京下町古本屋三十年　一九八二年　自刊（絶版）　函付　B6判　三九六頁

古本商売蒐集三十年　一九八四年　日本古書通信社　函付　B6判　四五八頁

古本商売日記蒐集譚　一九八五年　日本古書通信社　函付　B6判　四六六頁

古本市場掘出し奇譚　一九八六年　日本古書通信社　函付　B6判　三二二頁

戦時下の庶民日記　一九八七年　日本図書センター刊　カバー　B6判　二四〇頁

幻の「一葉歌集」追跡　一九八八年　日本図書センター刊　カバー　B6判　二四〇頁

昭和の子ども遊びと暮らし　一九九〇年　本邦書籍刊（絶版）　カバー　A5判　四三二頁

古本屋四十年　一九九二年　福武書店刊　カバー　A6判　二七八頁

古本屋控え帖　一九九二年　東京堂出版　カバー　B6判　三〇四頁

自筆本蒐集狂の回想　一九九三年　自刊（青木文庫・出版）　函付　A5判　五〇二頁

古本屋奇人伝　一九九三年　東京堂出版　カバー　B6判　二五〇頁

下町の古本屋　一九九四年　日本古書通信社　函付　B6判　四五〇頁

古本探偵追跡簿	一九九五年	マルジュ社刊　カバー　B6判　五〇〇頁
太平洋戦争銃後の絵日記	一九九五年	東京堂出版　カバー　B6判　三二六頁
古本探偵覚え書	一九九五年	東京堂出版　カバー　B6判　二七二頁
夢二ヨーロッパ素描帖	一九九六年	東京堂出版　カバー　B6判　二一四頁
新発見夢二絵の旅	一九九六年	日本古書通信社　こつう豆本
青春さまよい日記	一九九八年	東京堂出版　カバー　A5判　七七〇頁
写真と書簡による島崎藤村伝	一九九八年	国書刊行会　カバー　A5判　二〇四頁
肉筆原稿で読む島崎藤村	一九九八年	国書刊行会　カバー　A5判　二八二頁
知られざる晩年の島崎藤村	一九九八年	国書刊行会　カバー　A5判　三一八頁
近代作家自筆原稿集	二〇〇一年	東京堂出版　カバー　B5判　二一〇頁
近代詩人歌人自筆原稿集	二〇〇二年	東京堂出版　カバー　B5判　二一八頁
二十歳の日記	二〇〇三年	東京堂出版　カバー　B6判
古本屋五十年	二〇〇四年	筑摩書房　カバー　ちくま文庫　三五〇頁
大衆文学自筆原稿集	二〇〇四年	東京堂出版　カバー　B5判　二一〇頁
古書肆・弘文荘訪問記	二〇〇五年	日本古書通信社　カバー　B6判　三七〇頁
ある古本屋の生涯	二〇〇六年	日本古書通信社　カバー　B6判　五六〇頁

目で見る葛飾の１００年　二〇〇五年　（超大形写真集・編集委員）　郷土出版社
カバー　一四八頁
東京下町１００年のアーカイブス（大形写真集）
二〇〇六年　生活情報センター　Ａ４　カバー　一七六頁
「悪い仲間」考　二〇〇七年　日本古書通信社　カバー　Ｂ６判　三五四頁
自己中心の文学　二〇〇八年　博文館新社　カバー　Ｂ６判　二八四頁
古本屋群雄伝　二〇〇八年　筑摩書房　カバー　ちくま文庫　四九四頁
場末の子　二〇〇九年　日本古書通信社　カバー　Ｂ６判　三〇六頁
ある「詩人古本屋」伝　二〇一一年　筑摩書房　カバー　二一六頁
詩集　古本屋人生史　二〇一四年　青木書店　カバー　Ａ５判　一二八頁
肉筆で読む　作家の手紙　二〇一六年　本の雑誌社　カバー　Ｂ６判　三〇二頁
古本屋癌になる　二〇一七年　日本古書通信社　カバー　Ａ５判　一四〇頁
文藝春秋作家原稿流出始末記　二〇一八年　本の雑誌社
肉筆で読む作家の手紙　二〇一九年　本の雑誌社　カバーＢ６判　三一二頁
古書と生きた人生曼陀羅図　二〇二〇年　日本古書通信社　Ｂ６判　七〇〇頁

―以下の本に収録文あり―

柳蘭の丘―相撲史家・池田雅雄追悼集　一九九〇年　私刊　函付　B6判　一九二頁
日本の名随筆(別28)日記　一九九三年　作品社　カバー　B6判　二五二頁
古本屋の自画像　一九九六年　燃焼社　カバー　B6判　二八八頁
古本屋の蘊蓄　一九九七年　燃焼社　カバー　B6判　三二六頁
古本屋の本棚　一九九七年　燃焼社　カバー　B6判　二三六頁
日本の名随筆(別72)古書　一九九七年　カバー　B6判　二五一頁
原稿を依頼する人される人　一九九八年　燃焼社　カバー　B6判　三九八頁
島尾敏雄　二〇〇〇年　鼎書房　A5判　一六四頁
おやじの値段　八七年版ベスト・エッセイ集　一九九〇年　文春文庫
木炭日和　九九年版ベスト・エッセイ集　二〇〇二年　文春文庫